스크래치3.0 연습문제를 통한 컴퓨팅사고력 키우기

김현호·문미경

Scratch3.0

scratch

YD Edition 연두에디션

저자 약력

김현호 교수

동서대학교 컴퓨터공학부 초빙교수로 재직 중이며, 현재 소프트웨어에 관련하여 강의를 진행하고 있으며, 그 밖에도 소프트웨어 중심대학사업단에서 소프트웨어와 관련된 교육 및 연구를 진행하고 있다.

문미경 교수

동서대학교 컴퓨터공학부 소프트웨어학과 교수로 재직 중이며 소프트웨어와 관련된 많은 강의를 진행하고 있다. 대표적인 경력으로는 지방특성화사업단(CK-1)의 부단장을 역임하였으며, 현재는 소프트웨어교육센터 센터장, 그리고 SW중심대학사업단의 총괄책임자로서 SW교육을 선도하기 위해 사업단을 운영하고 있다.

본 교재는 과학기술정보통신부 및 정보통신기획평가원에서 주관하여 진행한 결과물입니다. (2019-0-01817)

스크래치 3.0 연습문제를 통한
컴퓨팅 사고력 키우기

발행일 2020년 10월 22일 초판 1쇄
지은이 김현호 · 문미경
펴낸이 심규남
기 획 염의섭 · 이정선
표 지 김보배 | **본 문** 이경은
펴낸곳 연두에디션
주 소 경기도 고양시 일산동구 동국로 32 동국대학교 산학협력관 608호
등 록 2015년 12월 15일 (제2015-000242호)
전 화 031-932-9896
팩 스 070-8220-5528
ISBN 979-11-88831-60-9
정 가 22,000원

이 책에 대한 의견이나 잘못된 내용에 대한 수정 정보는 연두에디션 홈페이지나 이메일로 알려주십시오.
독자님의 의견을 충분히 반영하도록 늘 노력하겠습니다.
홈페이지 www.yundu.co.kr

※ 잘못된 도서는 구입처에서 바꾸어 드립니다.

PREFACE

2018년도부터 소프트웨어 교육이 의무화되면서 초 · 중 · 고등학교부터 현재는 일부 대학교에서도 점점 전교생을 대상으로 코딩교육을 시행하고 있습니다. 이전과는 다르게 코딩교육은 단지 프로그래밍을 배우는 목적이 아닌 창의력, 컴퓨팅 사고력, 문제해결 능력을 기르기 위한 목적으로 바뀌었습니다. 코딩 교육과정의 시작은 매우 다양하지만 중요한 시점이기도 합니다. 그 이유는 첫 시작부터 접근하기 꺼려진다면 흥미를 유발할 수 없는 동시에 배우려는 생각을 쉽게 포기할 수 있는 시기이기도 하기 때문입니다. 그런데 대부분 사람은 왜 코딩입문을 어려워할까요? 다들 생각하고 있듯이 컴퓨터 언어가 배우기 어렵다는 인식이 강하게 있기 때문입니다.

이전의 컴퓨터 프로그래밍 언어들을 언어의 선택도 제한적이면서 배우기도 어렵고 매우 복잡했습니다. 그러나 현재의 프로그래밍 언어들은 언어의 선택폭도 넓어졌고 이와 더불어 이전보다 배우기도 쉬워지고 인터페이스 발전으로 인해 이해하기도 쉬워지고 있습니다. 그중 전 세계적으로 누구나 입문하기 좋은 프로그래밍은 스크래치(Scratch)이며, 이를 통해 흥미도 생기고 재미있게 프로그래밍을 하면서 점차 컴퓨팅 사고력과 스크래치 프로그램을 이해하고 있을 것으로 생각됩니다.

본 교재를 통해 스크래치를 완벽하게 사용하는 것을 기본으로 창의력 및 컴퓨팅 사고력을 기르는데 목표가 있습니다. 교재는 총 8장으로 구성되어 있으며, 1장, 2장, 3장은 컴퓨터와 소프트웨어에 대한 기본적인 이론, 4장, 5장은 스크래치를 활용하기 위해 간단한 연습문제를 통해 기본적인 블록 사용법에 관한 내용, 6장, 7장, 8장은 제공하는 연습문제를 통해 다양한 블록을 활용하여 게임을 만들면서 프로그래밍에 대한 재미와 흥미를 유발하기 위한 장입니다.

본 교재는 위와 같이 교재의 구성에 맞추어 진행하기 위해 스크래치의 기본적인 블록과 코딩하는 방법에 대해 각 장에서 자세히 설명하고 있으며, 간단한 연습문제를 통해 스크래치 및 코딩을 이해하기 쉽도록 구성하였습니다. 또한, 교재를 잘 활용하기 위해서는 각 장에서 제공하는 연습문제를 풀면서 블록과 코딩을 이해하고 더 나아가 연습문제에서 변화를 줄 수 있는 요소를 추가함으로써 보다 업그레이드된 코딩 연습문제를 통해 창의력 및 컴퓨팅 사고력을 키울 수 있도록 하였습니다.

저자

강의계획표

<table>
<tr><th>주차</th><th>장</th><th>내용</th></tr>
<tr><td>1 주차</td><td>1장</td><td>기초이론 : 컴퓨터는 무엇인가?</td></tr>
<tr><td>2 주차</td><td>2장</td><td>기초이론 : 컴퓨터의 3대 요소
2-1 : CPU
2-2 : 메모리
2-3 : 입·출력장치</td></tr>
<tr><td>3 주차</td><td>3장</td><td>기초이론 : 소프트웨어
3-1 : 소프트웨어란??
3-2 : 모바일 소프트웨어
3-3 : 소프트웨어 중요성
3-4 : 소프트웨어 중심사회
3-5 : 컴퓨터 사고력</td></tr>
<tr><td>4 주차</td><td>4장</td><td>스크래치 사용하기(Web, Desktop)
4-1. 스크래치란 무엇일까요?
4-2. 스크래치 가입하기
4-3. 스크래치 다운로드
4-4. Scratch Desktop 알아보기</td></tr>
<tr><td>5 주차</td><td>5장</td><td>스크래치 기본 블록 활용 1
5-1 : 스프라이트
5-2 : 스크래치 코드 순서
5-3 : 스크래치 블록 배치해보기
5-4 : 블록 연결하는 방법</td></tr>
<tr><td>6 주차</td><td>5장</td><td>스크래치 기본 블록 활용 2
5-5 : 움직이는 공 연습
5-6 : 각도 조절해보기
5-7 : 모양 바꾸기 1
5-8 : 모양 바꾸기 2
5-9 : 반복하기</td></tr>
<tr><td>7 주차</td><td>6장</td><td>스프라이트 활용 1
6-1 : 좌우로 달리는 고양이
6-2 : 변신하는 고양이
6-3 : 말하는 고양이</td></tr>
<tr><td>8 주차</td><td colspan="2">중간고사</td></tr>
</table>

주차	장	내용
9 주차	6장	**스프라이트 효과주기** 6-4 : 크기 블록을 이용하여 효과주기 6-5 : 스프라이트에 소리효과 추가하기
10 주차	6장	**연산 블록 활용하기** 6-6 : 연산 블록 이해하기 6-7 : 구구단 게임 만들기
11 주차	7장	**키보드, 마우스로 제어하는 스프라이트 1** 7-1 : 마우스 포인터를 따라가는 스프라이트 7-2 : 키보드로 스프라이트 제어하기 7-3 : 낙서장 만들기 7-4 : 기능을 추가한 낙서장
12 주차	7장	**키보드, 마우스로 제어하는 스프라이트 2** 7-5 : 묻고 기다리기 활용하기 7-6 : 계산기 만들기
13 주차	8장	**게임으로 즐기면서 배우는 스크래치 1** 8-1 : 물고기를 따라다니는 상어 게임 만들기 8-2 : 빙글빙글 룰렛 8-3 : 꽝이냐? 당첨이냐? 무작위 숫자 뽑기 게임
14 주차	8장	**게임으로 즐기면서 배우는 스크래치 2** 8-4 : 피하기 게임 만들기 : 떨어지는 공 피하기 8-5 : 슈팅 게임 만들기
15 주차	**기말고사**	

CONTENTS

스크래치 3.0을 시작하기 전에...

이 책은 코딩을 이제 입문하는 입문자 및 이미 코딩을 경험해보고
흥미를 잃게 되어 다시 코딩에 흥미를 느낄 수 있도록
코딩 초보자들을 다시 코딩의 세계로 유도하는 목표를 두고 있습니다.
스크래치 3.0을 시작하기에 앞서 간단한 컴퓨터 배경 지식과
코딩을 배워야 하는 이유에 대해 알아보도록 하겠습니다.

CHAPTER 1

컴퓨터는 무엇인가?

현재 컴퓨터의 종류는 계속해서 늘어나고 있습니다. 주로 컴퓨터의 3대 요소라고 잘 알려져 있는 CPU, 메모리, 입·출력장치가 포함되어 있으면 컴퓨터라고 불리고 있기 때문입니다. 이에 따른 대표적인 기기로는 데스크탑(PC : Persnal Computer), 노트북(Laptop), 스마트폰(SmartPhone), 태블릿(Tablet), 웨어러블 디바이스(Wearable Device) 등이 있습니다.

스크래치 3.0을 포함한 모든 프로그램은 컴퓨터를 통해 만들어지며, 컴퓨터를 이용해 코딩 및 프로그램 디자인을 하여 하나의 프로그램들이 만들어지게 됩니다. 예를 들면 현재 많이 사용되고 있는 대표적인 운영체제 Windows, MS Office, 한글, 각종 브라우저, 게임 등이 있습니다.

C H A P T E R 2

컴퓨터의 3대 요소

CONTENTS

"CHAPTER 1 컴퓨터는 무엇인가?"에서 컴퓨터의 3대 요소는 CPU, 메모리, 입 · 출력장치라고 하였습니다. 컴퓨터의 3대 요소를 확실하게 이해하기 위해 각 요소에 따른 자세한 내용을 알아봅시다.

2-1 CPU(Central Processing Unit)

CPU는 중앙처리장치라고도 불리고 있으며, 컴퓨터에서 나오는 모든 데이터를 처리하는 장치입니다. 사람으로 비유하면 뇌에 해당되는 부분입니다. 현재 CPU는 Intel, AMD사가 대표적입니다.

Intel은 i3, i5, i7, i9, 같이 등급이 구분되며, 또한 세대별로 여러 종류의 CPU 시리즈가 현재 10세대까지 출시하였습니다. AMD에서의 등급분류는 Ryzen 3, Ryzen5, Ryzen7, Ryzen9과 같이 분류하고 등급에 따라 세대별로 여러 종류의 CPU를 출시하였습니다.

2-2 메모리(MEM : Momory)

RAM(Random Access Memory)은 주기억장치 중 하나이며, 휘발성인 것이 특징입니다. 휘발성 메모리는 전원이 공급되지 않으면 메모리가 초기화됩니다.

SD카드(Secure Digital Card)는 비휘발성 메모리 중 하나이며, 사진에서와 같이 Micro SD(좌) 타입과 SD 타입(우)이 주로 많이 사용되고 있습니다.

USB(Universal Serial Bus)메모리는 대표적인 이동식 저장소 메모리 중 하나이며, 종류도 매우 다양합니다. 특히 일반적인 USB의 가장 큰 특징인 휴대성을 포함하여 가격대비 저장용량이 뛰어나고, 별도의 전원입력이 필요하지 않기 때문에 많은 사람들이 이용하는 메모리 중 하나입니다.

USB의 종류는 케릭터형, 카드형, OTG형, 스윙형, 스틱형 등 종류도 다양하고, 용량선택도 일반적으로 적게는 4GB부터 512GB까지 형성되어있습니다.

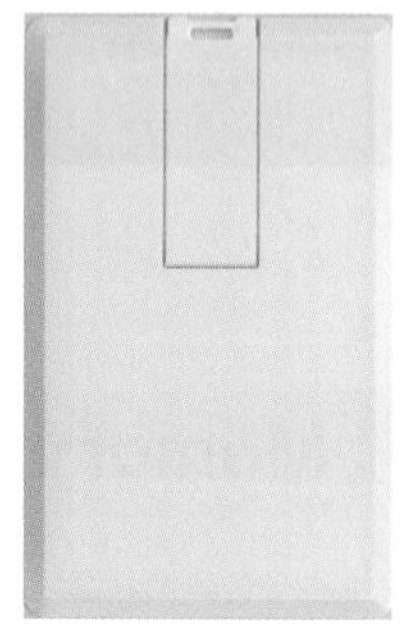

2-3 입·출력장치

컴퓨터에서 대표적인 입력장치는 키보드와 마우스가 있고, 출력장치는 모니터와 프린트가 있습니다. 기본적으로 입·출력 과정은 최초 입력장치에서 명령을 입력받아서 CPU가 해당 명령어를 처리하여 출력장치로 보내주게 되면 출력장치는 결과물을 사용자에게 보여주게 됩니다. 이 밖에도 대부분의 입력장치나 출력장치는 비슷한 단계를 통해 결과물을 사용자에게 보여주게 됩니다.

아래 그림의 예로 다시 한번 입·출력 과정을 이해해봅시다.

1. 입력장치로부터 '1 + 2 '를 입력을 받습니다.
2. CPU는 입력장치로부터 받은 입력을 처리합니다. '1 + 2 = 3'
3. CPU는 결과를 출력장치에게 '3'을 출력하라고 명령합니다.
4. 출력장치는 결과를 사용자에게 보여줍니다.

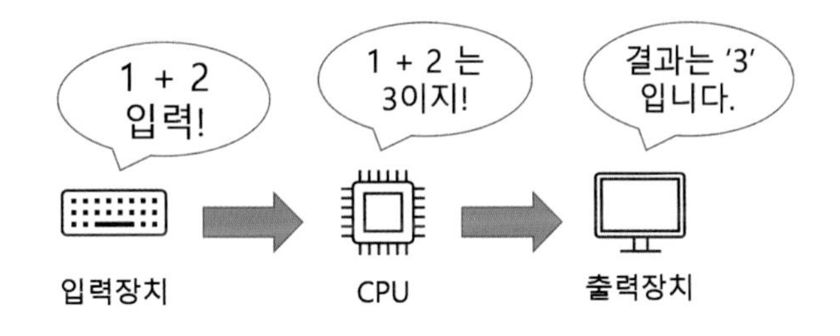

그림에서는 계산하는 예를 들어 입·출력과정을 설명하였습니다. 실제 컴퓨터에서도 계산기 프로그램을 실행하여 그림과 같이 '1 + 2'를 입력하면 CPU가 이를 계산하여 모니터에서 결과인 '3'이 보이는 것입니다. 비슷한 예로 실제 계산기도 같은 방식입니다. 계산기에 내장된 숫자패드를 통해 '1 + 2'를 입력 후 '='을 누르게 되면 결과가 작은 디스플레이에서 '3'이라는 숫자를 볼 수 있습니다.

CHAPTER 3

소프트웨어
(S/W : Software)

CONTENTS

3-1 소프트웨어란?

소프트웨어란 흔히 프로그램이라고 불리는 것을 말합니다. 제일 기본적으로 개인 컴퓨터(PC : Persnal Computer)에서 많이 사용하는 운영체제(O/S : Operating System)인 마이크로소프트사의 윈도우(Windows)를 포함하여 문서작성용 소프트웨어인 MS Office(엑셀, 파워포인트, 워드 등), 한글, 인터넷 웹을 위한 소프트웨어 웹 브라우저(크롬, 웨일, 사파리 등), 악성코드 및 안전한 PC환경을 위한 소프트웨어 백신(V3, 알약 등), 파일 관리 소프트웨어인 압축 프로그램(ZIP, RAR등), 사용자의 즐거움을 위한 소프트웨어인 게임, 동영상 재생프로그램, 실시간 TV 등 엄청나게 많은 소프트웨어가 있습니다. 이러한 소프트웨어는 기존 소프트웨어를 업데이트하여 유지하는 소프트웨어도 있지만, 앞으로도 계속해서 다양한 종류의 새로운 소프트웨어도 늘어날 것입니다.

오늘날의 소프트웨어는 매우 폭넓게 사용되고 있습니다. 예를 들면 스마트폰에서 사용할 수 있는 모바일 소프트웨어(각종 앱 포함), 웨어러블 기기를 위한 웨어러블 소프트웨어, 사물인터넷을 위한 각종 전용 소프트웨어 등 대부분 모든 분야에서 전용 소프트웨어가 존재합니다.

3-2 모바일 소프트웨어

모바일 소프트웨어는 스마트폰, 태블릿과 같이 휴대용 기기들에서 실행되어 사용할 수 있는 소프트웨어를 말합니다. 모바일기기에서는 PC용 프로그램을 실행하기에는 제품의 사양 및 활용성이 효율적이지 않기 때문에 별도의 모바일 전용 소프트웨어가 필요합니다. 따라서 PC에서와같이 활용성을 위해 기본적으로 모바일기기에서도 다양한 소프트웨어를 활용할 수 있도록 기본적으로 운영체제가 필요합니다. 모바일기기 중 스마트폰에서는 구글의 안드로이드와 애플의 iOS 운영체제가 대표적입니다.

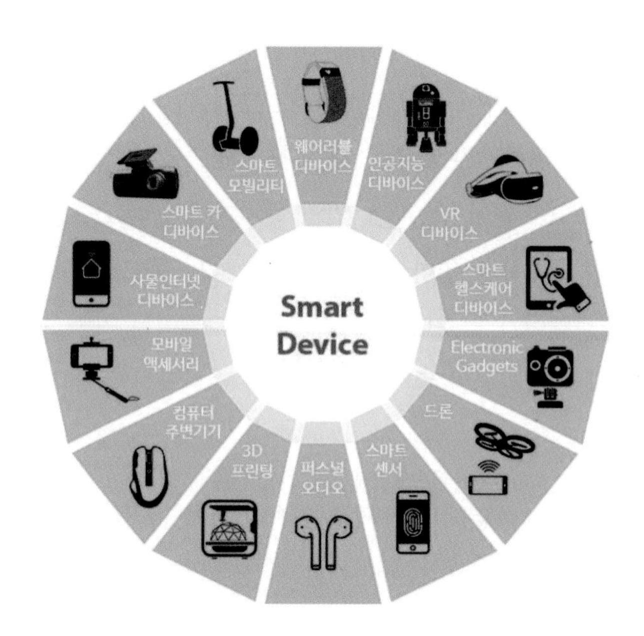

구글의 안드로이드와 애플의 iOS와 같은 스마트기기의 운영체제에서는 PC와 매우 흡사하게 이용할 수 있게 만들어져 있어서 누구나 어려움 없이 스마트기기에 쉽게 접근이 가능하며, 휴대전화 기능의 기본인 전화, 문자메시지 이외에도 추가적인 앱 설치를 통해 인터넷뱅킹, 결제 서비스, 메모, 계산기 등 사용자마다 PC에서 편하게 활용했던 프로그램 대부분 기능을 이용할 수 있습니다. 이 밖에도 다른 스마트기기(스마트워치, IoT 등)에서도 전용 모바일 소프트웨어를 통해 각각의 기능들을 효율적으로 활용할 수 있도록 설계되어 있습니다.

3-3 소프트웨어의 중요성

현재 4차산업혁명을 시작으로 전 세계적으로 소프트웨어에 관한 관심이 커지고 있습니다. 아마 한 번쯤은 누구나 미래에 대한 상상이나 미래에 '나는 어떤 세상에서 살고 있을까?' 하고 생각을 해봤을 겁니다. 이러한 상상을 지금으로부터 10년 전과 10년 후를 생각해보면 정말 10년 사이에 생각지도 못했던 기술들이 현재 많이 쓰이고 있다는 것을 느낄 수 있을 정도일 거라 생각됩니다. 그 중심에는 스마트폰이 혁신을 만들었습니다. 지금의 스마트폰은 다양한 소프트웨어를 통해 엄청난 네트워크와 정보를 만들어내고 있습니다. 홈 네트워크 및 IoT만 보더라도 스마트폰으로 집에 설치되어있는 사물들을 제어하거나 IP카메라와 같은 기기를 통해 감시 및 보호 관찰을 할 수 있으며, 스마트폰을 이용해 자동차를 제어하고 스마트키로 활용도 하고 있습니다. 그리고 요즘은 신용카드 대신에 PAY 결제를 통해 결제하는 세상까지 왔습니다. 이처럼 요즘 시대는 스마트폰 하나만 있으면 살아가는 데 불편 없이 편리하게 모든 범위의 서비스를 이용할 수 있을 정도로 소프트웨어가 발전했음을 많이 느낄 수 있습니다.

소프트웨어는 인간이 살아가는데 불편한 부분을 편리하게 이용할 수 있도록 많은 도움을 주고 있습니다. 현재 소프트웨어 기술은 미국, 유럽, 인도, 중국 등 많은 국가에서 미래기술의 핵심 및 중요성으로 인지하고 있으므로 소프트웨어 교육을 필수적으로 가르치고 있습니다. 이와 더불어 미래의 생활은 음성인식, 기계학습(Machine Learning), 인공지능(AI : Artificial Intelligence)과 같은 기술들의 조합으로 사용자의 특성파악을 고려한 스마트한 생활을 위해 점차 거대한 혁신이 일어날 것으로 생각됩니다.

3-4 소프트웨어 중심사회

'3-3 소프트웨어의 중요성'에서 잠깐 언급은 했지만, 오늘날 소프트웨어는 삶의 모든 곳에 있을 정도입니다. 예를 들면 가정에서 TV, 전등, 각종 차단기, CCTV, 냉장고 등 이전에는 수동으로 그 기능을 담당했던 기기들이 소프트웨어와 결합이 되면서 점차 상황을 인지하여 자동으로 변하고 있는 동시에 각각의 기기에 따라 연동을 하여 상호작용하거나 실시간으로 체크 및 제어까지 할 수 있게 되었습니다. 이러한 발전을 볼 때 앞으로도 계속해서 소프트웨어는 더 중요해질 것입니다.

이렇게 중요한 소프트웨어가 현대 시회 중심에 있으므로 국내에서도 교육 중점을 점차 소프트웨어를 의무적으로 교육하는 방향으로 바뀌어 가고 있습니다. 미래 직업 및 소프트웨어 인재를 위해 이미 초·중·고에서 시행하고 있는 학교도 있으며, 대학에서도 전문가 양성을 위해 소프트웨어 중심 대학으로 점점 바뀌어 나가고 있습니다.

대다수 사람은 프로그래밍을 배우려고 하면 접근하기가 쉽지 않는 것이 현실입니다. 그 이유는 실제 프로그래밍이라고 하면 'C 언어'가 대표적으로 많이 이야기가 나올 정도로 프로그램의 시작하기 위해서는 거쳐 가야 할 필수 단계라고 많이 알고들 있습니다. 하지만 현재 존재하는 모든 프로그램을 살펴보면 'C 언어'로 만들어진 프로그램도 있지만, 알고 보면 다양한 프로그래밍 언어로 여러 가지 프로그램들이 만들어져 있습니다. 즉 'C 언어'로 모든 프로그램을 만들지 않습니다. 이렇게 프로그래밍에 대한 어려운 접근성을 해결하기 위해 누구나 쉽고 재미있게 프로그래밍을 할 수 있도록 나온 '스크래치', '러플'과 같은 프로그래밍 언어가 개발되었습니다.

3-5 컴퓨팅 사고력

컴퓨팅 사고력의 사전적인 의미는 마치 컴퓨터가 문제를 해결하는 방식처럼 문제를 단순화하고 이를 논리적, 효율적으로 해결하는 능력을 말합니다. 즉, 컴퓨터 과학자처럼 생각하는 능력을 말합니다. 좀 더 구체적으로 설명을 하자면, 컴퓨팅 사고력을 가지기 위한 과정에서는 '추상화'와 '자동화' 과정으로 나누어 볼 수 있습니다.

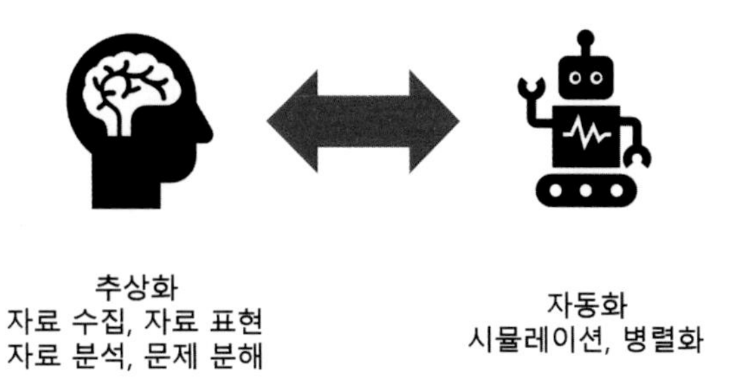

첫 번째로 추상화란 현실의 문제를 이해, 분석, 해결하는 방법을 생각해보는 과정을 말합니다. 여기서 일반적으로 현실의 문제라고 생각하는 부분을 컴퓨터의 특성을 이용하여 문제를 해결하는 부분이 다른 부분입니다. 두 번째 자동화는 단어 그대로 컴퓨터가 자동으로 동작할 수 있도록 프로그램화시키는 것을 말합니다. 자동화에서는 동작을 통해 문제를 해결하기도 하지만 시뮬레이션과 같은 방법을 통해 해결방법이 적당한지 맞았는지 확인해보는 단계입니다. 이렇게 추상화와 자동화 과정에서 생각 및 동작에서 나올 수 있는 다양한 사고방식과 그 과정을 통틀어서 컴퓨팅 사고력이라고 할 수 있습니다.

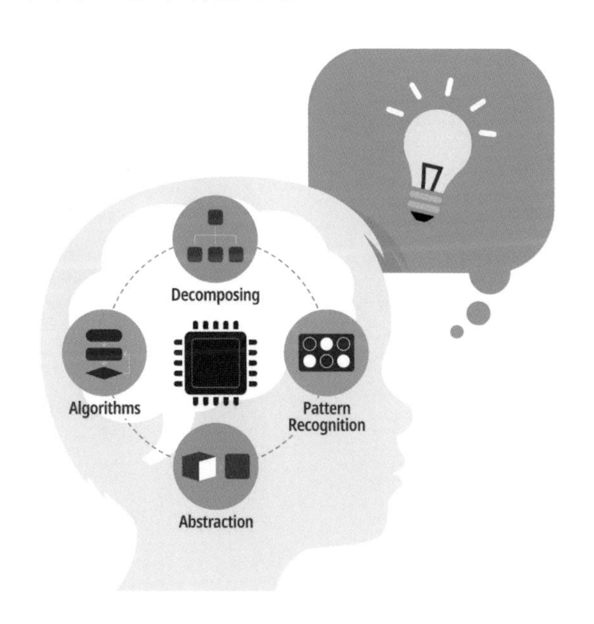

CHAPTER 4

스크래치에 대해서…

CONTENTS

4-1 스크래치란 무엇일까요?

스크래치는 MIT 미디어 연구소의 Lifelong Kindergarten Group에서 2005년에 공식 발표한 교육용 프로그래밍 언어입니다. 최초버전 1.0을 시작으로 2.0, 3.0까지 버전이 업데이트되었으며, 스크래치는 40개 이상의 언어를 지원하고 현재 3.0기준에서는 한글도 거의 완벽하게 지원합니다.

스크래치의 교육 대상은 8세~16세를 위해 만들었으나 현재는 모든 연령층에서 사용하고 있습니다. 그 밖에도 장소를 불문하고 다양한 환경에서 스크래치를 활용하고 있습니다.

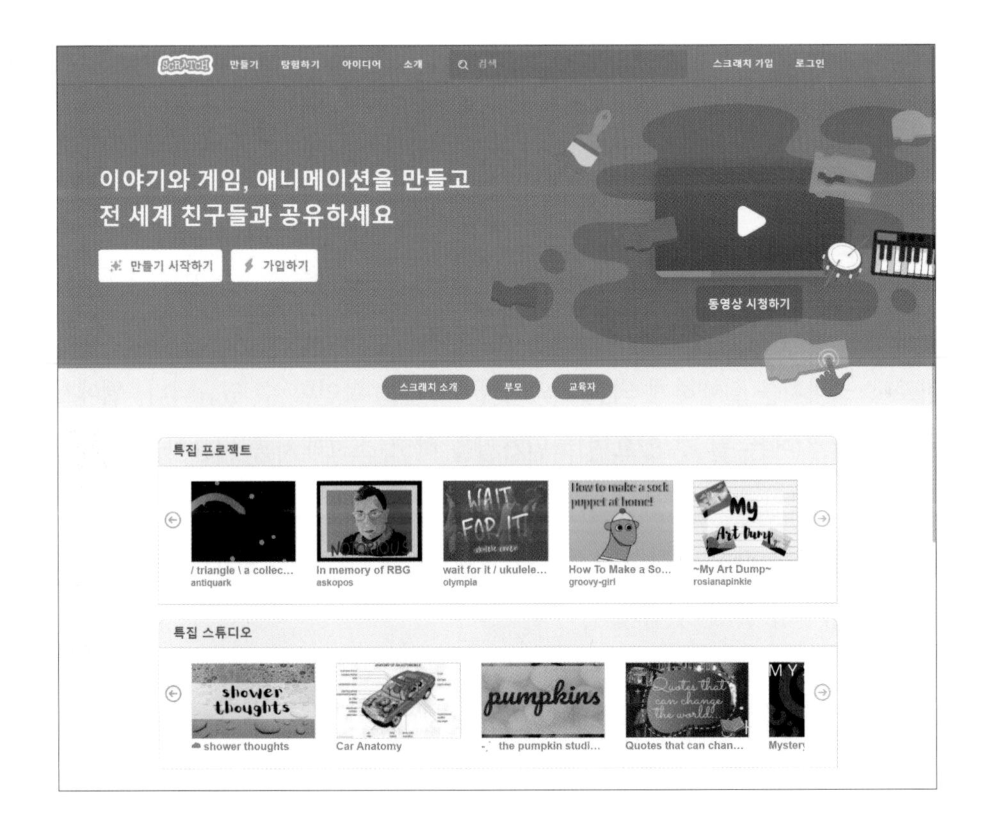

스크래치 프로그램은 현재도 계속해서 무료로 사용할 수 있게 서비스를 제공하고 있습니다. 스크래치를 사용하는 방법은 2가지 방법이 있습니다. 첫 번째 방법은 온라인상에서 이용하는 방법으로 https://scratch.mit.edu로 접속하여 상단 배너의 만들기 시작하기 버튼을 통해 웹에서도 간편하게 이용할 수 있습니다. 두 번째 방법은 인터넷 연결을 하지 않고 오프라인 상태에서 이용할 수 있도록 프로그램을 직접 컴퓨터에 설치하여 이용하는 방법이 있습니다. 기능상 이용하는데 차이는 없지만 회원가입을 통해 자신이 만든 프로젝트를 관리하는 것이 조금 다릅니다.

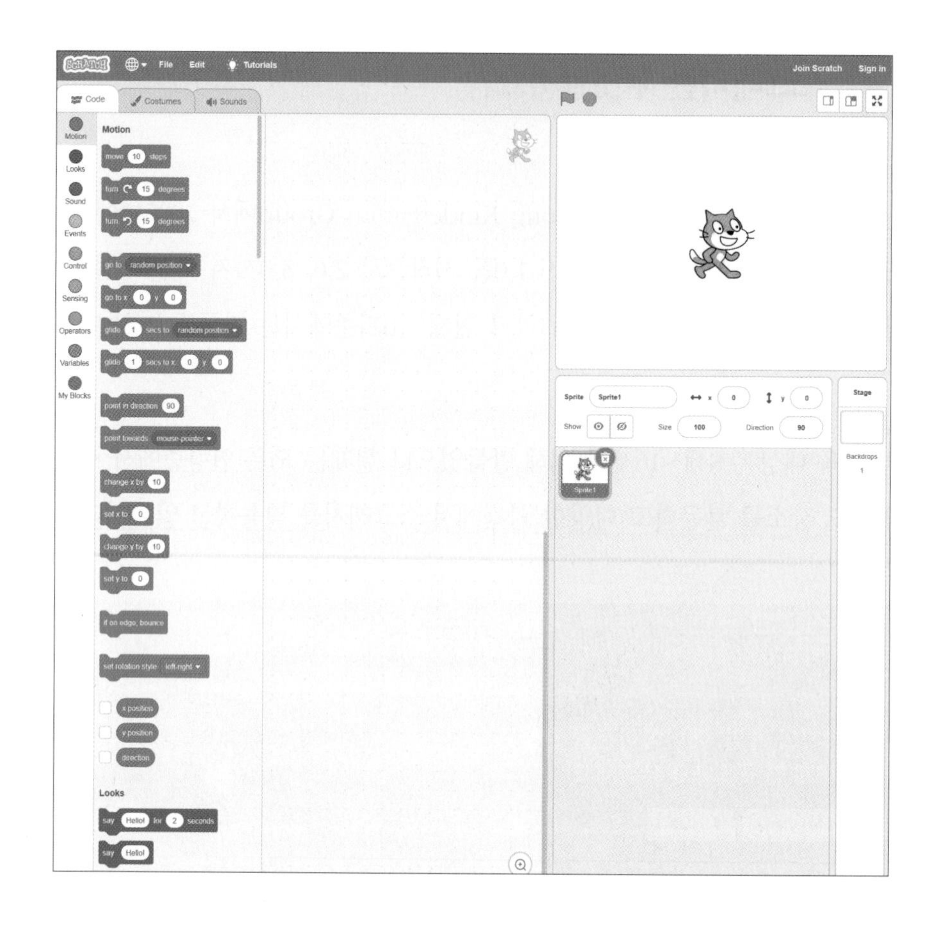

웹에서 바로 스크래치를 실행하게 되면 위와 같은 화면을 확인할 수 있습니다. 웹에서 스크래치를 바로 이용할 시에는 될 수 있으면 회원가입을 하고 스크래치를 이용하는 것을 권장합니다. 그 이유는 회원가입 후 웹에서 스크래치를 이용할 시 아이디마다 작업공간이 생기게 되는데 이 공간은 웹 저장소라고 생각하면 됩니다. 이러한 작업공간은 자신이 작성한 프로젝트를 저장하거나 작업공유를 할 수 있습니다.

4-2 스크래치 가입하기

스크래치를 본격적으로 활용하기 위해서 회원가입부터 시작해 보도록 하겠습니다. 어렵지 않으니 순서에 맞게 따라 해보시면 됩니다.

❶ 스크래치를 가입하기 위해서는 스크래치 홈페이지(https://scratch.mit.edu)에 접속하면 오른쪽 위에 스크래치 가입이 있습니다. 이 부분을 클릭합니다.

❷ 다음 화면 순서에 맞게 정보를 입력하여 단계를 진행합니다.

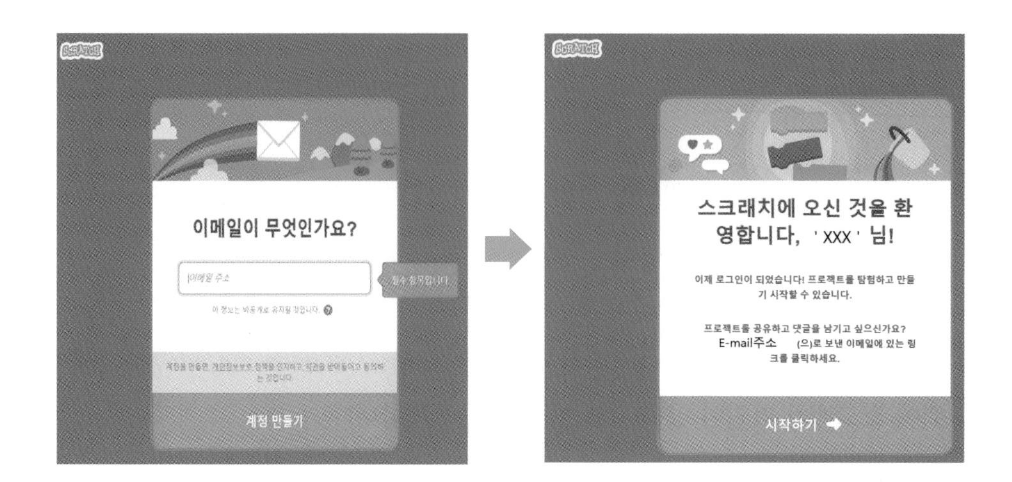

최종적으로 이메일을 입력한 후 계정 만들기 버튼을 누르게 되면 회원가입이 끝이 납니다. 결과 화면을 통해 자신이 입력한 정보가 맞는지 한 번 더 확인하고 입력한 이메일을 확인하여 스크래치에서 보내온 메일을 확인합니다.

❸ 최종적으로 마무리되면 아래 그림과 스크래치 홈페이지에서 가입한 ID로 로그인해서 정상적으로 잘 로그인되는지 확인해봅시다.

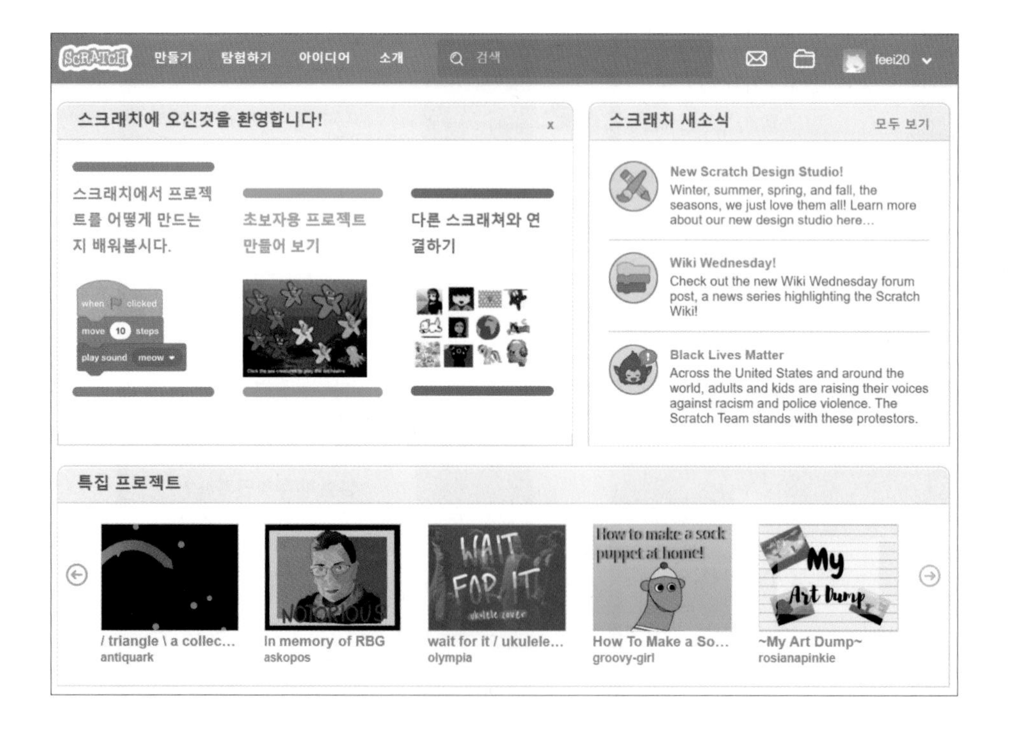

4-3 스크래치 다운로드

4-2에서도 언급했었지만, 스크래치 프로그램은 오프라인에서도 온라인과 동일하게 이용할 수 있습니다. 스크래치를 다운로드 받기 위해서는 스크래치 홈페이지 제일 하단에 아래 그림과 같이 지원이라는 곳을 확인할 수 있습니다. 여기서 3번째 다운로드를 클릭합니다. 그다음 로드되는 화면에서 Windows용 스크래치 앱 설치하기 부분에서 바로 다운로드를 클릭하여 스크래치 프로그램을 다운로드 받고 설치합니다. 설치가 완료되면 바탕화면에 'Scratch Desktop'이라는 아이콘을 확인할 수 있습니다.

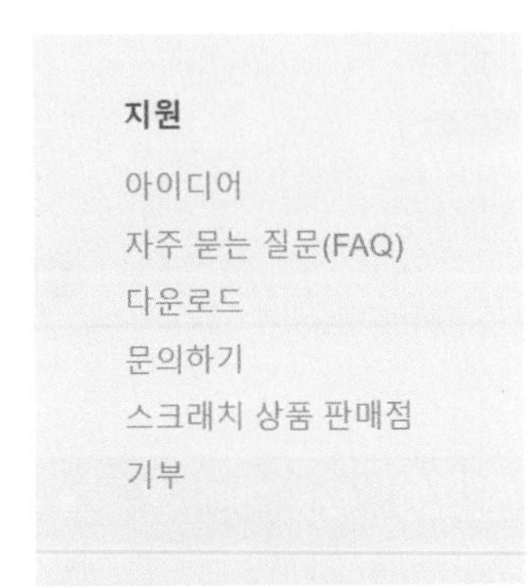

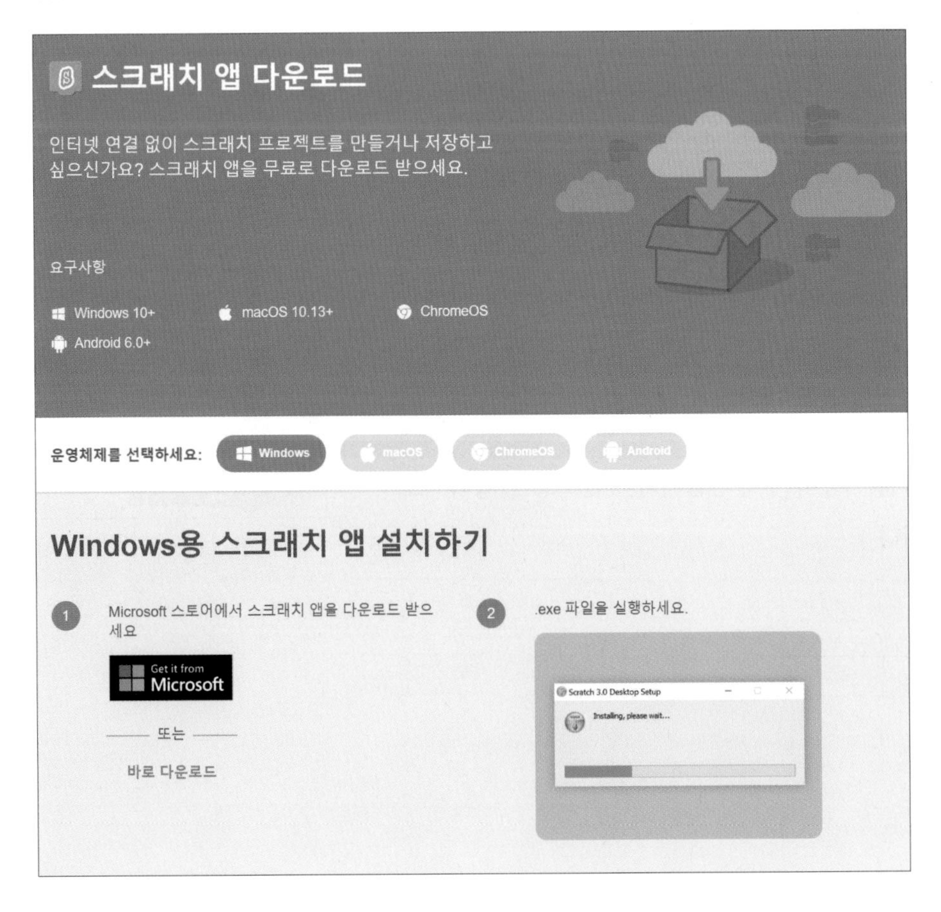

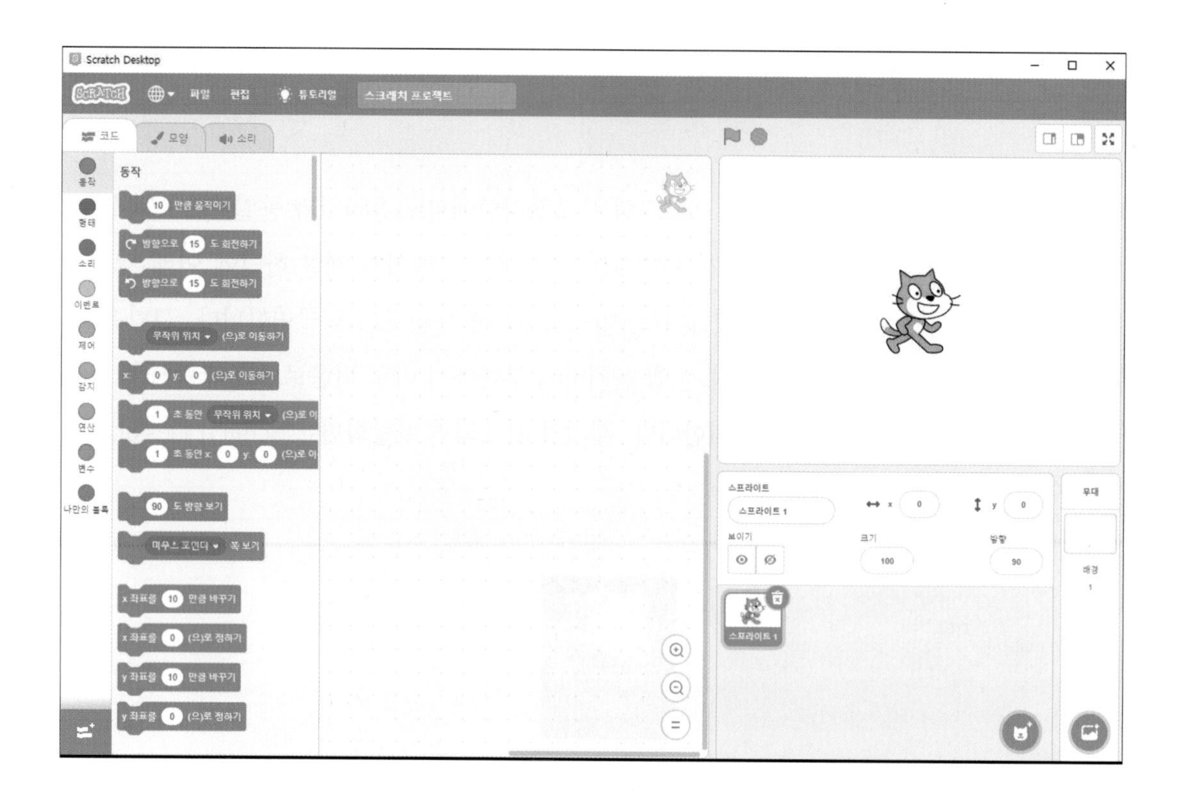

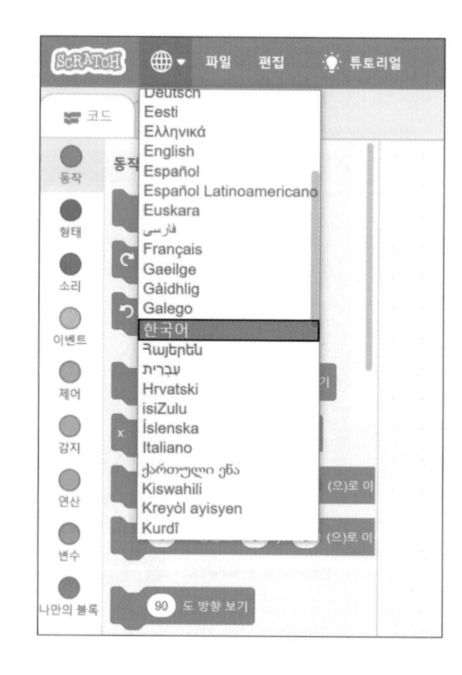

설치된 스크래치 데스크탑을 실행하면 위와 같은 메인화면을 확인할 수 있습니다. 실제 웹에서도 같은 스크래치 화면이 나오는지 비교해봅시다.

일부 사용자에게는 처음 실행할 때 언어가 영어로 나오는 경우도 있습니다. 이럴 땐 화면 왼쪽 위 메뉴에 지구본 모양을 눌려서 언어를 한국어로 변경하면 스크래치의 모든 화면에서 한국어로 변경됨을 확인할 수 있습니다.

본 교재에서 진행하는 연습문제 및 풀이는 스크래치 데스크탑을 이용하여 진행합니다. (웹으로 진행하셔도 무방합니다.)

4-4 Scratch Desktop 알아보기

Scratch Desktop을 실행하면 아래 그림과 같은 화면을 보실 수 있습니다. 스크래치 프로그램을 잘 활용하기 위해서는 프로그램 기능이 무엇인지 알아볼 필요가 있습니다.

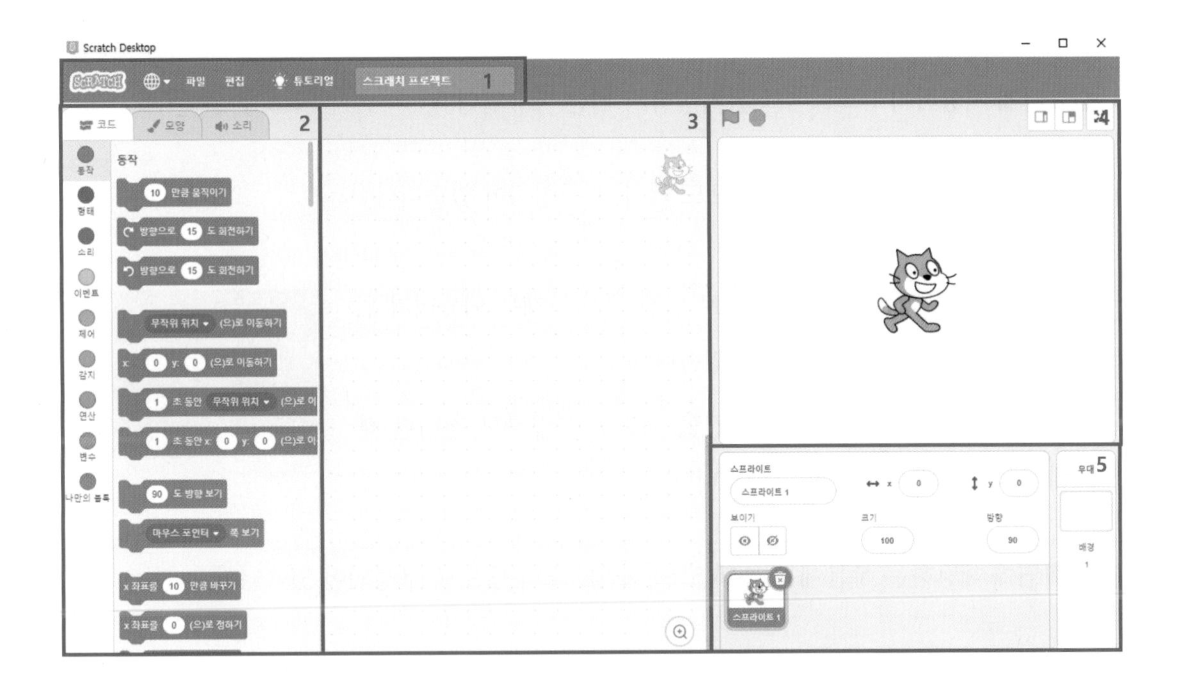

스크래치를 처음 실행했을 때 나오는 화면에는 크게 5가지로 구분하여 각각의 화면에서 어떤 일을 할 수 있는지 알아보도록 하겠습니다.

스크래치 화면 1번 메뉴에서 은 프로그램 언어를 바꾸기 위한 메뉴입니다. 이 부분을 마우스로 클릭하면 좌측 그림과 같이 다양한 언어로 스크래치 프로그램을 이용할 수 있습니다.

보통 한국어로 지정되어 프로그램이 설치가 되긴 하지만 간혹 영어와 같은 다른 언어로 설치되었다면 이 부분을 설정하여 본인이 원하는 언어 환경을 적용하시기 바랍니다.

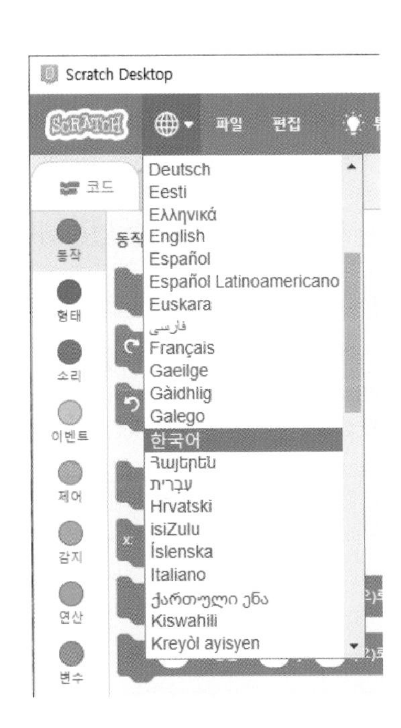

파일에서는 총 3개의 메뉴를 확인할 수 있습니다. '새로 만들기', 'Load from your computer', '컴퓨터에 저장하기'가 있습니다.

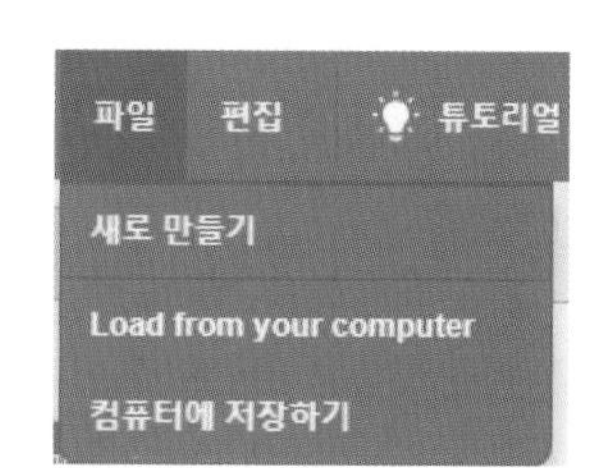

- **새로 만들기** : 새로운 프로젝트를 시작하기 위한 메뉴입니다.
- **Load from your computer** : 저장된 스크래치 프로젝트를 불러오기 위한 메뉴입니다.
- **컴퓨터에 저장하기** : 프로젝트를 저장하기 위한 메뉴입니다.

편집메뉴에서는 '되돌리기'와 '터보 모드 켜기'로 구성되어 있습니다.

- **되돌리기** : 프로젝트 진행 중 실수로 인해 생긴 문제를 되돌리기 위한 기능으로 전 단계로 복원할 수 있습니다.
- **터보 모드 켜기** : 블록의 지연 시간을 최소로 설정하고 최대한 빠르게 프로젝트를 실행하는 모드입니다.

'2'번 화면에 해당하는 부분에는 크게 코드, 모양, 소리 탭으로 구성되어 있습니다.

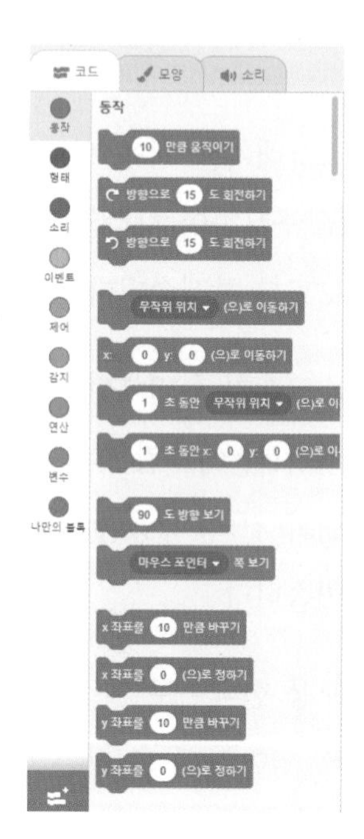

- **코드** : 코드 탭에서는 스크래치에서 사용하는 모든 코드가 나열되어 있습니다. 코드탭에서는 다양한 형태의 카테고리가 있습니다. 좌측에 나열되있는 순서로 동작, 형태, 소리, 이벤트, 제어, 감지, 연산, 변수 등 이러한 카테고리 안에서 제공하는 블록들로 다양한 프로그래밍을 할 수 있습니다.
- **모양** : 모양 탭에서는 스크래치 안에서 제공하는 이미지나 사용자 이미지를 편집할 수 있는 탭입니다.
- **소리** : 소리 탭에서는 프로젝트내에 소리를 삽입하거나 재미있는 효과음을 적용할 수 있게 해주는 탭입니다.

'3'번 화면에 해당하는 부분은 블록을 이용하여 코딩을 하기 위한 공간입니다. 스크래치의 모든 블록은 다른 카테고리 블록과 조합하여 다양한 코딩을 할 수 있습니다.

- 화면의 오른쪽 위에 표시되는 그림은 현재 그림에 블록을 이용하여 코딩하고 있음을 표시해주는 곳입니다.

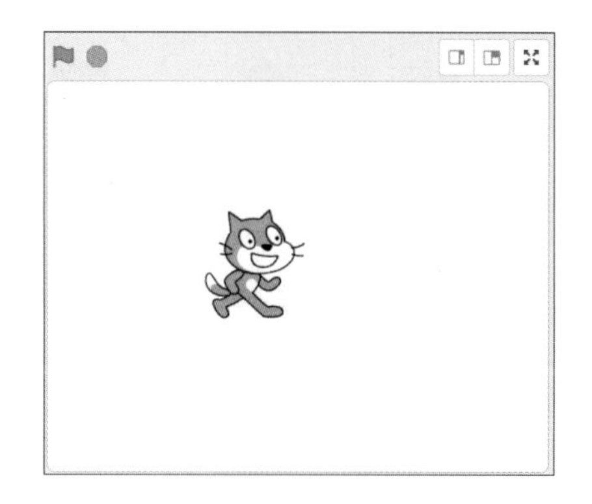

'4'번 화면에 해당하는 부분은 프로그램 실행화면 부분입니다.

여기서는 블록을 이용한 코딩을 통해 실제 실행되는 결과를 확인할 수 있는 곳이기도 합니다.

왼쪽상단에 배치되어 있는 아이콘은 프로그램 시작 버튼이고, 아이콘 은 중지버튼을 나타냅니다.

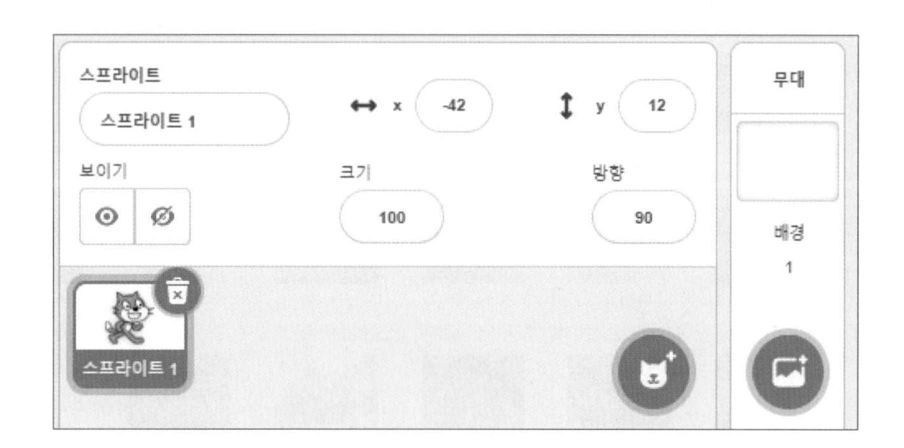

'5'번 화면에 해당하는 부분은 스프라이트 설정 및 무대에 관련된 부분입니다.

여기서는 스프라이트에 대한 설정(추가, 삭제, 크기, 이동 등)과 프로젝트에 사용될 무대인 배경화면을 꾸밀 수 있는 공간입니다.

스크래치에서 기본적으로 제공하는 스프라이트와 배경화면은 스프라이트 영역의 오른쪽 아래에 있는 아이콘(,)을 통해 다양한 스프라이트와 배경을 추가할 수 있습니다.

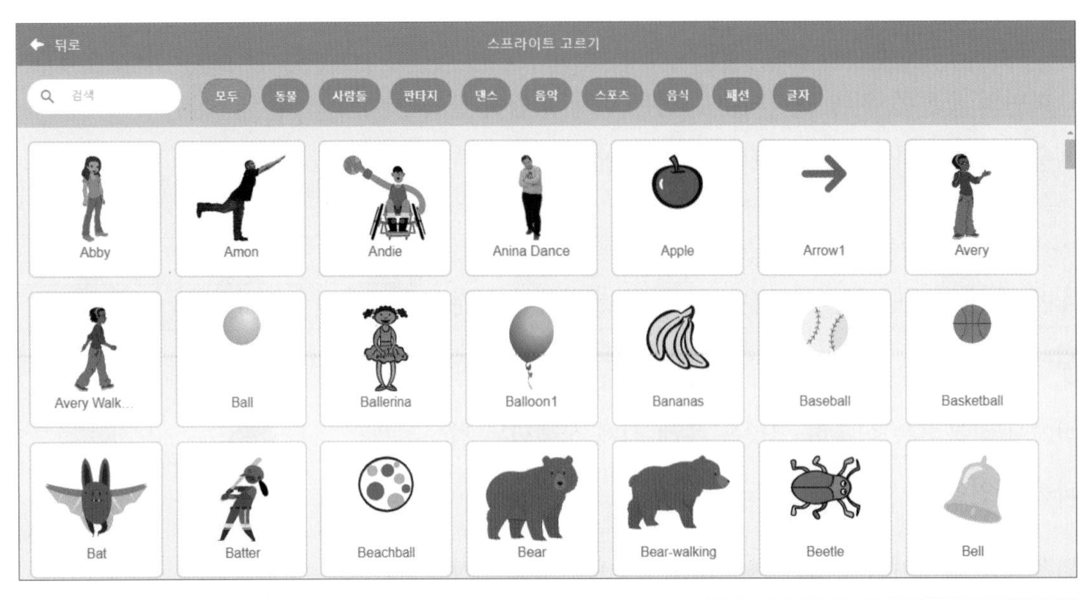

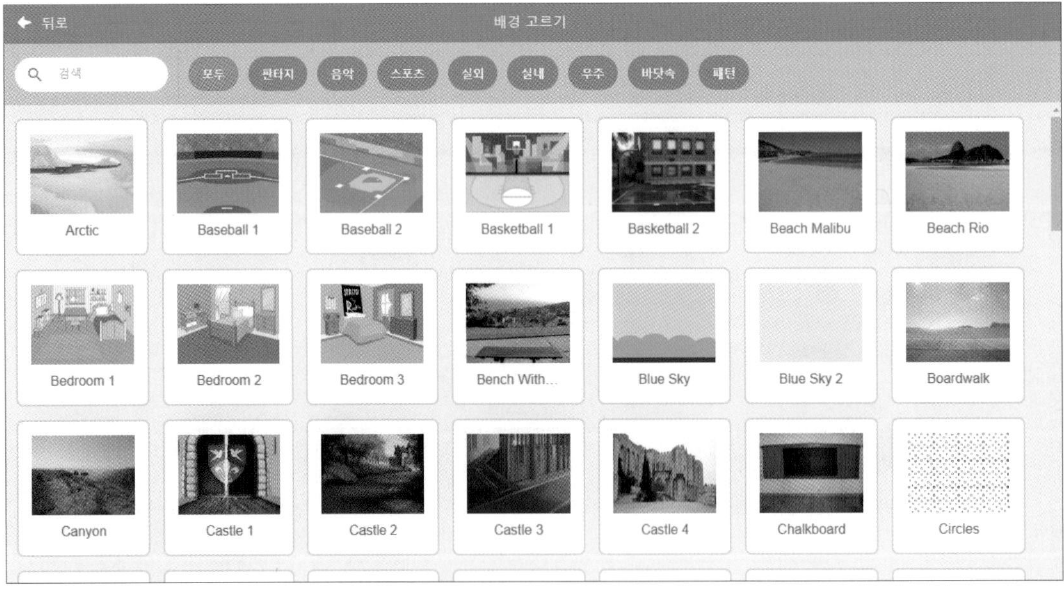

CHAPTER 5

스크래치의 개념

CONTENTS

5-1 스프라이트

4장에서도 계속해서 스프라이트라는 단어를 많이 보셨을 것입니다. 스프라이트에 관해 설명은 했으나, 여기에서 정확히 스프라이트가 무엇인지 확실히 알고 넘어가도록 하겠습니다.

스프라이트는 게임에서 사용되던 움직이는 2차원 비트맵 개체를 말하는 용어이며, 개체가 독립적으로 움직일 수 있었기 때문에 스프라이트라고 불립니다.

왼쪽의 그림처럼 보통 작은 도트 이미지를 스프라이트라고 부르고 있습니다. 스크래치의 목적과 사용 대상은 어린이부터 성인까지 모든 연령층을 대상으로 하고 있고, 스크래치를 통해 재미있는 애니메이션이나 게임을 쉽게 만들어 보고 흥미를 가지기 위한 목적이 있습니다. 그래서 현재 스크래치에서의 스프라이트는 프로그래밍에서 보통 'Object'라고 불리는 것과 같은 것이며, 2차원 이미지를 통해 코딩하는 부분의 영향으로 인해 '스프라이트'라는 단어를 사용합니다.

5-2 스크래치 코드 순서

스크래치에서 코딩은 블록순서대로 실행되어 결과를 보여줍니다. 여기서 블록이 순서대로 실행되는 것을 프로그래밍에서는 '순차 실행'이라고 표현합니다.

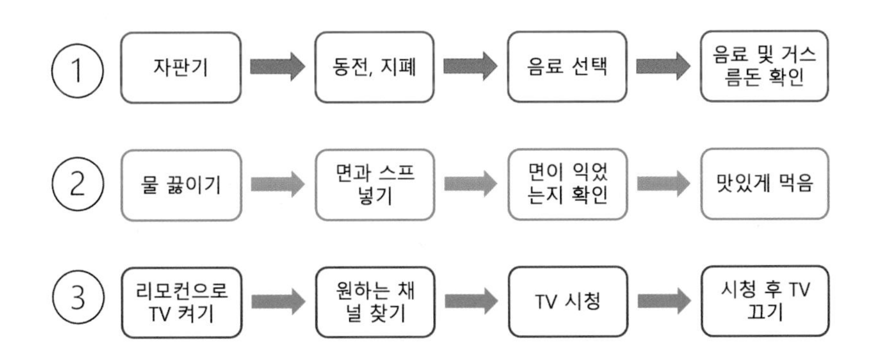

위의 그림에 나타내고 있는 3가지의 예를 좀 더 자세한 설명을 통해 '순차 실행'을 완벽히 이해해보도록 합시다.

①번은 음료 자판기에 대한 예입니다. 최초 자판기에 가서 마시고 싶은 음료를 생각한 후 동전이나 지폐를 자판기에 투입합니다. 그리고 음료를 선택하면 자판기에서 음료가 나오게 되며, 이후 거스름돈이 생기면 반환받게 되는데 이러한 순서가 자판기에서는 계속 반복되어 실행되는 것입니다.

②번의 예는 집에서 라면을 끓일 때 예를 든 것입니다. 라면을 끓이기 위해서는 냄비에 물을 받고 가스레인지에 불을 올리고 물이 끓을 때까지 기다립니다. 서서히 물이 끓기 시작하면 면과 스프를 넣고 면이 익을 때까지 기다려줍니다. 면이 다 익혀졌으면 가스레인지에 불을 끄고 냄비를 식탁으로 이동시킨 후 맛있게 먹습니다.

③번의 예는 TV 시청에 관한 예입니다. 먼저 TV의 전원을 켜기 위해 리모컨으로 TV전원 버튼을 누릅니다. TV가 켜지면 선호하는 채널이나 보고 싶은 프로그램을 찾기 위해 채널을 돌려가며 찾습니다. 그리고 찾은 채널을 고정하고 TV 시청을 한 후 프로그램이 끝나면 TV의 전원을 끄기 위해 리모컨의 TV전원 버튼을 누릅니다.

위의 예제 ①, ②, ③과 같이 일상생활에서도 이미 우리는 많은 일을 이미 순차적으로 하고 있었습니다. 예제에서는 나오지 않았지만 분명 다른 일들도 순차적으로 진행하고 있었을 것입니다. 이 밖에도 각자 어떤 일들이 순차적으로 진행하고 있는지 한 번 더 생각해봅시다.

스크래치에서 다음과 같이 블록을 배치하여 실행하여 어떠한 결과를 보여주는지 알아봅니다.

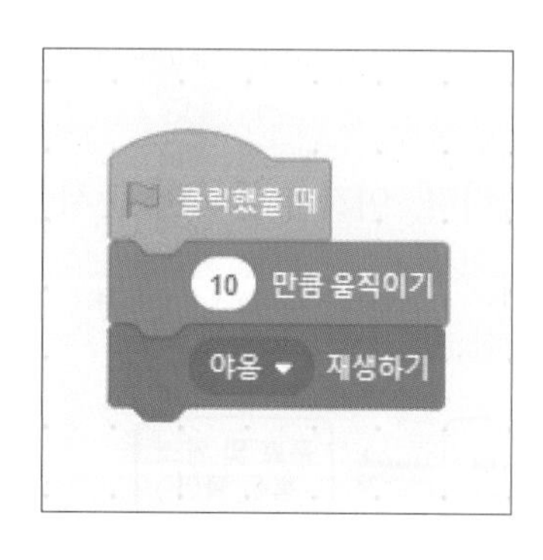

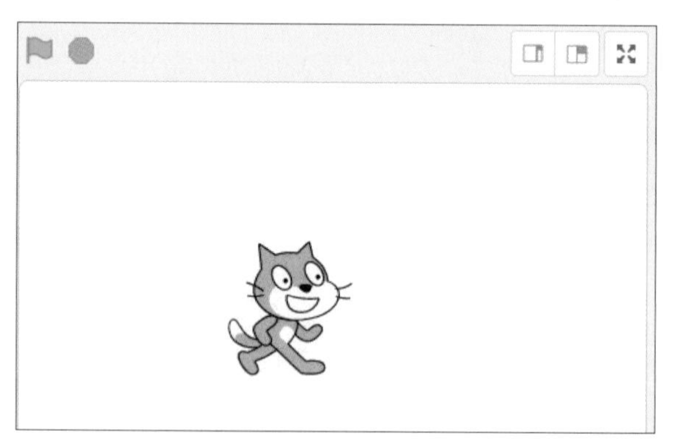

그림에서의 블록은 이벤트블록 '클릭했을 때', 동작블록 'X 만큼 움직이기', 소리블록 '야옹 재생하기'를 배치하여 코딩한 것입니다. 이렇게 배치한 블록을 실행하게 되면 어떤 결과가 나타날까요? 이미 블록에서 예상한 바와 같이 실행하면 고양이가 10만큼 우측으로 이동하면서 야옹이라는 소리가 나타나는 결과를 확인할 수 있습니다.

위의 예제를 조금 응용해서 다른 블록을 이용하면 다양한 움직임을 표현할 수 있습니다.

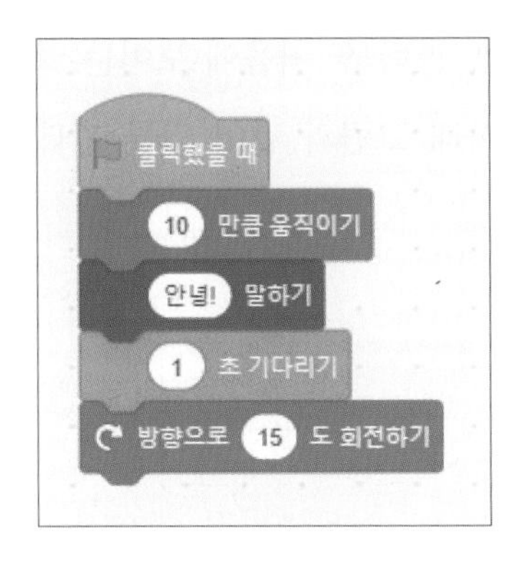

이와 같은 예는 고양이가 '10'만큼 움직인 후 '안녕'이라는 말을 하고 1초간 잠시 대기를 하고 시계방향으로 15도만큼 돌아가는 결과를 보여주는 코드입니다.

여기까지 여러 가지 예를 통해 '순차 실행'의 개념과 어떻게 동작이 되는지에 대해 자세히 알아보았습니다.

5-3 스크래치 블록 배치해보기

이번에는 그림을 통해 직접 블록을 배치하여 간단한 실습을 해보도록 하겠습니다.

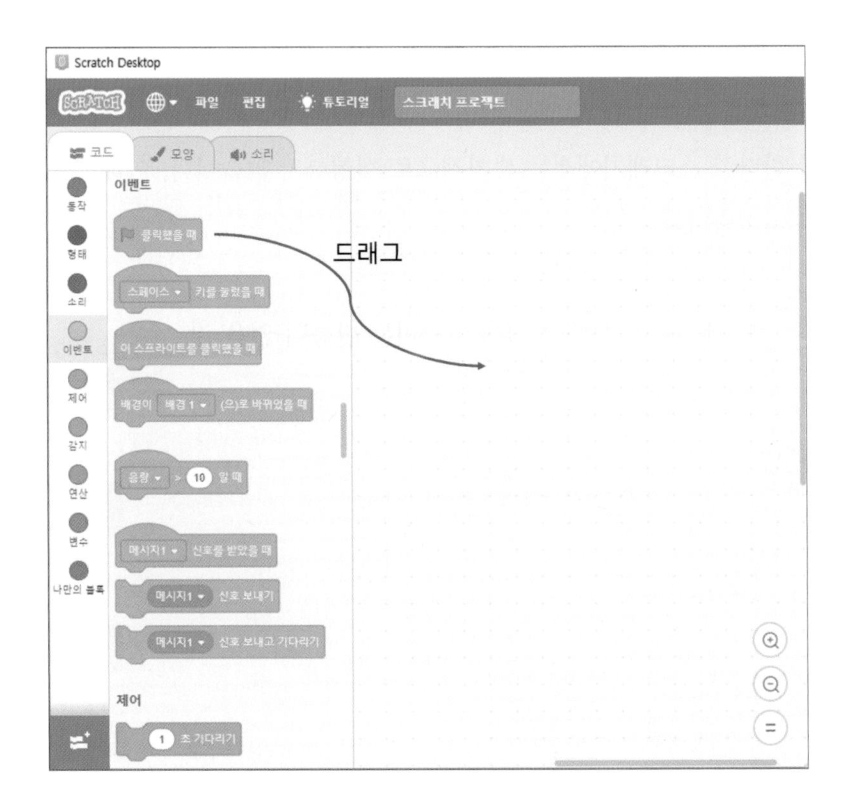

먼저 스크래치를 실행 후 코드 탭에서 '이벤트'를 클릭합니다. 클릭 후 처음에 보이는 클릭했을 때를 화살표 방향으로 마우스로 드래그해봅시다. 그리고 아래 그림과 같이 다른 카테고리에 있는 블록도 드래그하여 배치해 봅니다.

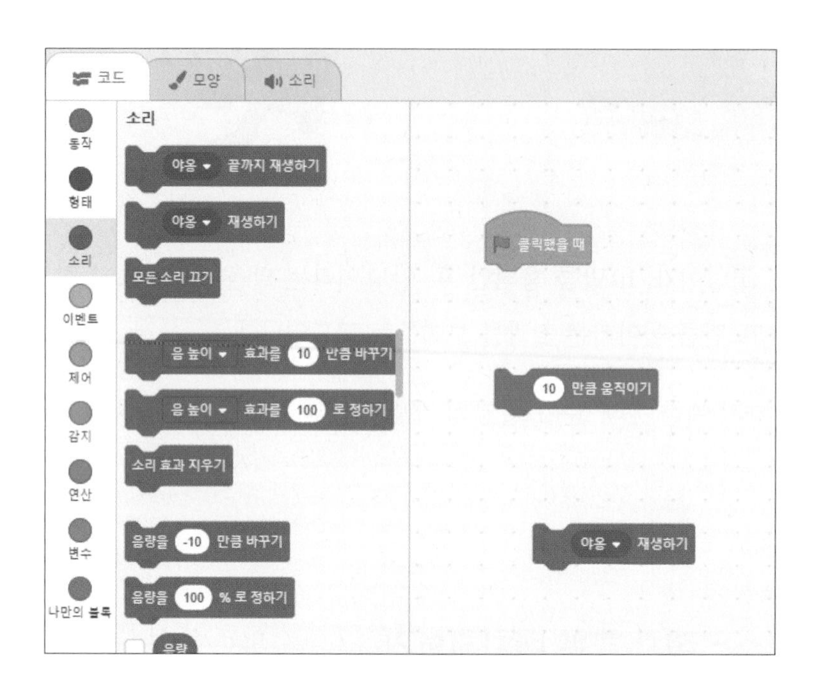

5-4 블록 연결하는 방법

스크래치에서 블록을 배치할 때 주의할 점이 있습니다. 순차 실행을 하기 위해서는 블록을 순서대로 배치만 한다고 스크래치에서는 순차적으로 실행하지 않습니다. 아래 그림을 통해 자세히 알아보도록 하겠습니다.

블록을 다음과 같이 배치하여 실행할 경우 고양이는 반응이 없을 것입니다.

그러나 이렇게 블록끼리 붙여서 배치하면 고양이의 반응은 10만큼 움직여서 야옹이라는 소리를 낼 것입니다.

두 그림의 차이점은 같은 블록을 배치하였지만, 블록끼리 떨어져 있을 때와 붙어있는 것의 차이입니다. 그렇습니다. 블록끼리 떨어져 있으면 블록이 연결되어 동작이 되지 않기 때문에 떨어져 있는 블록끼리는 생각했던 결과를 볼 수 없습니다. 따라서 블록을 붙여서 연결해야 원하는 결과를 얻을 수 있습니다.

5-5 움직이는 공 연습

앞에서 알아본 이론을 바탕으로 이번에는 블록을 이용하여 공이 움직이는 모습을 같이 실습하며 그 결과를 살펴봅시다.

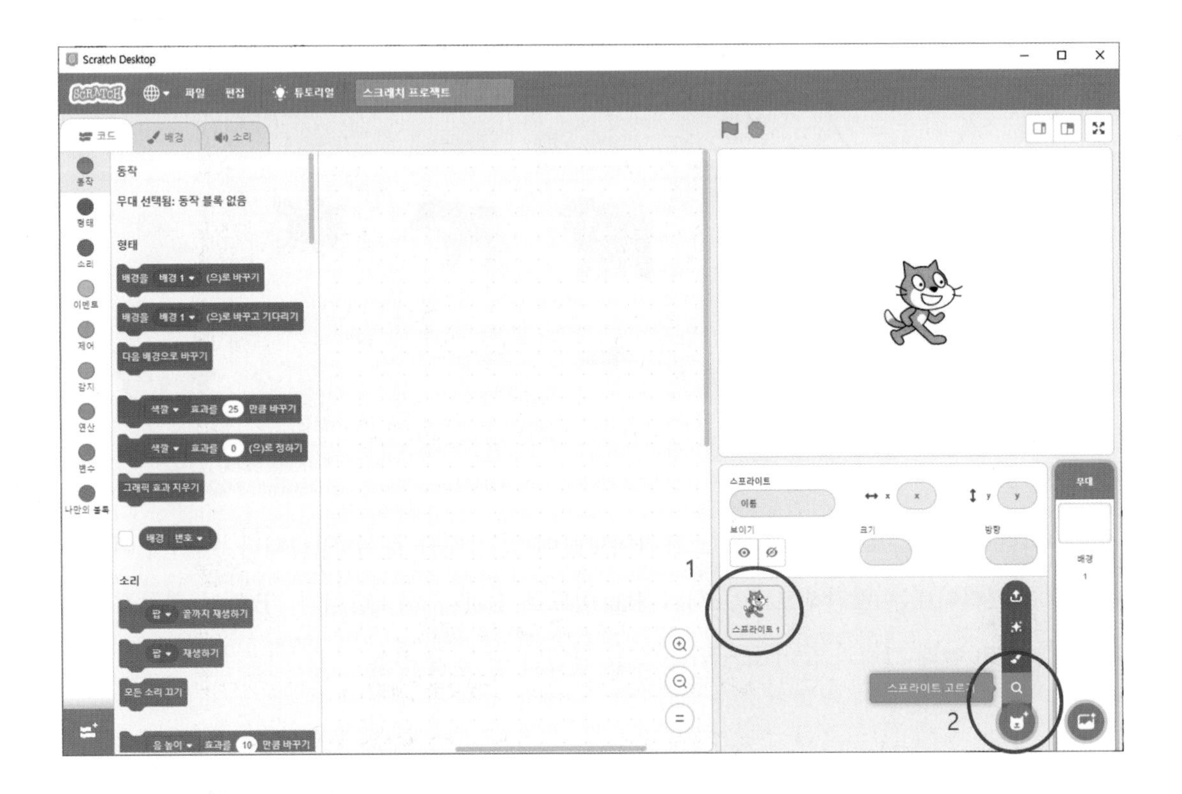

먼저 위의 그림과 같이 스크래치를 실행한 후 사용할 스프라이트가 이번에는 고양이가 아니라 공을 사용하기 때문에 추가되어 있는 고양이 스프라이트를 삭제합니다. 삭제하는 방법은 그림의 1번을 클릭하면 다음과 같이 1번에 표시됩니다.

여기서 오른쪽 위에 보이는 휴지통 아이콘을 누르게 되면 해당 스프라이트가 삭제됩니다. 앞으로도 스프라이트를 실수로 잘못 추가하거나 지워야 할 스프라이트가 있다면 해당 스프라이트를 클릭 후 오른쪽 위에 있는 휴지통 부분을 클릭하여 자유롭게 삭제할 수 있습니다.

그리고 공 스프라이트를 추가하기 위해 2번 부분을 클릭하고 돋보기 아이콘을 클릭합니다. (돋보기 아이콘은 스프라이트를 추가하기 위한 이이콘입니다.)

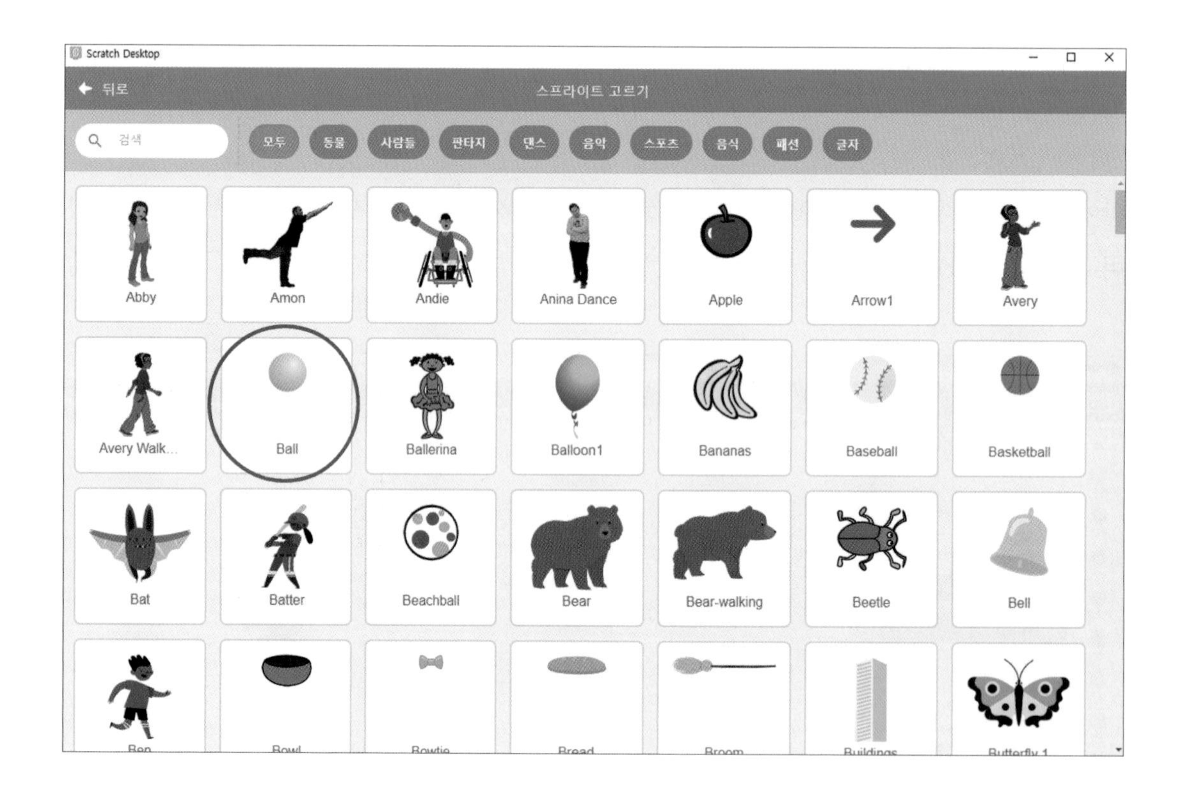

스프라이트 고르기를 누르면 다양한 스프라이트들이 있는 것을 볼 수 있습니다. 여기서 이번에 사용할 스프라이트는 빨간색으로 표시된 'Ball'이므로 'Ball'을 클릭합니다. 'Ball'이 성공적으로 추가되었으면 아래 그림과 같이 표시되는 것을 확인할 수 있습니다.

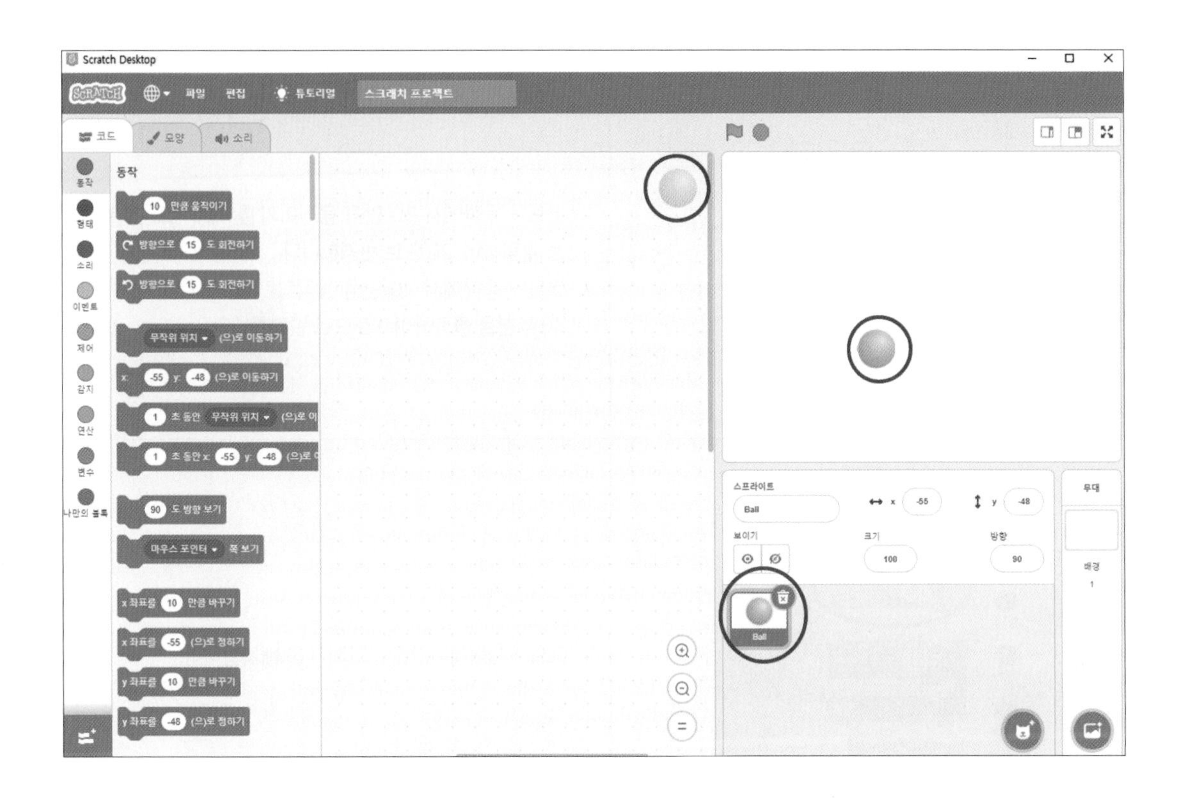

다음은 추가한 'Ball' 스프라이트에 블록을 추가하여 움직일 수 있도록 만들어 보겠습니다.

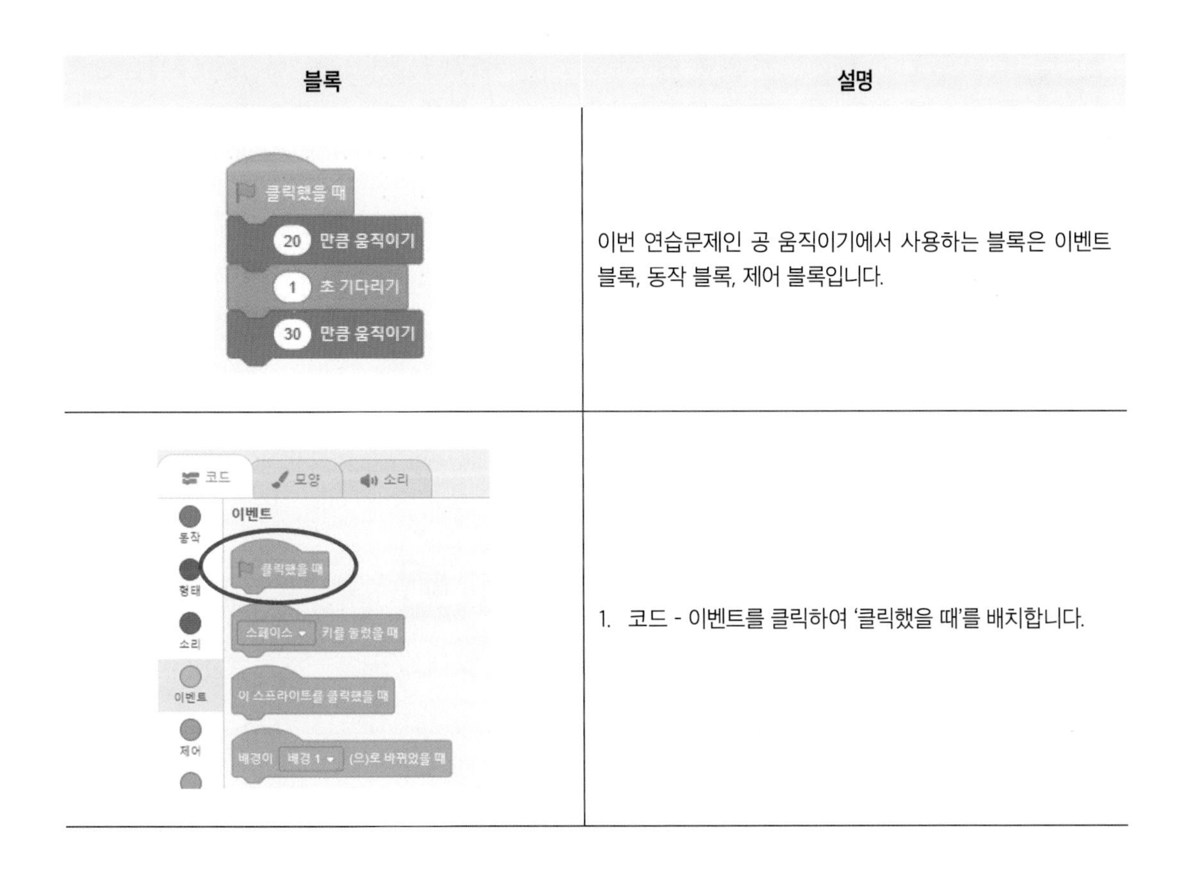

블록	설명
클릭했을 때 20 만큼 움직이기 1 초 기다리기 30 만큼 움직이기	이번 연습문제인 공 움직이기에서 사용하는 블록은 이벤트 블록, 동작 블록, 제어 블록입니다.
코드 / 모양 / 소리 이벤트 클릭했을 때 스페이스 키를 눌렀을 때 이 스프라이트를 클릭했을 때 배경이 배경 1 (으)로 바뀌었을 때	1. 코드 - 이벤트를 클릭하여 '클릭했을 때'를 배치합니다.

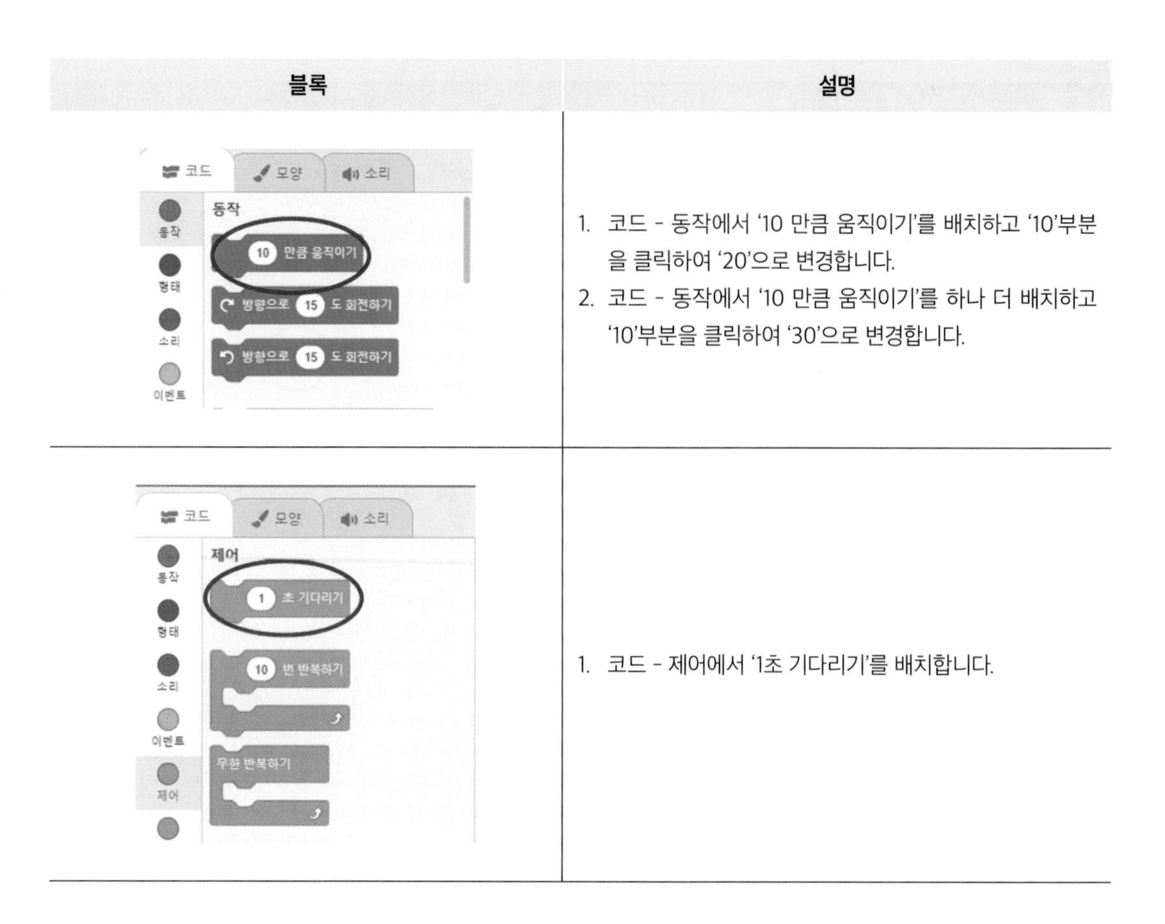

블록	설명
	1. 코드 - 동작에서 '10 만큼 움직이기'를 배치하고 '10'부분을 클릭하여 '20'으로 변경합니다. 2. 코드 - 동작에서 '10 만큼 움직이기'를 하나 더 배치하고 '10'부분을 클릭하여 '30'으로 변경합니다.
	1. 코드 - 제어에서 '1초 기다리기'를 배치합니다.

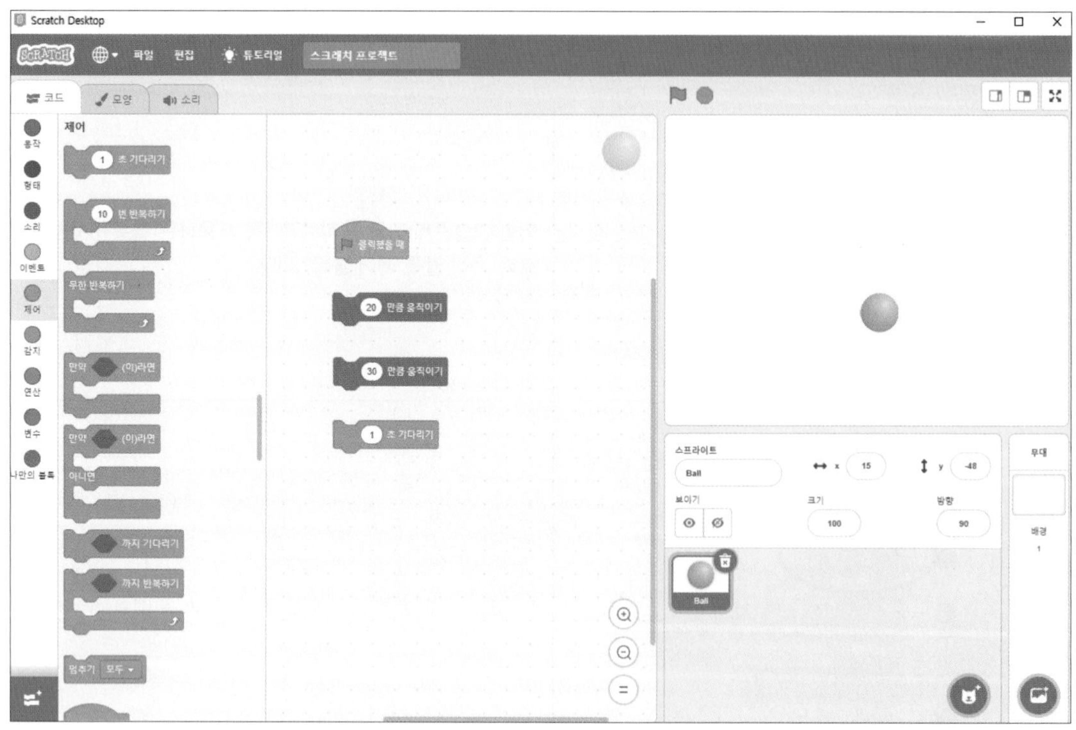

블록 배치를 잘 따라오셨다면 위의 그림과 같이 되었을 것입니다. 배치한 블록을 순차적으로 처리하기 위해 다음과 같이 블록을 정렬합니다.

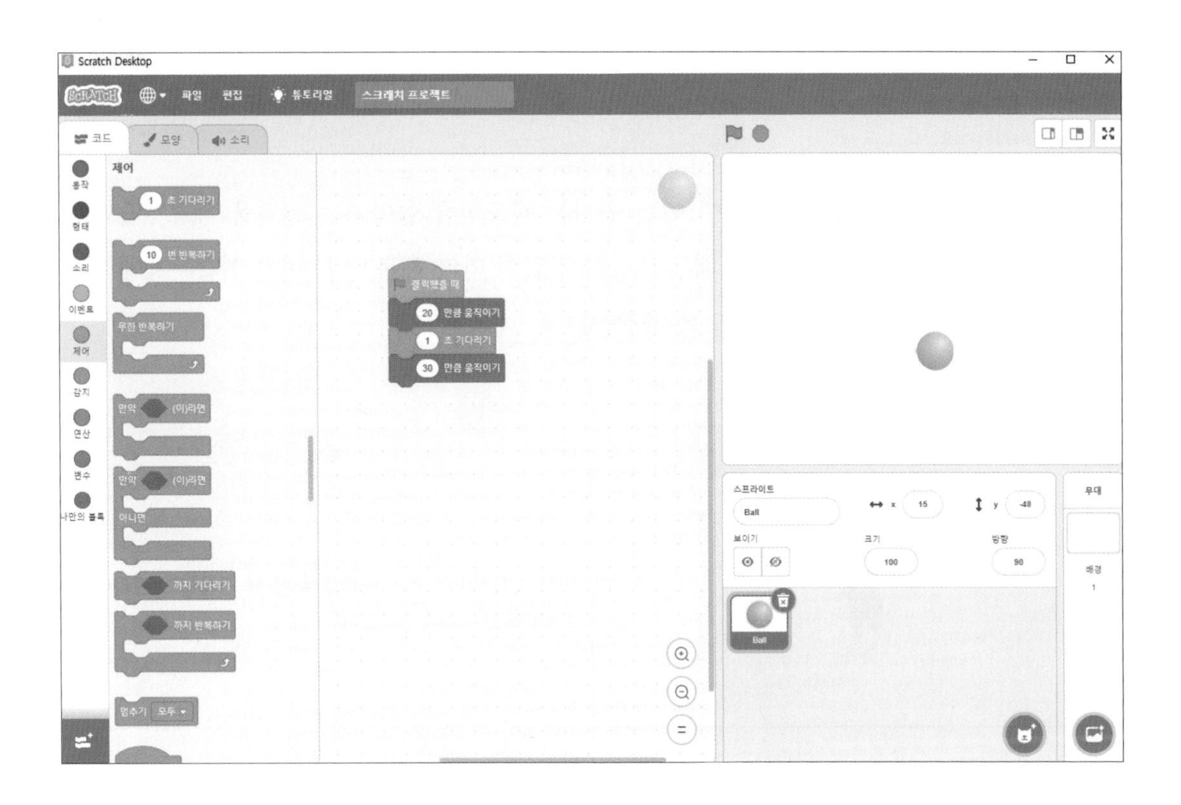

완성된 블록을 실행하고 공의 움직임을 살펴보도록 합니다.

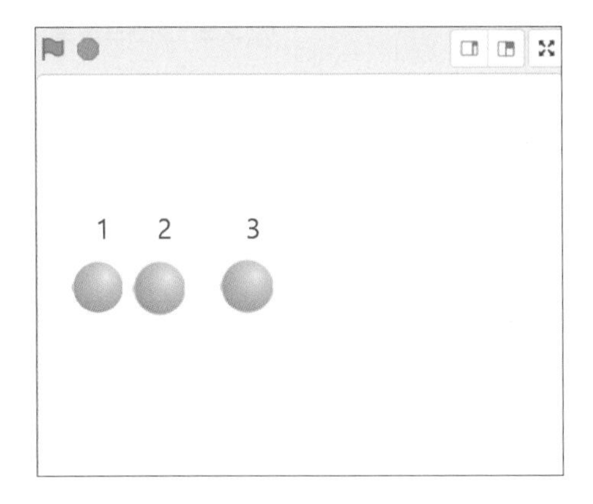

결과를 보니 어떤가요? 위의 그림과 같이 공이 1, 2, 3 순으로 움직이는 것을 확인할 수 있었을 겁니다. 다시 한 번 블록을 보며 자세한 설명과 함께 완벽히 이해해봅시다.

움직이는 장면을 확인했다면 블록별로 어떻게 이동했는지 정확하게 이해해볼 필요가 있습니다. 그 과정 중 첫 번째로 1번이 공의 첫 시작점이었습니다. 그리고 2번에서 '20'만큼 움직여서 공이 표현되며, 다음 블록 '1초' 뒤에 3번 '30'만큼 이동하여 공이 보이게 되는 것입니다.

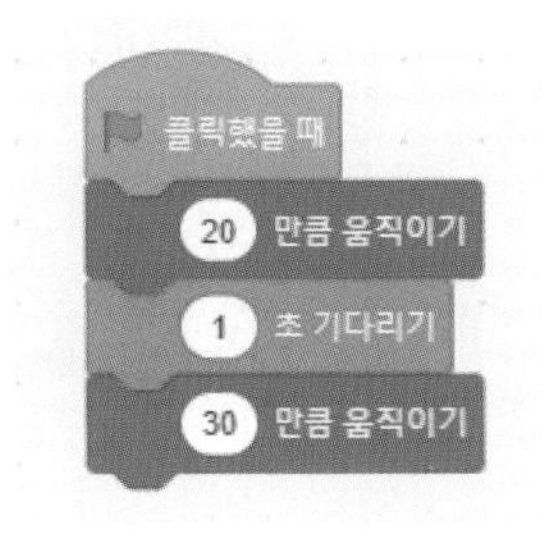

5-6 각도 조절해보기

이번에는 원하는 만큼 이동하는 것이 아닌 원하는 각도만큼 돌아가는 코딩을 해보겠습니다. 각도 조절도 이동하는 것과 블록이 매우 비슷하니 같이 따라 해봅시다. 이번 연습문제에 사용하는 스프라이트는 'Bear'를 사용하도록 하겠습니다.

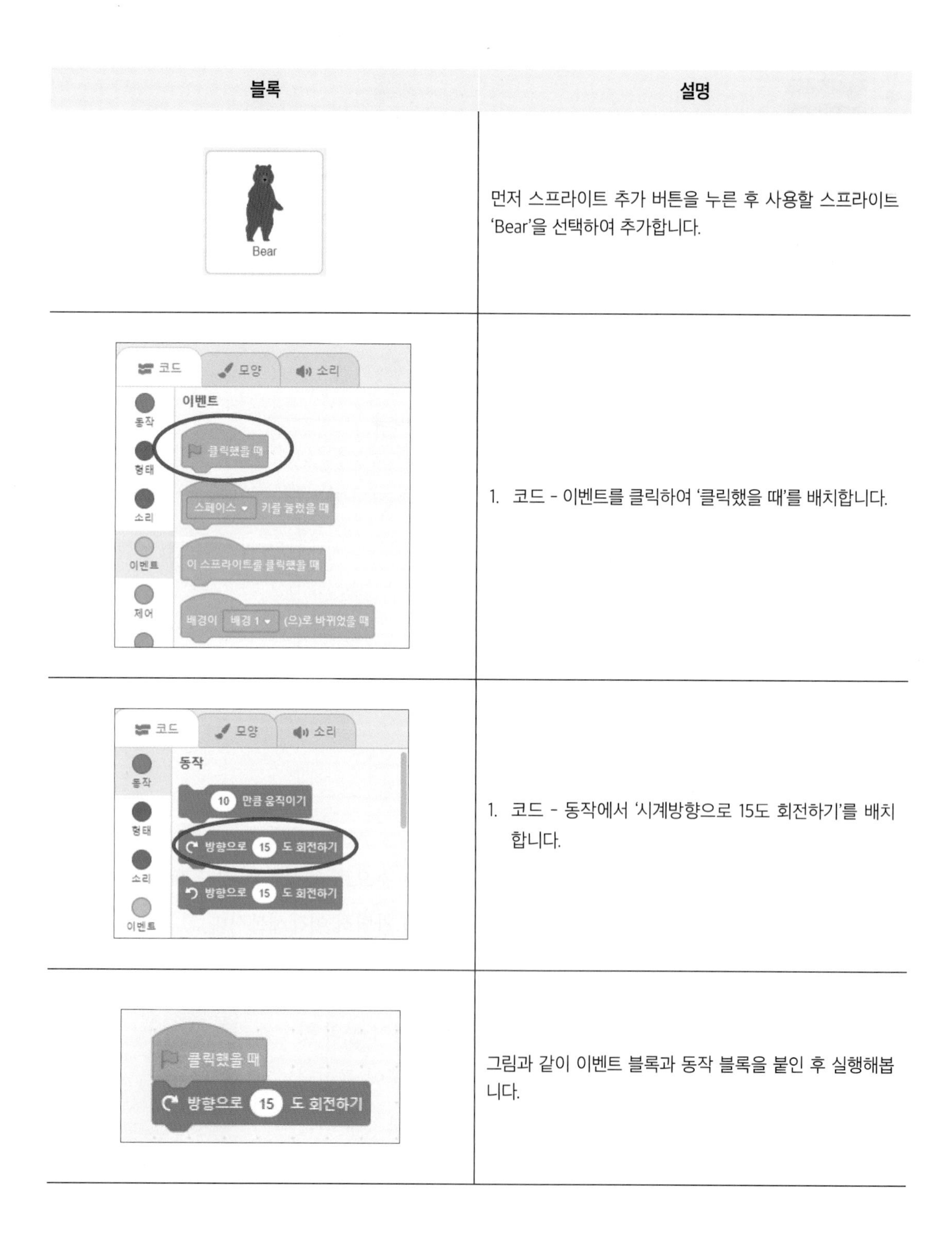

블록	설명
Bear	먼저 스프라이트 추가 버튼을 누른 후 사용할 스프라이트 'Bear'을 선택하여 추가합니다.
클릭했을 때	1. 코드 - 이벤트를 클릭하여 '클릭했을 때'를 배치합니다.
방향으로 15 도 회전하기	1. 코드 - 동작에서 '시계방향으로 15도 회전하기'를 배치합니다.
클릭했을 때 방향으로 15 도 회전하기	그림과 같이 이벤트 블록과 동작 블록을 붙인 후 실행해봅니다.

위의 단계대로 잘 따라오셨다면 다음과 같이 곰이 시계방향으로 15도 돌아가는 장면을 확인할 수 있습니다.

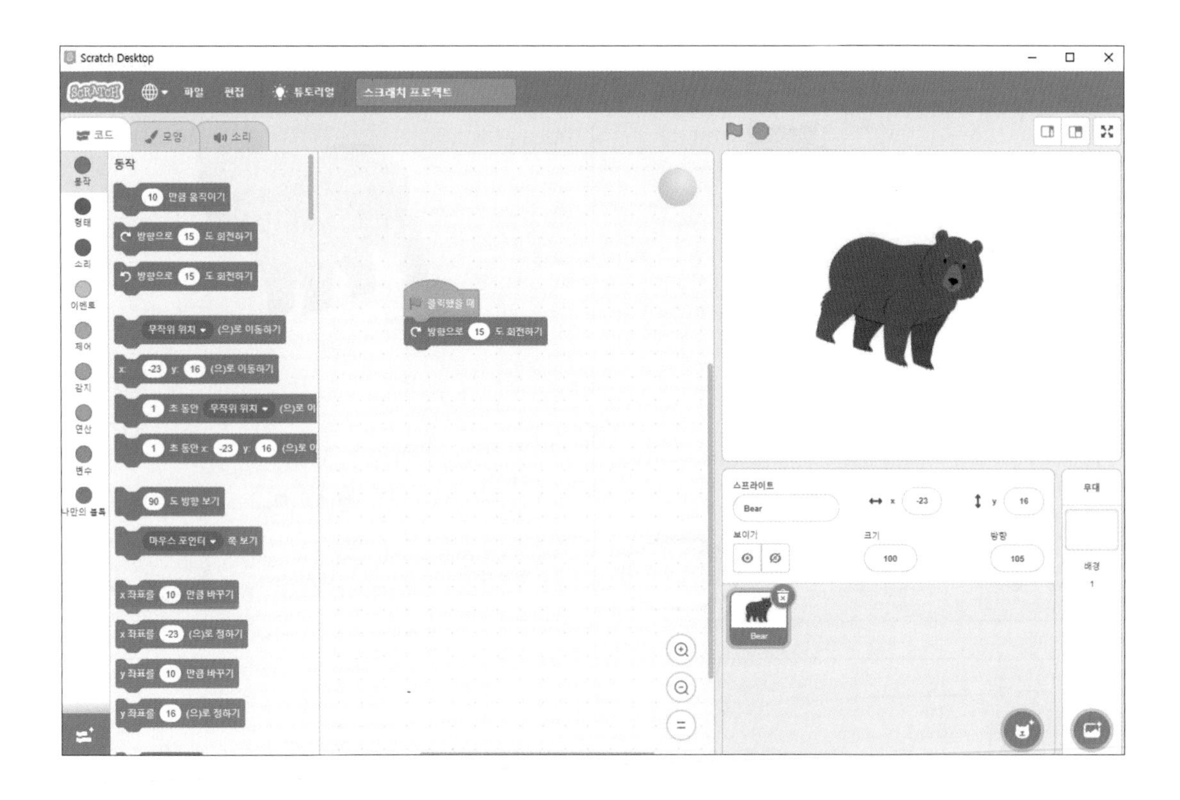

여기서 다시 한번 실행 버튼을 눌려서 곰이 어떻게 변하는지 확인해봅시다. 결과는 곰이 시계방향으로 15도 돌아간 상태에서 15도가 더 돌아가 총 30도가 돌아간 결과를 확인할 수 있습니다.

혹시 실행하면서 스프라이트 무대쪽 '방향'이라는 곳을 확인해보셨나요?? 스크래치에서는 기본적으로 방향이 90도로 설정되어 있습니다. 그렇습니다. 현재 블록을 한 번 실행함으로 인해 원래 90도에서 15도 더해진 105도로 설정되며, 한 번 더 실행할 경우 105도에서 15도가 더해진 130도로 설정되게 됨을 확인할 수 있습니다.

스프라이트 무대를 자세히 살펴보겠습니다.

실행하기 전	실행한 후
	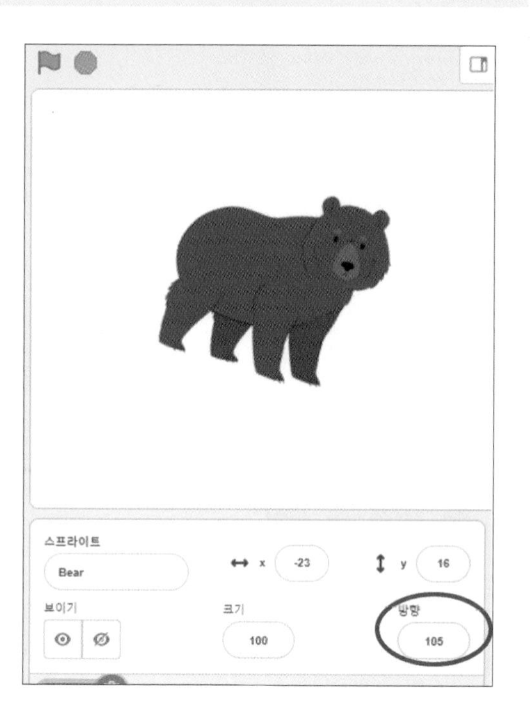

스크래치에서의 각도는 다음 아래 그림과 같습니다. 12시를 기준으로 0도, 3시 기준으로 90도, 6시 기준으로 180도, 9시 기준으로 270도입니다.

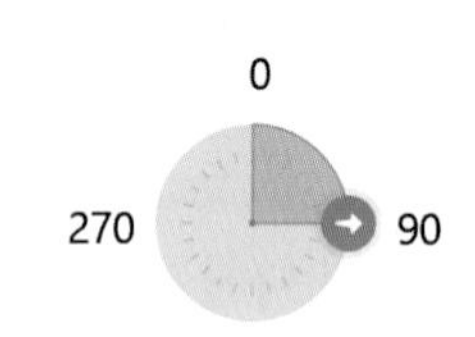

위의 각도를 비교하여 다시 곰 그림을 확인해 보겠습니다. 왼쪽 곰 그림은 블록을 실행하기 전 곰의 방향을 보여주고 있으며, 오른쪽은 1번 실행했을 때 방향의 변화를 나타내고 있습니다. 왼쪽의 곰은 정방향임이 확인되고 각도는 '90'이며, 오른쪽의 곰은 시계방향으로 '15도' 더해진 '105도' 임을 확인할 수 있습니다.

5-7 모양 바꾸기 1

이번에는 모양 탭을 이용하여 스프라이트의 모양을 바꿔보는 연습을 해보도록 하겠습니다. 먼저 스크래치를 실행 후 아래와 같이 모양 탭을 눌러봅니다.

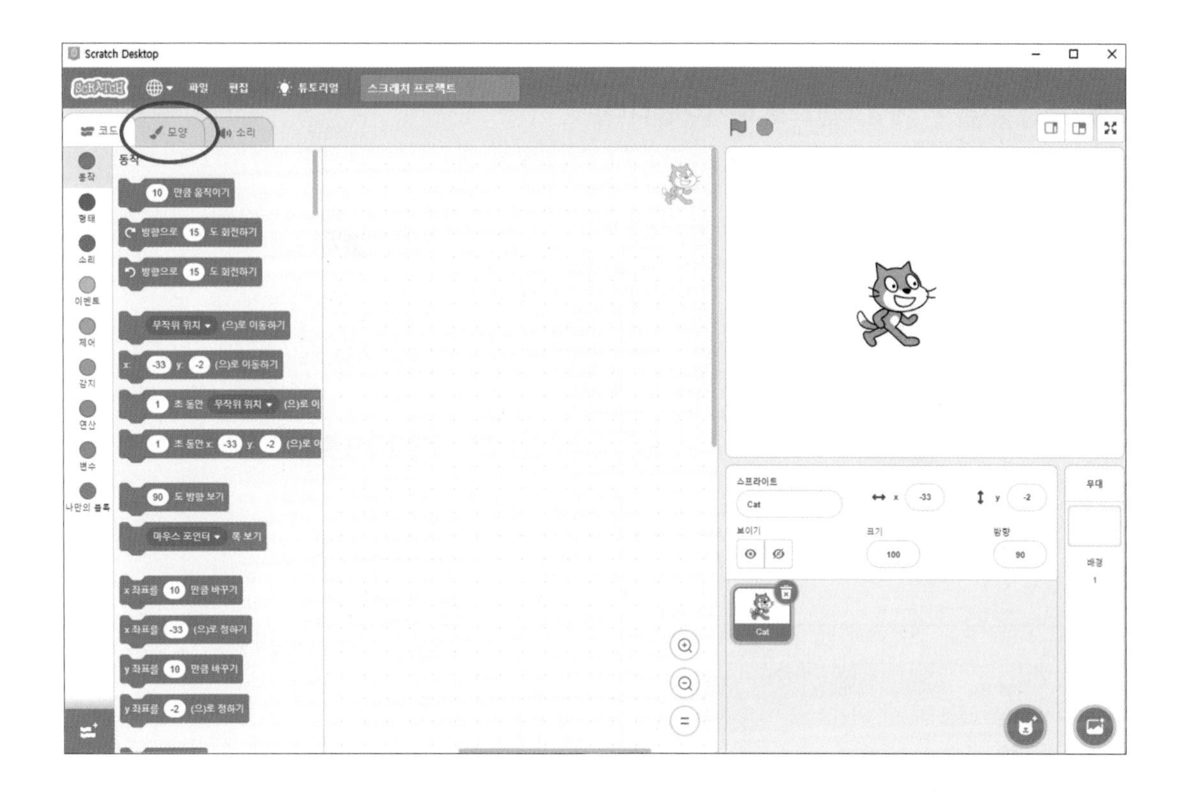

모양 탭을 누르면 아래 그림과 같이 2개의 고양이 이미지가 있음을 확인할 수 있습니다. (실제 고양이 스프라이트에는 cat–a, cat–b가 포함되어 있습니다.)

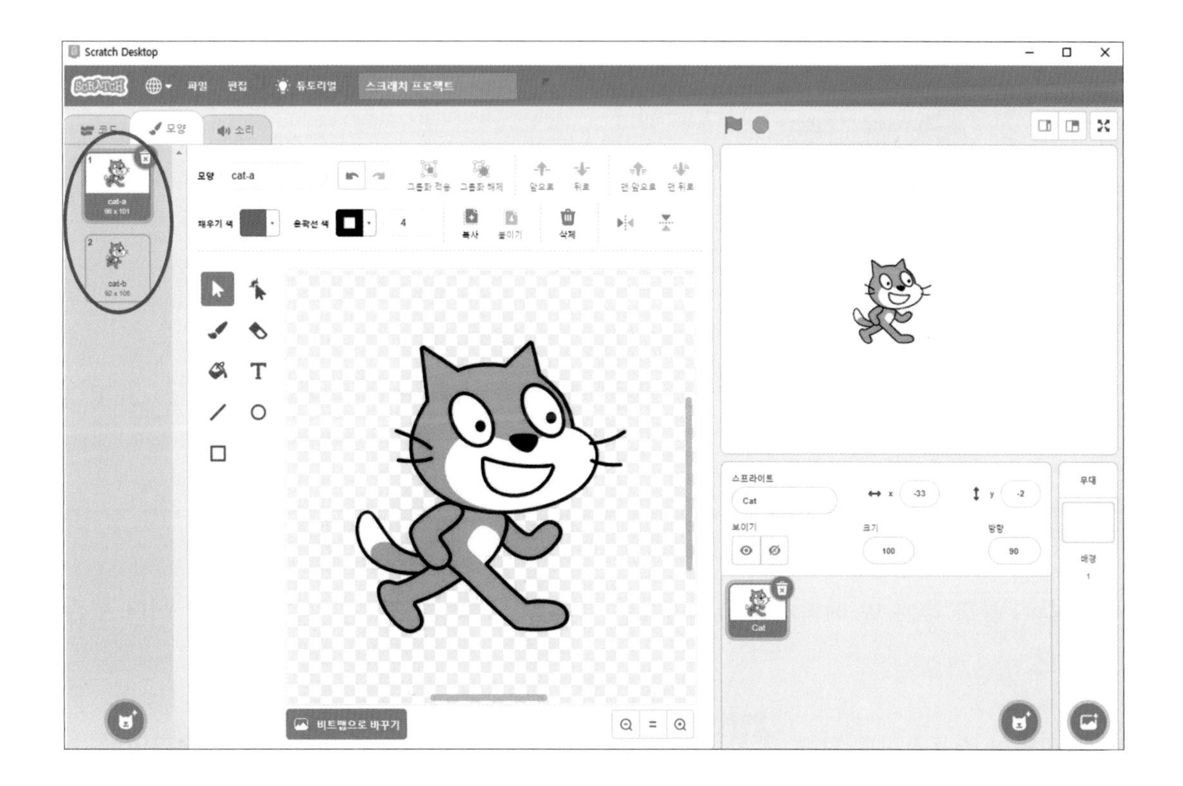

간단한 블록을 통해 고양이의 움직임을 조금 자연스럽게 표현해보도록 하겠습니다. 먼저 다시 코드 탭을 누른 후 메인화면으로 빠져나옵니다.

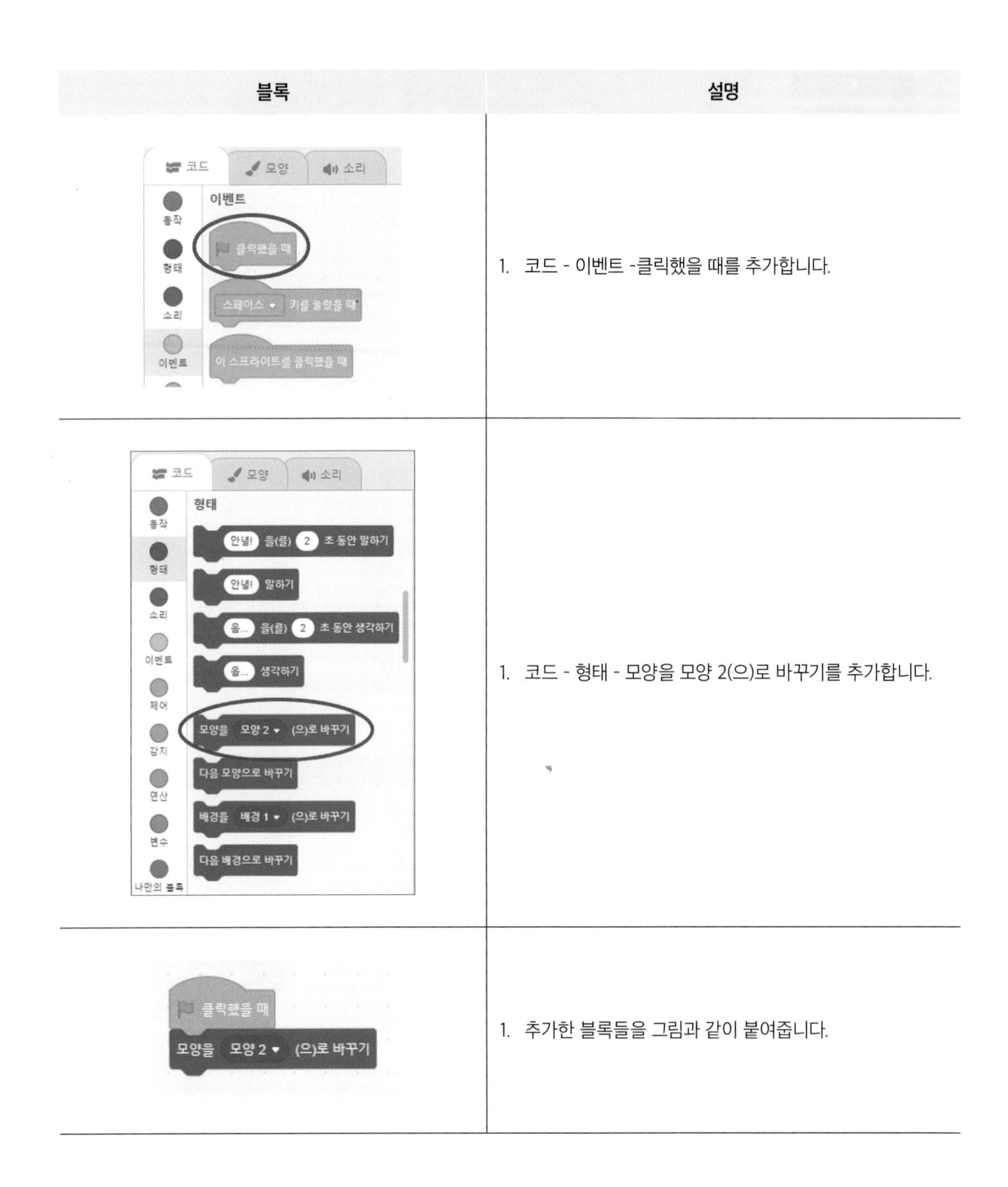

블록	설명
	1. 코드 - 이벤트 -클릭했을 때를 추가합니다.
	1. 코드 - 형태 - 모양을 모양 2(으)로 바꾸기를 추가합니다.
	1. 추가한 블록들을 그림과 같이 붙여줍니다.

위와 같이 블록 추가 및 배치가 완료되었다면 블록을 실행하여 결과를 살펴봅니다. 어떤 모습을 볼 수 있을까요?

처음 고양이 스프라이트 모습 (cat-a)에서 (cat-b)로 바뀌는 모습을 확인할 수 있습니다.

(cat–b)로 바뀐 고양이 상태에서 한 번 더 실행 버튼을 눌러 어떤 변화가 있는지 살펴봅시다. 다시 (cat–a)의 그림이 나오지 않고 계속해서 (cat–b)의 이미지만 나타날 것입니다. 그렇다면 다시 (cat–a)의 이미지를 나타나게 하려면 어떻게 해야 할까요? 문제 해결을 위해 다음과 같이 블록을 만들어봅시다.

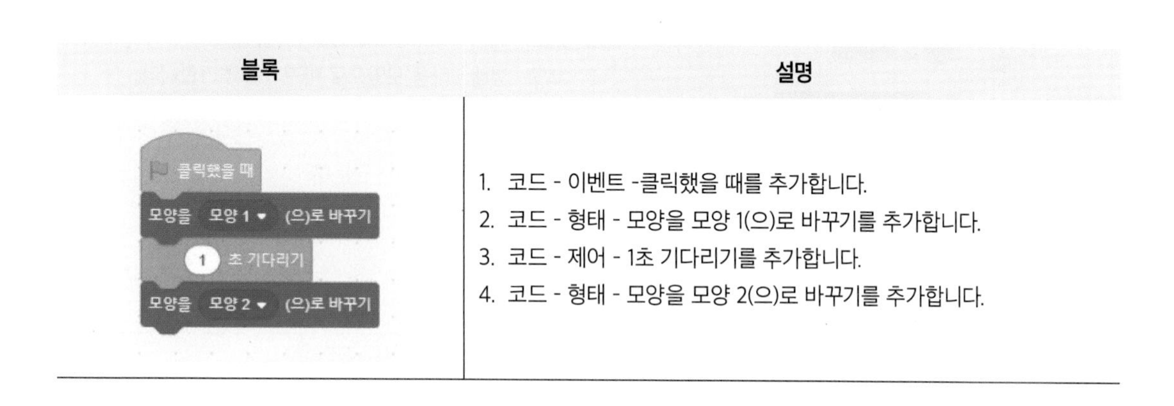

블록	설명
클릭했을 때 모양을 모양 1 (으)로 바꾸기 1 초 기다리기 모양을 모양 2 (으)로 바꾸기	1. 코드 - 이벤트 -클릭했을 때를 추가합니다. 2. 코드 - 형태 - 모양을 모양 1(으)로 바꾸기를 추가합니다. 3. 코드 - 제어 - 1초 기다리기를 추가합니다. 4. 코드 - 형태 - 모양을 모양 2(으)로 바꾸기를 추가합니다.

위와 같이 블록을 설정하고 다시 실행하여 고양이의 변화를 살펴봅시다. 다들 어떤 결과가 보이나요? 결과는 클릭할 때마다 (cat–a), (cat–b)가 순차적으로 1초마다 변화하여 마치 고양이가 걸어가는 듯 느낌이 듭니다.

이번에는 조금 다른 블록을 이용하여 움직이는 고양이를 표현해보도록 하겠습니다. 아래 설명을 통해 블록을 배치하여 코드를 완성해 봅시다.

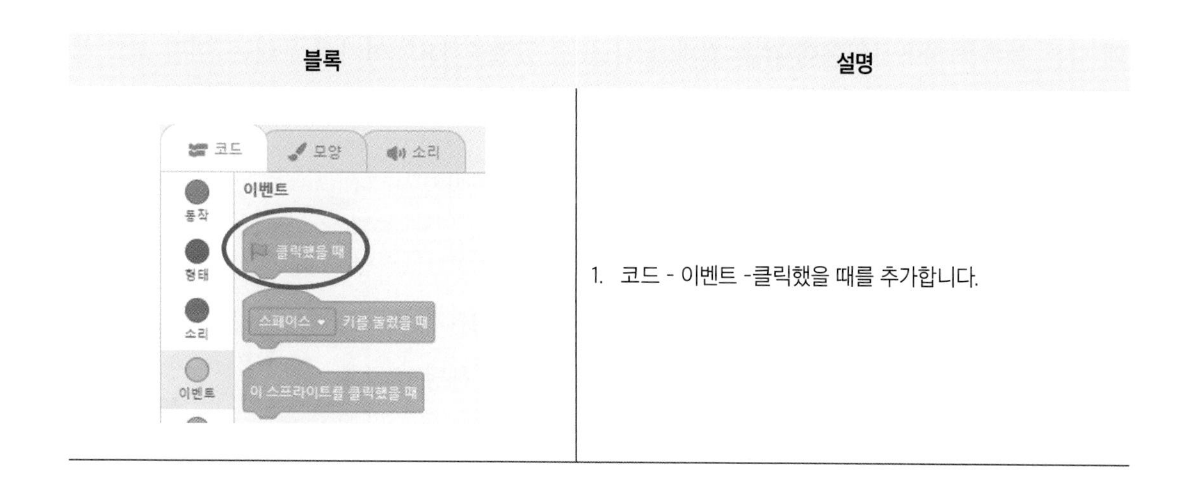

블록	설명
코드 / 모양 / 소리 이벤트 클릭했을 때 스페이스 키를 눌렀을 때 이 스프라이트를 클릭했을 때	1. 코드 - 이벤트 -클릭했을 때를 추가합니다.

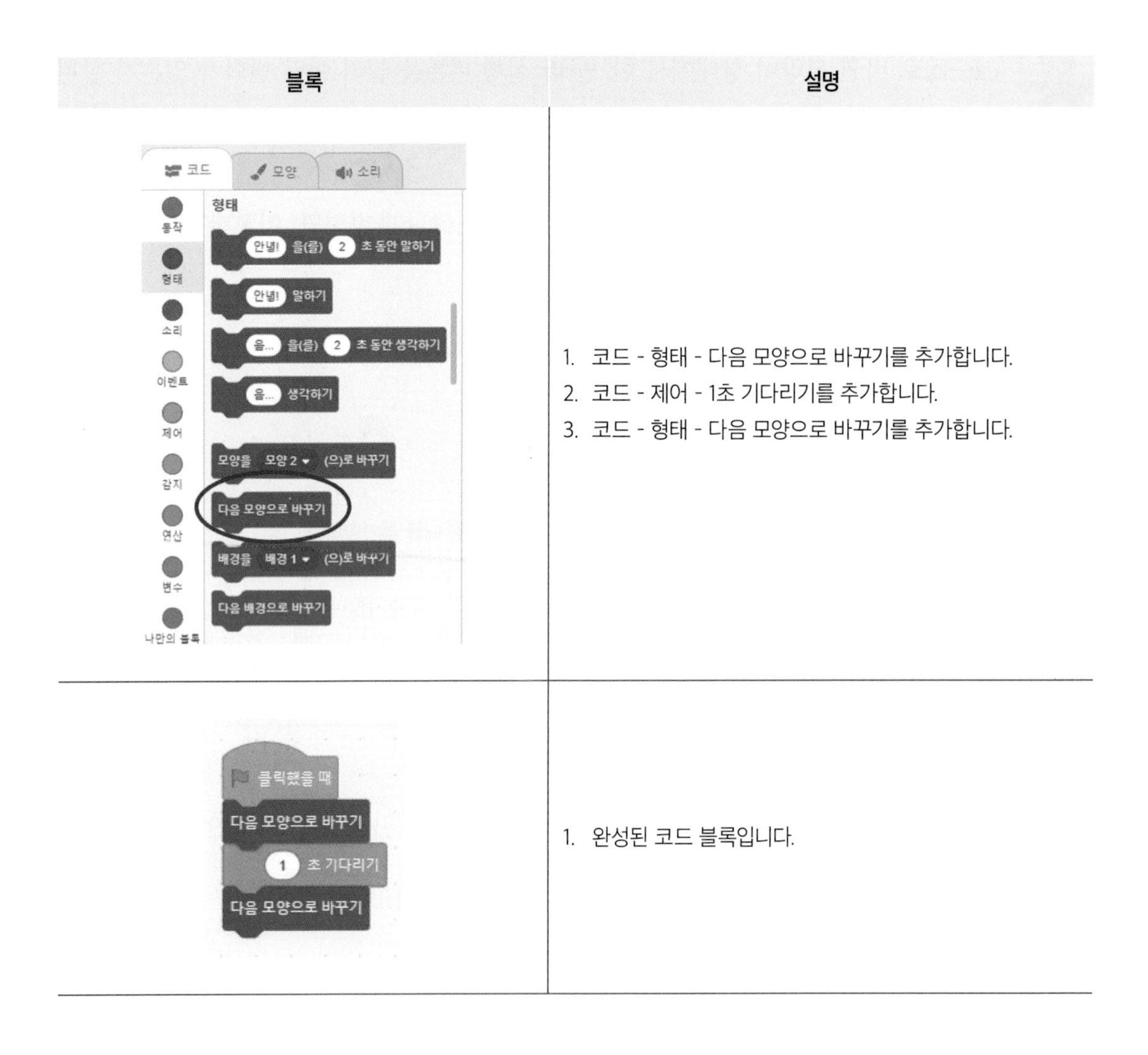

블록	설명
코드 / 모양 / 소리 형태 안녕! 을(를) 2 초 동안 말하기 안녕! 말하기 음... 을(를) 2 초 동안 생각하기 음... 생각하기 모양을 모양 2 (으)로 바꾸기 다음 모양으로 바꾸기 배경을 배경 1 (으)로 바꾸기 다음 배경으로 바꾸기	1. 코드 - 형태 - 다음 모양으로 바꾸기를 추가합니다. 2. 코드 - 제어 - 1초 기다리기를 추가합니다. 3. 코드 - 형태 - 다음 모양으로 바꾸기를 추가합니다.
클릭했을 때 다음 모양으로 바꾸기 1 초 기다리기 다음 모양으로 바꾸기	1. 완성된 코드 블록입니다.

이전의 연습문제와 블록은 비슷합니다. 다른 점은 하면 형태 블록을 다른 블록으로 바꾸긴 했지만, 실제 이 코드 블록도 실행해보면 같은 결과의 동작임을 확인할 수 있습니다.

왜 다른 블록을 사용하였는데 같은 결과가 나올 수 있었을까요? 여기서 우리는 '어떤 코드 블록을 사용하여 좀 더 간단하거나 쉽게 결과를 만들어낼 수 있을까?'를 고민해 볼 수 있습니다.

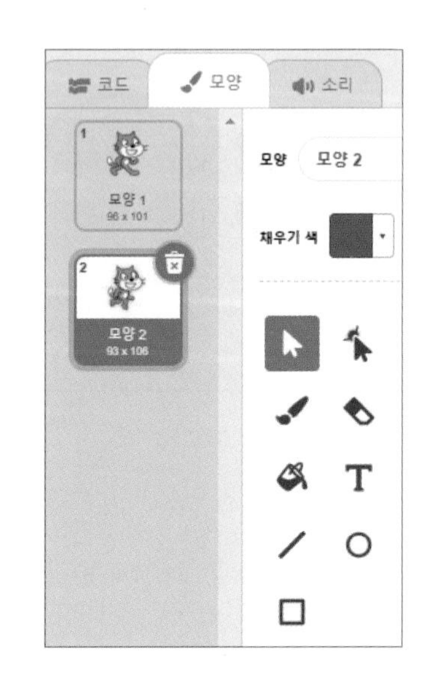

먼저 오른쪽 그림과 같이 모양 탭에 있는 2개의 고양이 이미지를 보면 간단하게 답을 찾으실 수 있습니다.

현재 고양이 스프라이트의 경우는 기본적으로 2개의 모양을 가지고 있습니다. '모양을 모양 1(으)로 바꾸기'와 같이 직접 해당 이미지의 모양을 변경하도록 명령하는 것은 해당 이미지를 불러오는 것과 같은 결과를 나타나게 합니다.

'다음 모양으로 바꾸기'의 경우 현재 '모양 1'에 이미지가 설정되어 있다면 다음 모양인 '모양 2'를 나타내게 됩니다. 여기서 한

번 더 명령할 경우 '모양 1'로 넘어가게 되는 원리 때문에 앞에서와 같은 결과를 확인할 수 있게 되는 것입니다. 그렇다면 만약에 고양이 모양이 3개가 있었다면 결과는 어땠을까요? 이번에는 블록마다 결과의 차이를 나타낼 것입니다. '모양을 모양 1(으)로 바꾸기'와 같은 블록을 2개 사용했다면 '모양을 모양 1(으)로 바꾸기', '모양을 모양 2(으)로 바꾸기'와 같은 설정으로 2개의 이미지가 번갈아 가며 나타날 것이며, '다음 모양으로 바꾸기'를 사용할 경우 모양 1, 모양 2, 모양 3번의 이미지가 바뀌면서 반복되어 나타날 것입니다.

5-8 모양 바꾸기 2

이번에는 다양한 모양이 있는 스프라이트를 추가하여 '모양을 모양 X(으)로 바꾸기'와 '다음 모양으로 바꾸기'의 차이점을 알아보도록 하겠습니다.

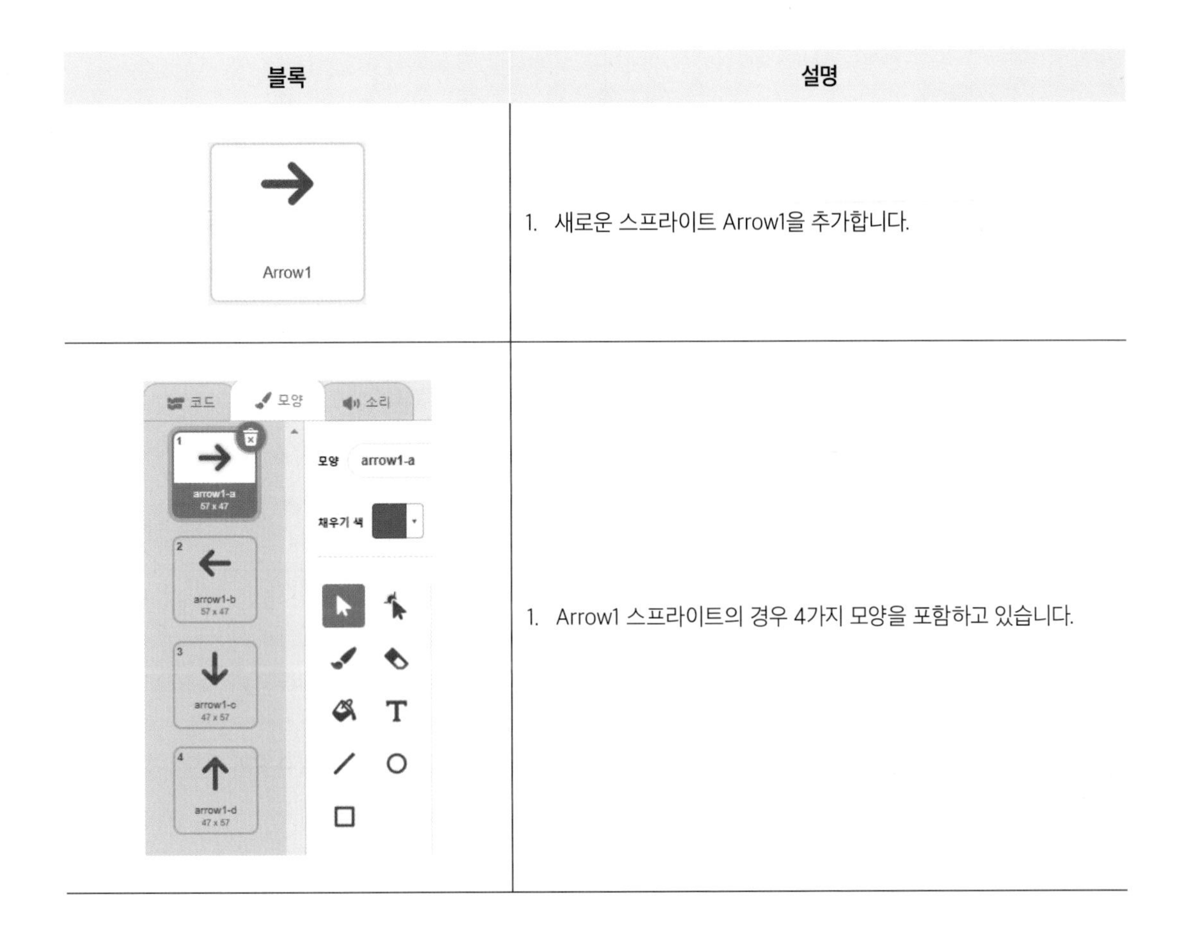

블록	설명
Arrow1	1. 새로운 스프라이트 Arrow1을 추가합니다.
코드 / 모양 / 소리 arrow1-a 57 x 47, arrow1-b 57 x 47, arrow1-c 47 x 57, arrow1-d 47 x 57 모양 arrow1-a 채우기 색	1. Arrow1 스프라이트의 경우 4가지 모양을 포함하고 있습니다.

위와 같이 스프라이트를 추가하였다면 클릭했을 때 화살표가 1초 간격으로 상, 하, 좌, 우 순으로 나올 수 있게 '모양을 모양 X(으)로 바꾸기'를 이용한 방법과, '다음 모양으로 바꾸기' 블록을 이용하여 코딩해 봅니다.

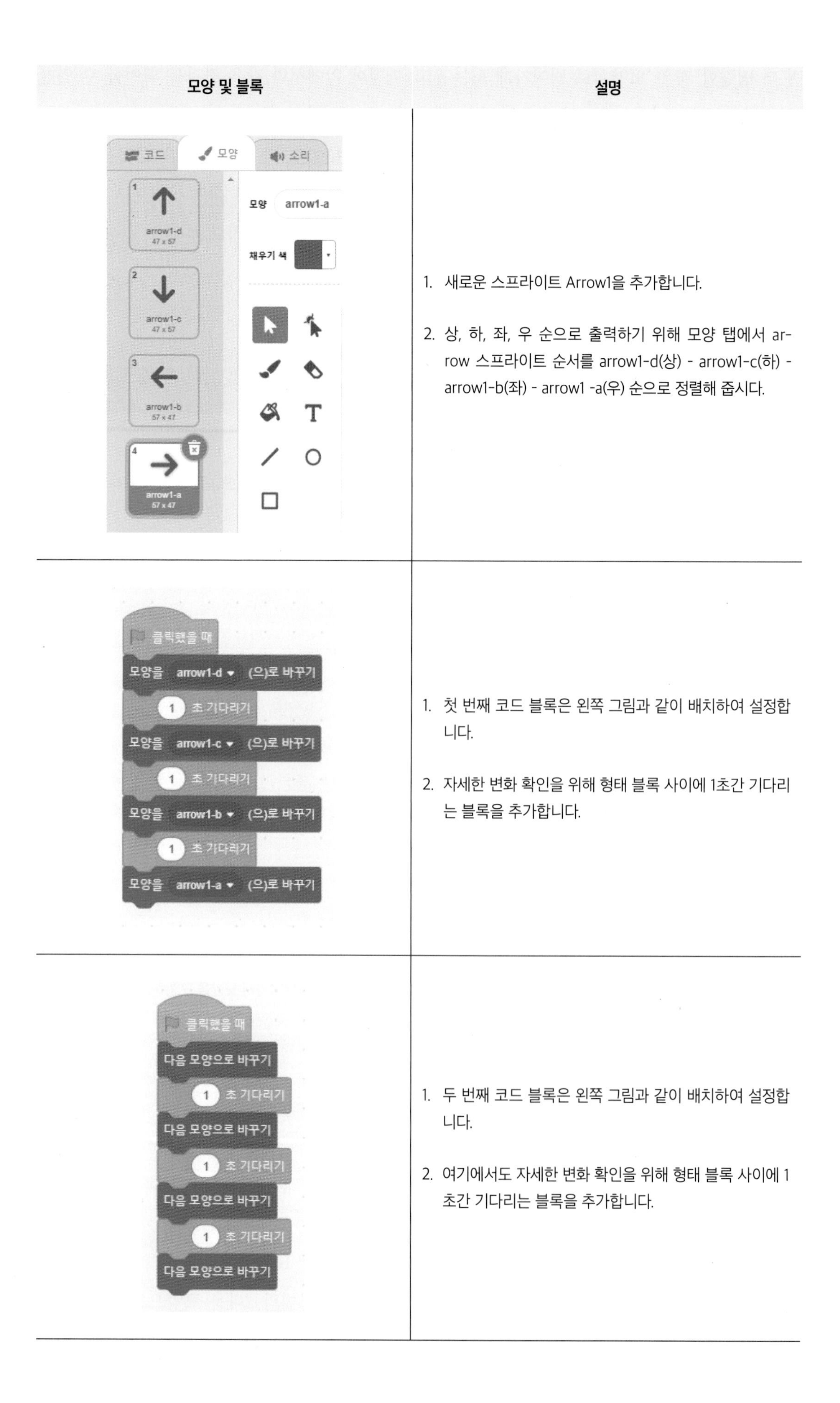

모양 및 블록	설명
	1. 새로운 스프라이트 Arrow1을 추가합니다. 2. 상, 하, 좌, 우 순으로 출력하기 위해 모양 탭에서 arrow 스프라이트 순서를 arrow1-d(상) - arrow1-c(하) - arrow1-b(좌) - arrow1 -a(우) 순으로 정렬해 줍시다.
	1. 첫 번째 코드 블록은 왼쪽 그림과 같이 배치하여 설정합니다. 2. 자세한 변화 확인을 위해 형태 블록 사이에 1초간 기다리는 블록을 추가합니다.
	1. 두 번째 코드 블록은 왼쪽 그림과 같이 배치하여 설정합니다. 2. 여기에서도 자세한 변화 확인을 위해 형태 블록 사이에 1초간 기다리는 블록을 추가합니다.

첫 번째 코드 동작 과정에 대해 자세히 알아봅시다.

최초 코드 시작을 통해 모양을 arrow1-d에 해당하는 ↑으로 모양을 바꾸고 1 초를 기다린 후 arrow1-c에 해당하는 ↓로 바뀌는 모습을 볼 수 있습니다. 이어서 또 한 번 1초 뒤에 arrow1-b에 해당하는 ←으로 바뀌고 마지막으로 arrow1-a에 해당하는 →으로 바뀌면서 종료됩니다.

이러한 문제를 통해 클릭했을 때를 시작으로 위에서 아래 방향으로 순차 처리하는 과정과 이에 해당하는 이미지를 불러오면서 변화하는 모습을 이해하셨습니다. 이 밖에도 모양의 옵션을 변경하여 상, 하, 좌, 우 순서가 아닌 여러분이 원하는 순서대로도 충분히 바꿀 수도 있습니다.

여기서 조금 더 응용하면 상, 하, 좌, 우 화살표를 한번 표시하고 이어서 반대로 우, 좌, 하, 상까지 연결되는 코드를 만들어 응용해봅시다. 이러한 동작을 만들기 위해서는 우, 좌, 하, 상에 해당하는 4개의 추가 블록이 더 필요합니다. 추가되는 블록은 위와 같은 블록(모양을 X로 바꾸기)이 4개 더 추가하고 우, 좌, 하, 상에 해당하는 이미지를 선택하면 문제 해결이 됩니다. 결과적인 동작으로는 상, 하, 좌, 우, 우, 좌, 하, 상순으로 변경되는 화살표를 확인할 수 있습니다.

이번에는 두 번째 코드 동작에 대해 자세히 알아보도록 하겠습니다.

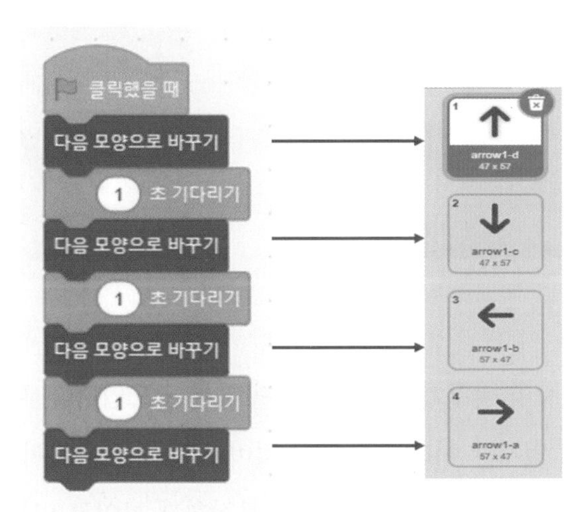

코딩을 실행하기 전에 모양 탭에서 arrow1(a, b, c, d) 이미지를 상, 하, 좌, 우로 순서를 배치했을 때 형태 블록 '다음 모양으로 바꾸기'는 위의 그림과 같이 동작 되어 이미지가 보이게 됩니다.

처음 코딩했던 블록 코드와 두 번째 블록 코드의 형태는 비슷하지만, 동작 방식이 직접 변경되는 것인지 아니면 모양 탭에 있는 순서로 변경되는 것인지가 가장 큰 차이가 있다는 것을 이해했을 겁니다. 만약 arrow1의 기본적인 이미지 4개가 아닌 여러 개의 이미지로 구성되어 있거나 순서가 상, 하, 좌, 우가 아닌 좌, 우, 하, 상이였다면 첫 번째 블록 코드는 상, 하, 좌, 우로 동작하기 위해서는 해당 이미지를 선택하여 그 순서를 지정하여 간편히 설정할 수 있는 반면에 두 번째 블록 코드의 경우는 순서에 맞게 설정하기 위해서는 첫 번째 방법보다 다소 복잡할 수 있었을 것입니다. 이러한 결과를 통해 코딩의 상황에 따라 다소 간편 및 간소화를 시킬 수 있거나, 또는 그 상황에 따라 유리한 블록도 있다는 것을 알 수 있습니다.

5-9 반복하기

반복하기는 연속되는 블록 코드를 반복하거나, 특정 조건에 따라 반복적인 동작이 필요한 경우 사용합니다. 이전 5-8에서의 연습했던 블록을 이용하여 반복하기에 대해 이해하고 넘어가도록 하겠습니다.

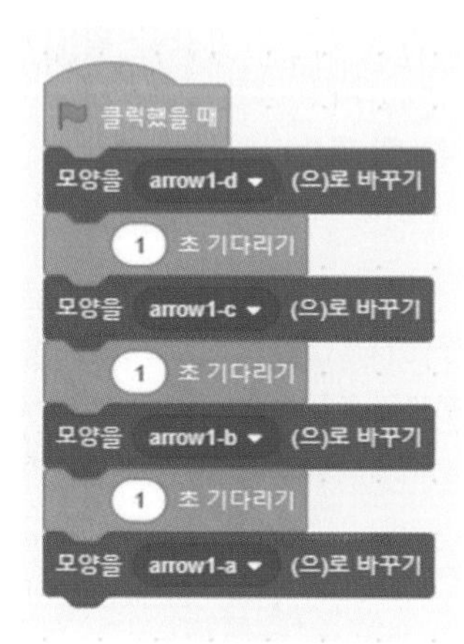

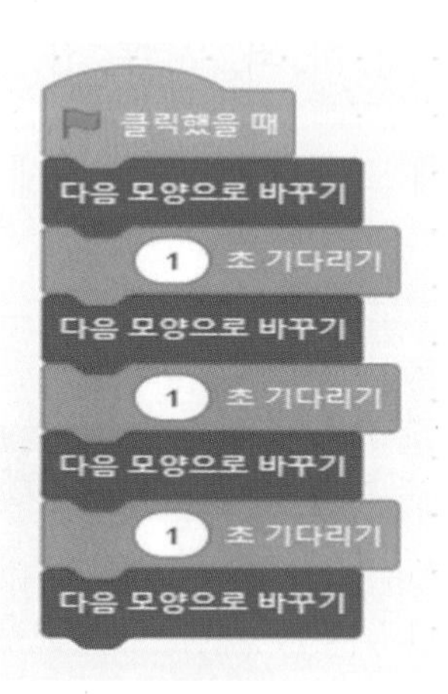

위의 블록들은 5-8에서 모양 바꾸기에서 연습했던 블록 코드입니다. 이와 같은 예제에서는 반복문을 사용할 필요성이 없지만 이러한 코드의 길이가 같은 문장길이로 2배나 3배 정도 추가해야 한다면 어떨까요? 아마 아래의 그림과 같이 복잡하게 보이고 너무 같은 문장이 반복되어 보기에도 어지럽습니다. 이러한 문제를 해결하기 위해 반복되는 부분을 반복문을 통해 블록을 간소화하고 이로 인해 보기에도 깔끔한 블록 구성으로 코딩을 완성할 수 있습니다.

모양 및 블록	설명
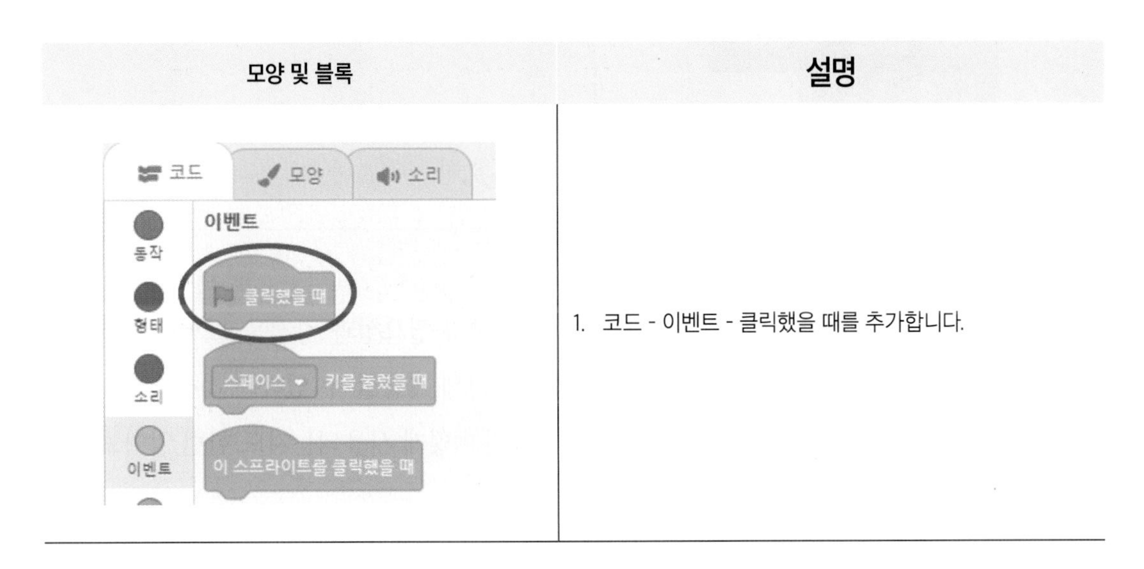	1. 코드 - 이벤트 - 클릭했을 때를 추가합니다.

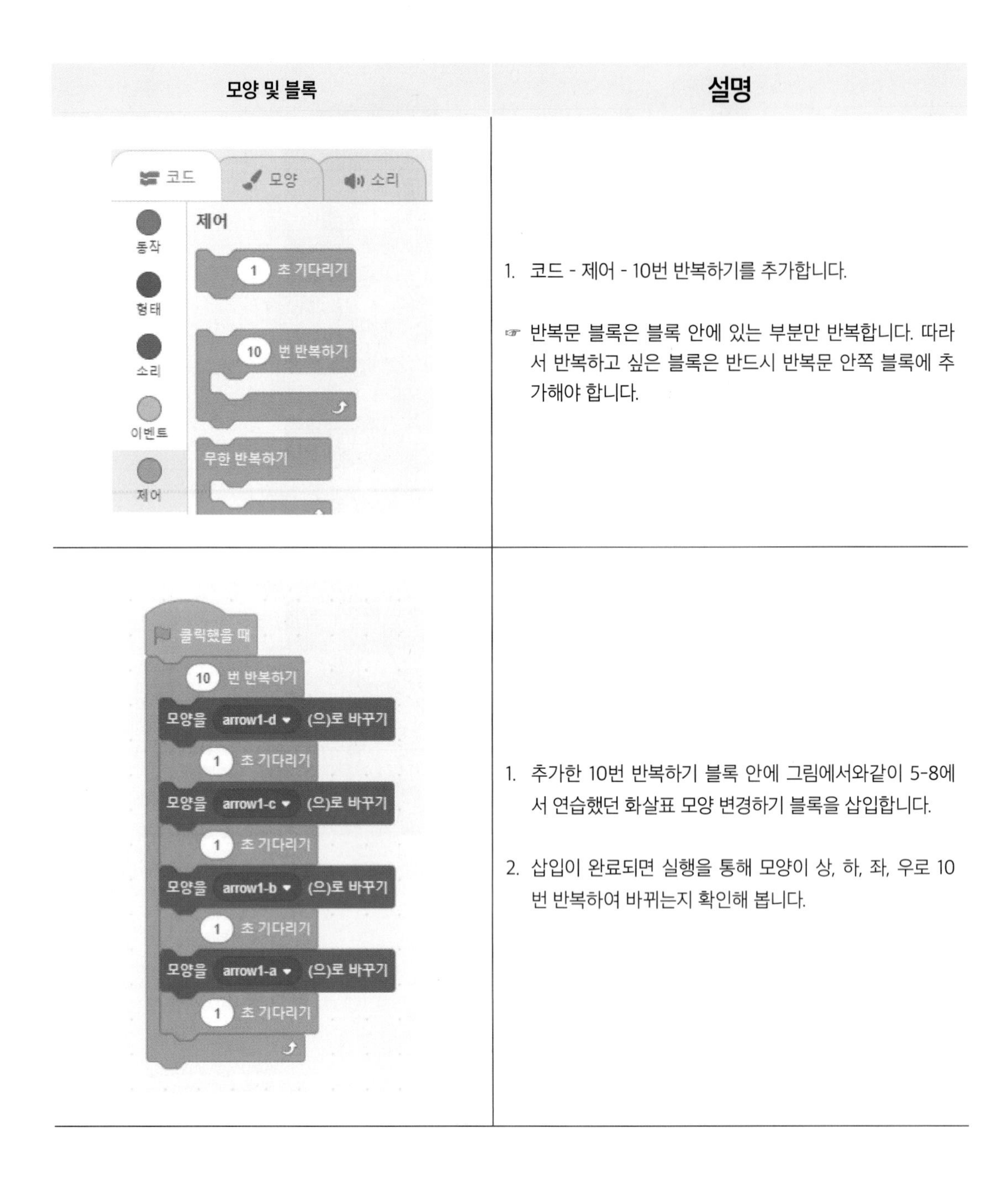

모양 및 블록	설명
코드 / 모양 / 소리 동작 / 형태 / 소리 / 이벤트 / 제어 제어 1 초 기다리기 10 번 반복하기 무한 반복하기	1. 코드 - 제어 - 10번 반복하기를 추가합니다. ☞ 반복문 블록은 블록 안에 있는 부분만 반복합니다. 따라서 반복하고 싶은 블록은 반드시 반복문 안쪽 블록에 추가해야 합니다.
클릭했을 때 10 번 반복하기 모양을 arrow1-d (으)로 바꾸기 1 초 기다리기 모양을 arrow1-c (으)로 바꾸기 1 초 기다리기 모양을 arrow1-b (으)로 바꾸기 1 초 기다리기 모양을 arrow1-a (으)로 바꾸기 1 초 기다리기	1. 추가한 10번 반복하기 블록 안에 그림에서와같이 5-8에서 연습했던 화살표 모양 변경하기 블록을 삽입합니다. 2. 삽입이 완료되면 실행을 통해 모양이 상, 하, 좌, 우로 10번 반복하여 바뀌는지 확인해 봅니다.

위에서의 결과에서 알 수 있듯이 간단한 블록은 반복문의 필요성과 장점을 느끼기는 어렵지만, 해당 블록의 수많은 반복이 필요할 경우 매우 유용하게 사용할 수 있다는 것을 알 수 있었습니다. 이번에는 형태 – 다음 모양으로 바꾸기일 경우 어떻게 사용되는지도 한번 알아보도록 하겠습니다. 아래의 순서에 맞게 따라 해봅시다.

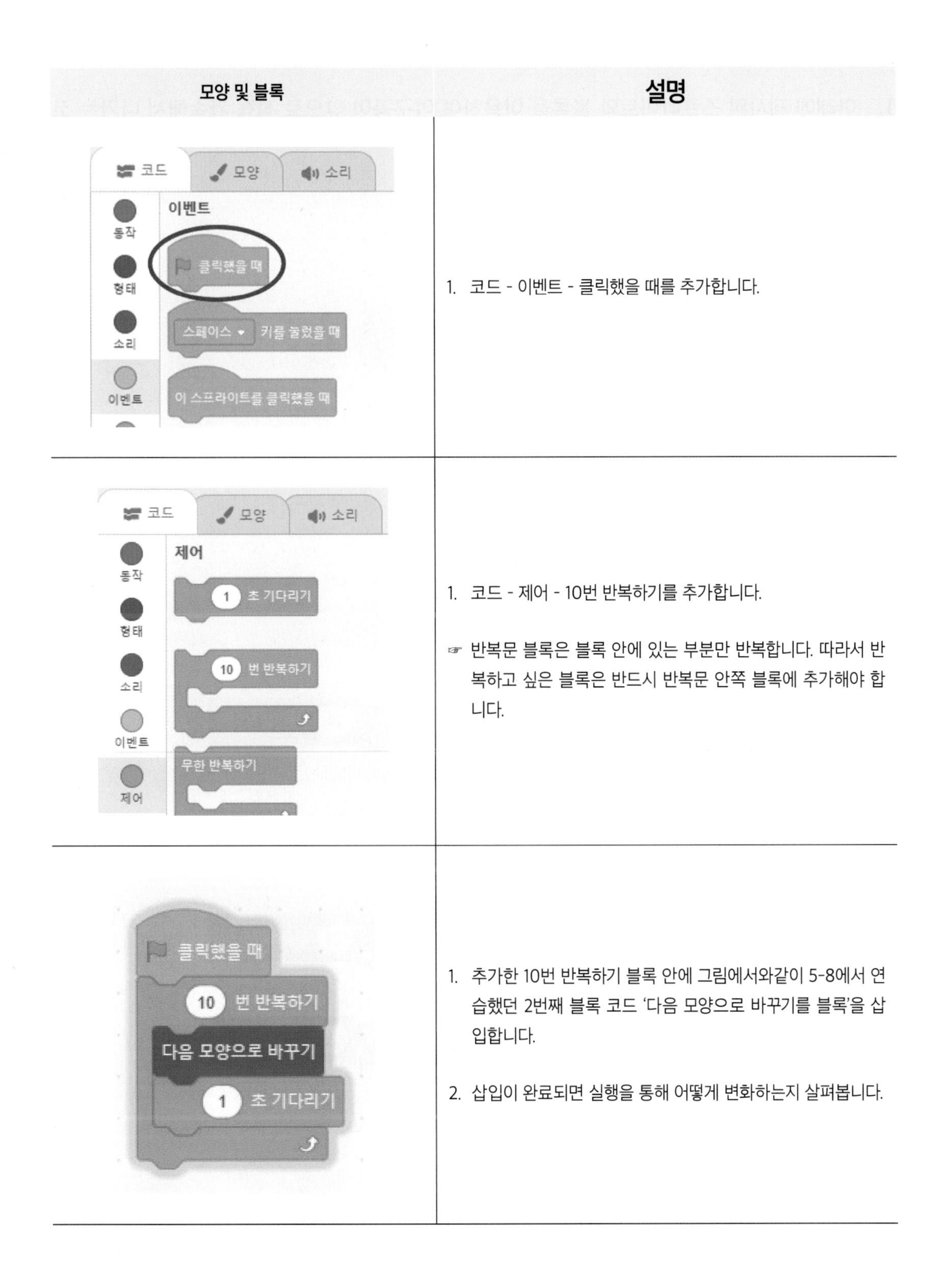

모양 및 블록	설명
	1. 코드 - 이벤트 - 클릭했을 때를 추가합니다.
	1. 코드 - 제어 - 10번 반복하기를 추가합니다. ☞ 반복문 블록은 블록 안에 있는 부분만 반복합니다. 따라서 반복하고 싶은 블록은 반드시 반복문 안쪽 블록에 추가해야 합니다.
	1. 추가한 10번 반복하기 블록 안에 그림에서와같이 5-8에서 연습했던 2번째 블록 코드 '다음 모양으로 바꾸기를 블록'을 삽입합니다. 2. 삽입이 완료되면 실행을 통해 어떻게 변화하는지 살펴봅니다.

이번 연습문제의 경우 처음과는 조금 다른 결과를 확인할 수 있었을 것입니다. 이전에는 상, 하, 좌, 우가 한 그룹으로 묶였기 때문에 상, 하, 좌, 우가 10번이 반복되었지만, 이번 연습문제는 다음 모양으로 바꾸기가 10번 반복되어 실행되는 것이므로 상, 하, 좌, 우 2번과 상, 하까지 총 10번의 이미지만 바뀌게 되었을 것입니다.

연습문제 

1. 아래에 제시된 스프라이트와 블록을 이용하여 야구공이 앞으로 점점 가속해서 나가는 코딩을 만들어 봅시다.

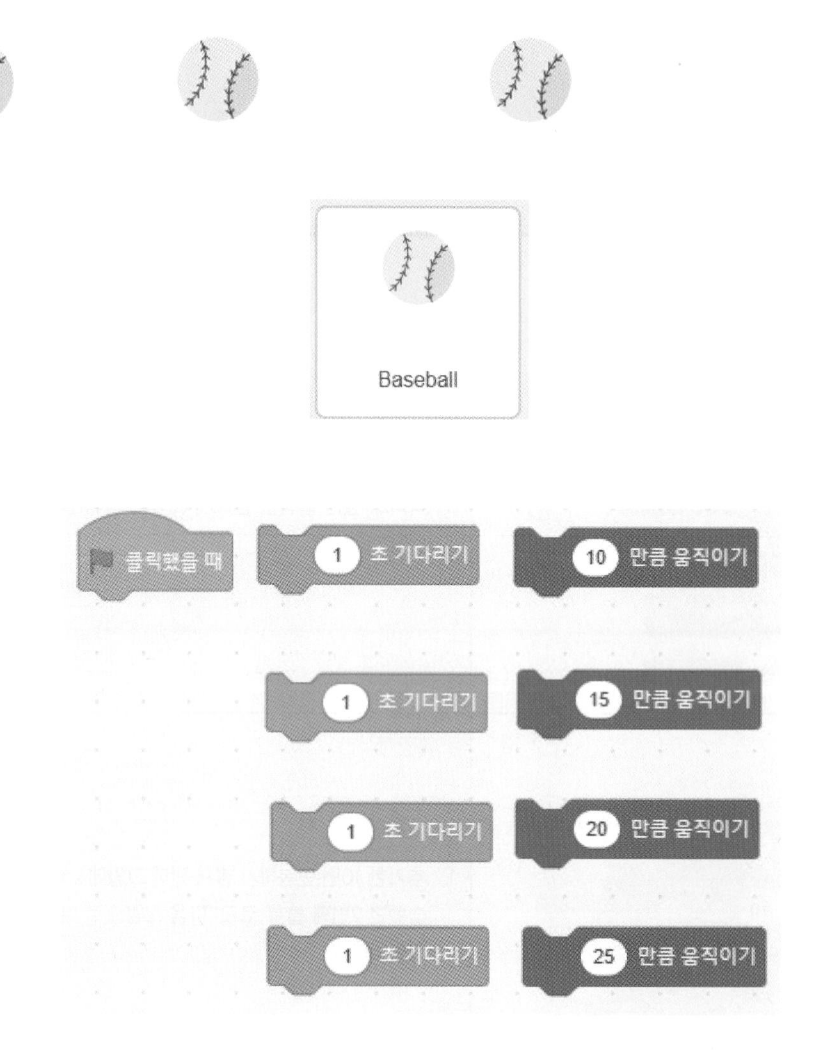

2. 두 스프라이트(Cat, Cat Flying)를 이용하여 아래 그림에서처럼 순서에 맞게 바뀌면서 앞으로 나아가는 고양이를 코딩해봅시다.

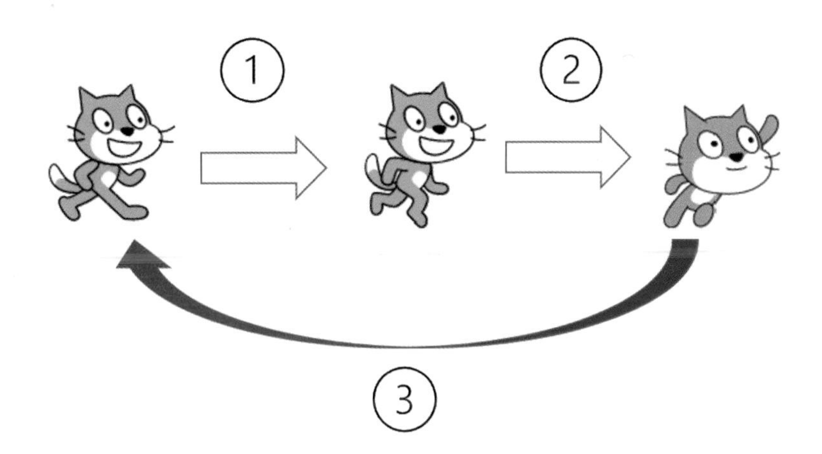

CHAPTER 6

스프라이트 활용

CONTENTS

6-1 좌우로 달리는 고양이

이번 장부터는 앞에 다룬 내용을 응용하여 다양한 블록을 이용한 새로운 코딩 하거나, 새로운 연습문제를 통한 프로젝트로 다양한 블록을 이해하는데 목표를 두도록 하겠습니다.

목표

먼저 응용해볼 문제는 움직임을 반복하는 응용문제입니다. 앞쪽으로 한쪽으로만 움직이는 것이 아닌 아래 그림에서와같이 배경을 추가하고 고양이의 움직임을 좌, 우로 설정하여 마치 고양이가 걸어가다가 화면 끝쪽에서 돌아오는 장면을 코딩해보도록 하겠습니다. 이 연습문제에서 배경을 추가하는 방법과 반복문을 이렇게도 응용할 수 있다는 것에 대해 이해해봅시다.

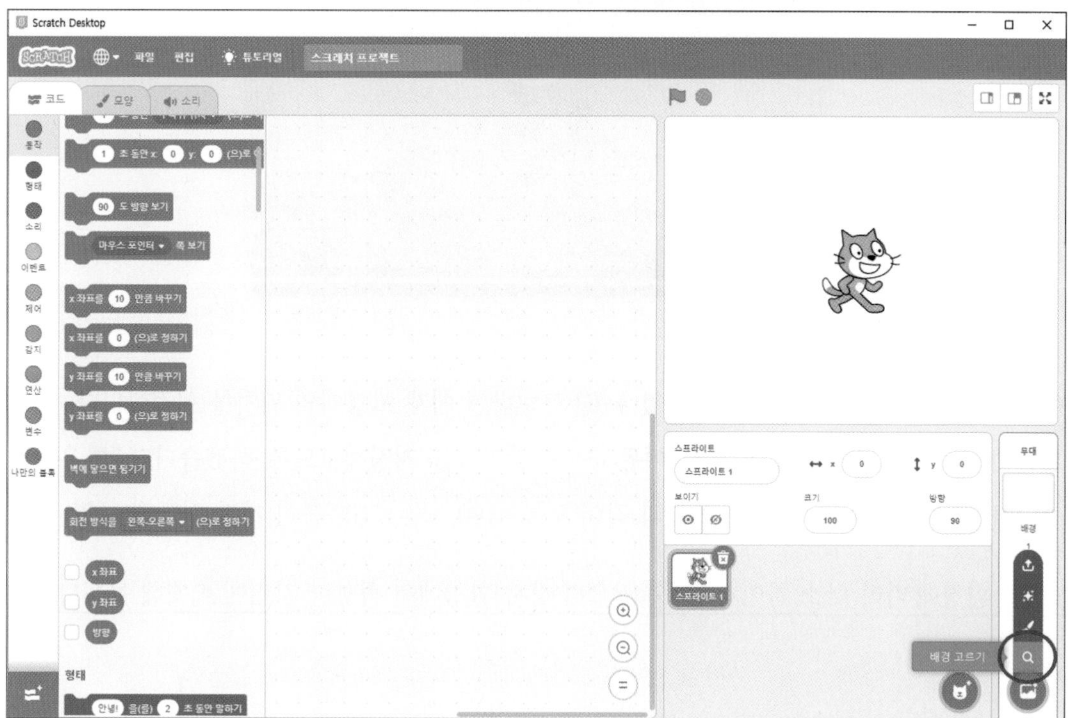

먼저 배경부터 추가해보도록 하겠습니다. 배경을 추가하기 위해서는 위의 그림처럼 빨간 동그라미 부분(배경 고르기)를 선택합니다. 이번 연습문제에서 사용할 배경은 'Blue Sky'로 해보도록 하겠습니다. 아래 그림에서 동그라미에 해당하는 이미지를 클릭하여 선택해 줍니다.

어떤가요? 위와 같이 배경이 적용되었나요? 그렇다면 이제 고양이의 위치를 선정합니다. 현재 고양이가 공중에 있으므로 땅으로 이동시켜 출발지점을 지정해보도록 하겠습니다. 마우스로 적당한 곳에 배치해 볼 때 아래 그림과 같이 'x = −180, y = −108'쯤이 가장 적당해 보입니다.

※ PC 환경에 따라 다소 차이가 날 수 있으니 각자 환경에서 적당한 자리에 배치해 봅니다.

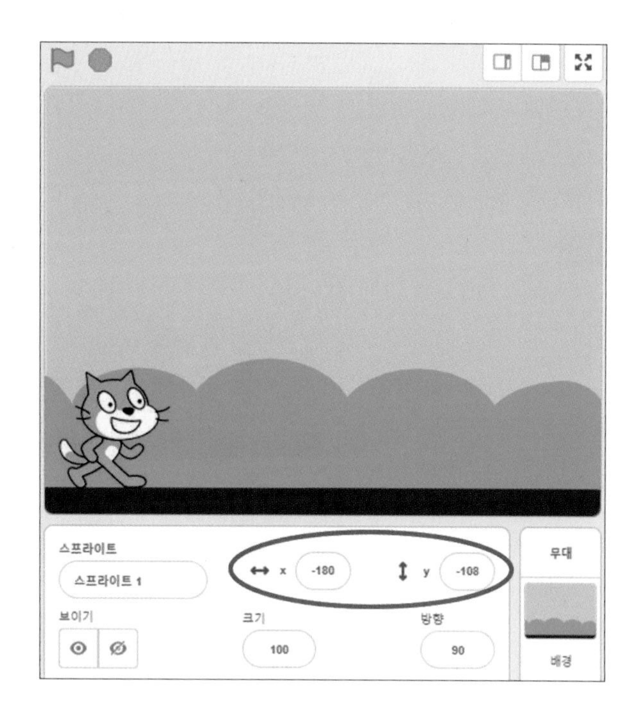

그럼 배경과 고양이의 위치 선정이 끝났으니 본격적으로 블록을 이용해 좌우로 움직이는 코딩을 해보도록 하겠습니다. 아래와 같이 블록을 이용하여 코딩해봅시다.

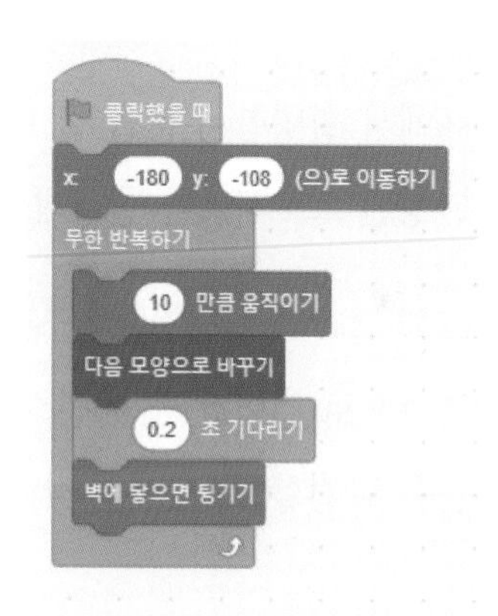

추가해야 할 블록 및 설정과 이에 해당하는 설명은 아래 표를 참고하여 배치합니다.

추가할 블록 리스트	배치 및 설명
이벤트 블록 1. 클릭했을 때	1. 코드 - 이벤트 - 클릭했을 때
제어 블록 1. XX 반복하기	1. 코드 - 제어 - XX 반복하기를 배치한 후 10번 반복하기로 설정합니다.
동작 블록 1. x : XXX y: YYY (으)로 이동하기 2. 10 만큼 움직이기 3. 벽에 닿으면 튕기기	다음 코드들은 반복하기 안쪽으로 배치하여 계속 반복할 수 있도록 합니다. 1. 코드 - 동작 - x : XXX y: YYY (으)로 이동하기 배치 후 x, y 값 지정. 2. 코드 - 동작 - 10만큼 움직이기를 배치 후 해당 값이 10이 아니면 10으로 값을 수정합니다. 3. 코드 - 동작 - 벽에 닿으면 튕기기를 배치 합니다.
형태 블록 1. 다음 모양으로 바꾸기	1. 코드 - 형태 - 다음 모양으로 바꾸기를 배치합니다.

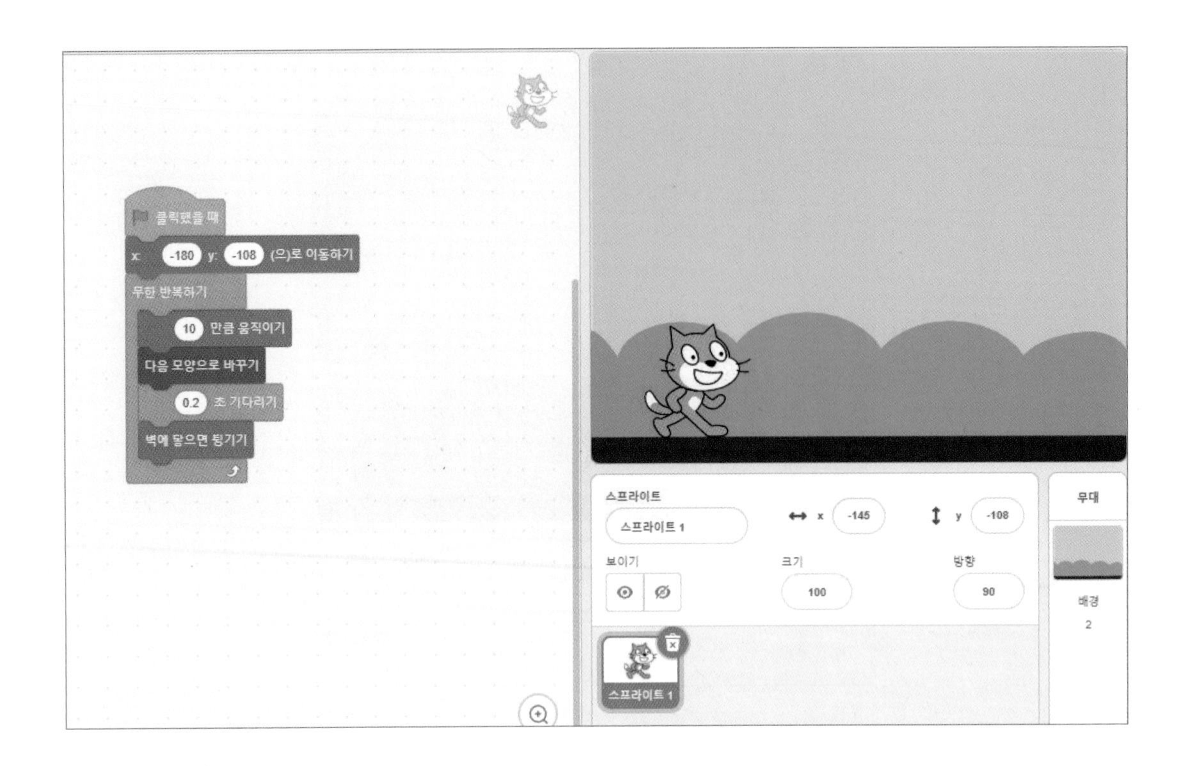

표에서 설명한 부분을 잘 따라왔다면 위의 그림과 같이 배치 및 설정이 완료되었을 것입니다. 완성된 프로젝트를 실행해보고 고양이가 어떻게 움직이는지 확인해 봅니다.

실행 결과가 어떤가요? 조금 이상한 부분이 보이지 않았나요? 그렇습니다. 고양이가 좌측에서 우측으로 걸어갈 땐 자연스러웠으나 우측 끝에서 방향을 전환 후 180도 뒤집혀서 걸어가는 모습을 발견할 수 있었을 것입니다.

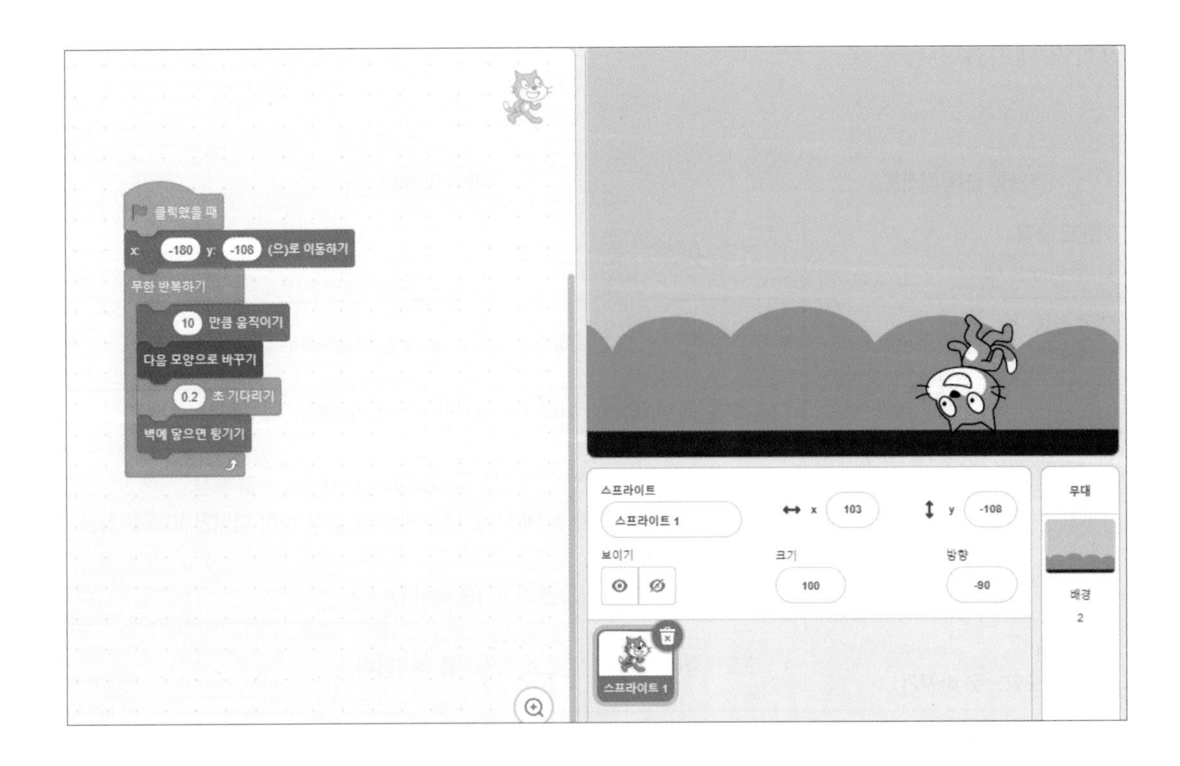

결과 화면이 위의 그림과 같이 나오는 것을 보셨을 것입니다. 왜 이러한 현상으로 반복 실행되게 될까요? 그 이유에 대해 알아보도록 하겠습니다. 스크래치에서 회전하는 방법은 3가지의 옵션이 있습니다. 아래 표를 통해 각 종류마다 어떤 변화가 있는지 알아보도록 하겠습니다.

회전 종류	설명
	1. 회전하기 회전하기는 설정한 각도를 회전시켜 표현합니다. 예) 90도 설정
	2. 왼쪽/오른쪽 왼쪽/오른쪽은 설정한 각도만큼 좌우 반전시키는 표현을 합니다.
	3. 회전하지 않기 이 옵션은 설정한 각도로 움직이지만, 이미지를 회전하지 않습니다.

이번엔 각각의 설정을 통해 어떤 결과들이 나오는지 직접 확인해 보도록 하겠습니다. 각 회전 종류에 따른 실행 결과는 아래 표를 참고하여 확인해 보도록 합시다.

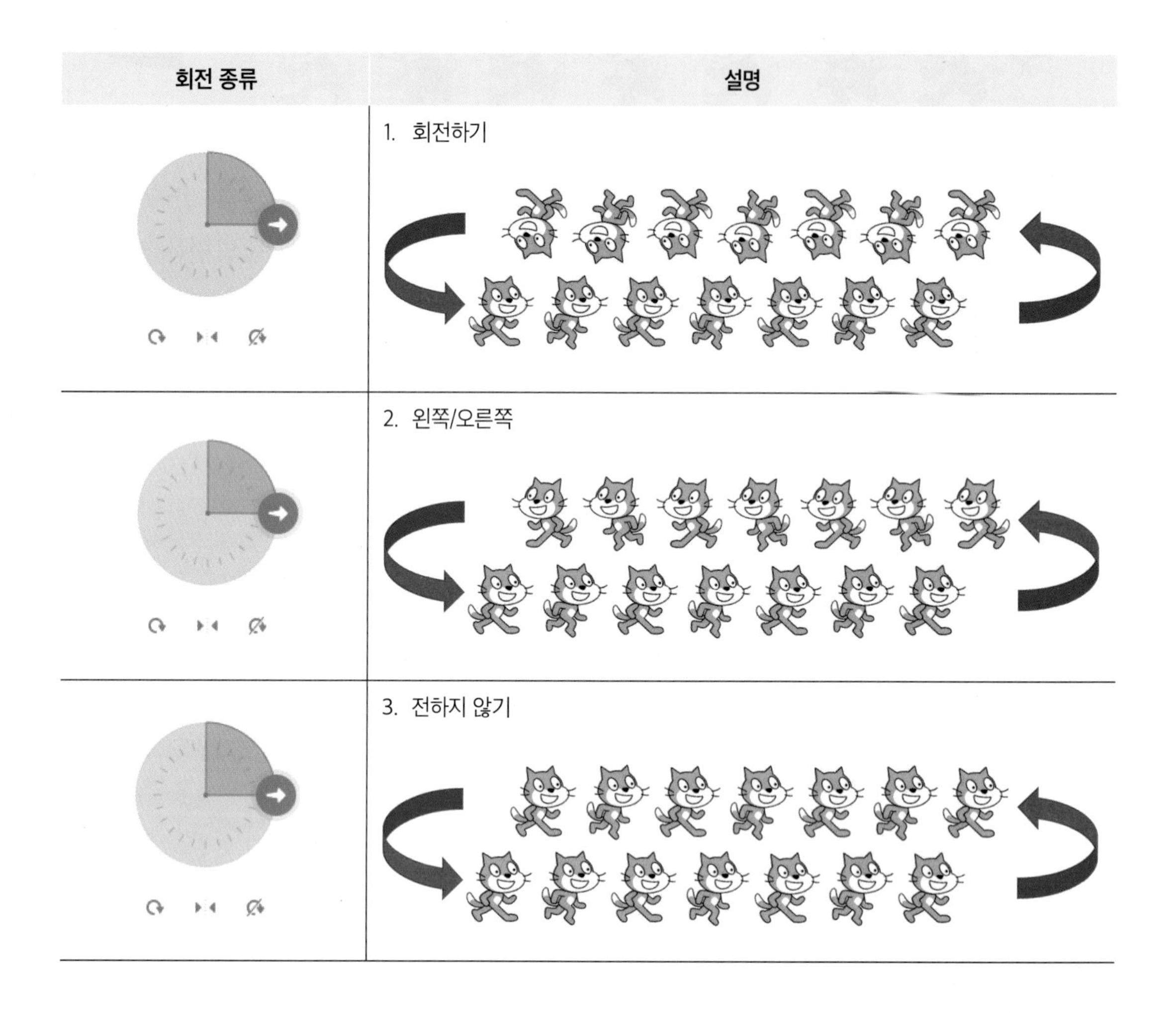

회전 종류	설명
	1. 회전하기
	2. 왼쪽/오른쪽
	3. 전하지 않기

각각의 회전 종류에 대해 완벽히 이해가 되었나요? 회전의 경우는 움직이는 스프라이트에 대해 많이 사용하는 기능이므로 혹시 아직 이해가 완벽하게 되지 않았다면 각각의 옵션을 반복적으로 사용해보면서 이해하도록 합니다.

6-2 변신하는 고양이

이번에는 6-1에서 연습했던 문제에 이어서 조금 더 업그레이드된 코딩으로 고양이 모습이 바뀌는 코딩을 알아보도록 하겠습니다.

먼저 전체 과정이 어떻게 되는지 시나리오를 살펴보도록 하겠습니다. 아래 표를 참고해 주세요.

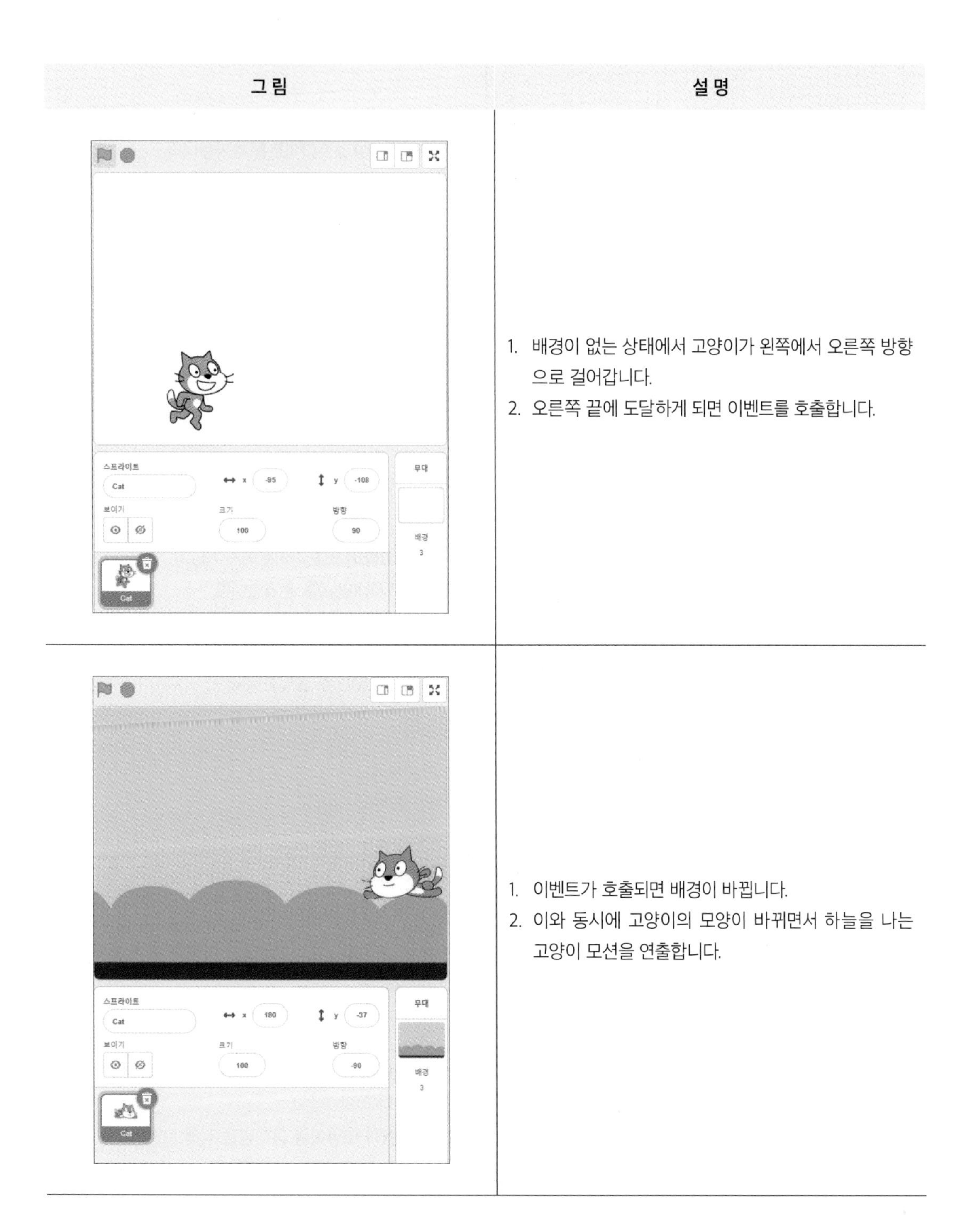

그림	설명
	1. 배경이 없는 상태에서 고양이가 왼쪽에서 오른쪽 방향으로 걸어갑니다. 2. 오른쪽 끝에 도달하게 되면 이벤트를 호출합니다.
	1. 이벤트가 호출되면 배경이 바뀝니다. 2. 이와 동시에 고양이의 모양이 바뀌면서 하늘을 나는 고양이 모션을 연출합니다.

위의 표를 볼 때 한 번에 모든 표현을 할 수 없으므로 좌우로 걸어가는 고양이 스크립트와 하늘을 나는 고양이 스크립트와 같이 2가지로 나누어서 진행해야 합니다. 먼저 좌우로 걸어가는 고양이 스크립트를 알아보도록 하겠습니다. 아래 표를 참고 해주세요.

스프라이트 및 코드	설 명
	1. 고양이(cat-a) 스프라이트를 추가합니다. 2. 배경(Blue Sky)를 추가합니다. 3. 첫 번째 배경은 흰색배경에서 시작할 수 있도록 아무것도 없는 배경으로 설정해둡니다.
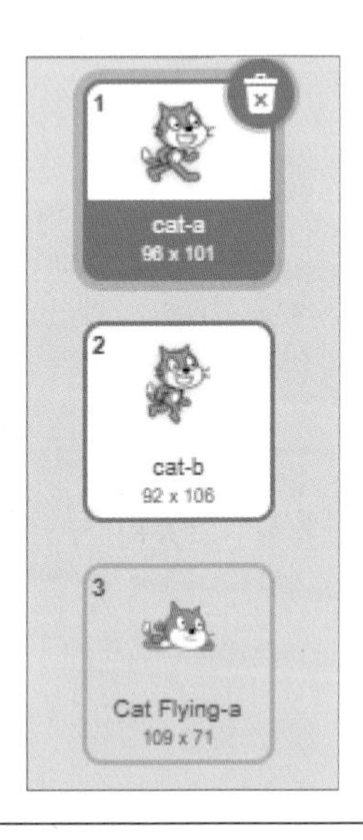 	1. 추가한 고양이 스프라이트에서 새로운 고양이 스프라이트(Cat Flying-a)를 추가합니다. 2. 추가 방법은 cat이 선택된 상태에서 모양 탭을 선택 후 왼쪽 아래쪽에 있는 모양 고르기 아이콘을 통해 Cat Flying-a를 찾은 후 클릭합니다.
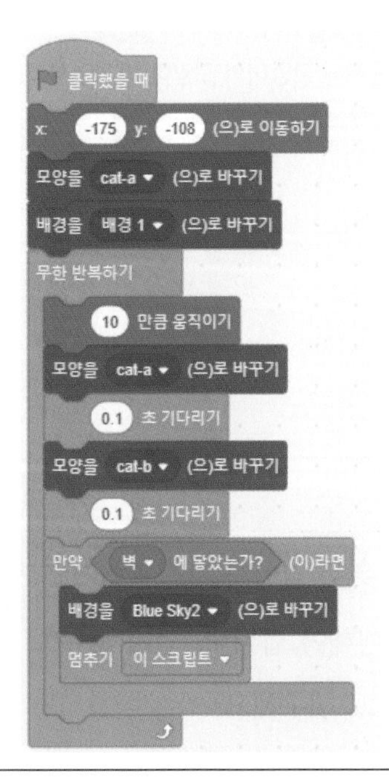 	• 첫 번째 고양이 스프라이트에서 다음과 같은 블록으로 코딩합니다. 1. x, y 좌표의 경우 처음 클릭했을 때 고양이의 위치를 왼쪽 아래에 배치하기 위해 다음과 같은 좌표에 설정하였습니다. 2. 초기 배경과 고양이의 움직임을 위해 모양 cat-a, 배경(아무것도 없는 배경)을 선택합니다. 3. 무한 반복해야 하는 부분은 고양이가 걸어가는 부분입니다. 4. 또한 벽에 닿게 되면 배경이 풀숲(Blue Sky2) 배경으로 바뀌는 동시에 다음 스크립트의 동작을 위해 스크립트 멈추는 블록을 배치하였습니다.

고양이 스크립트에서 

은 제어에 있는 블록이며, 조건문에 해당하는 블록입니다. 이번 스크립트에서 사용하는 블록 중 감지 부분에 있는 마우스 포인터 ▾ 에 닿았는가? 블록에서 마우스 포인터 부분을 클릭하여 다음과 같이 '벽' 으로 변경 한 후 벽 ▾ 에 닿았는가? 를 다시 드래그하여 제어 블록에 놓게 되면 

과 같이 블록을 만들 수 있습니다.

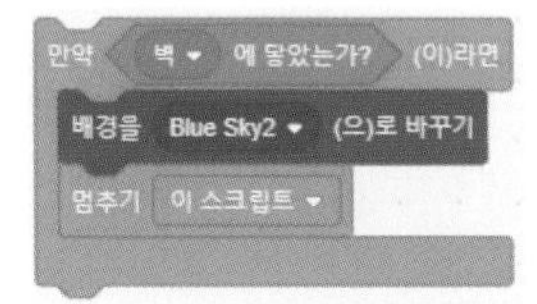

조건문 안에 포함될 배경 블록과 멈추기 블록을 다음과 같이 추가하여 모든 블록을 연결합니다. 여기까지 첫 번째 고양이 스크립트 완성하였습니다. 첫 번째 스크립트를 실행해보면 설정한 좌표에서 고양이가 걸어가는 모양으로 왼쪽에서 오른쪽으로 걸어갑니다. 이후 화면 끝 벽에 닿게 되면 배경이 풀숲으로 변경되면서 해당 스크립트는 중지됩니다.

이번에는 두 번째 스크립트에 대해 알아보도록 하겠습니다. 아래 표를 참고하여 블록을 배치 후 스크립트를 완성 시켜봅시다.

스크립트	설명
	1. 이번 스크립트의 시작은 이전 스크립트에서 변경되는 배경을 시작으로 진행하기 때문에 이벤트 - 배경이 X (으)로 바뀌었을 때의 블록 배치로 시작합니다. 2. 배경이 바뀜과 동시에 스프라이트의 모양을 고양이 (Cat Flying-a)로 선택합니다. 3. 무한 반복 부분은 고양이가 10만큼 움직이되, 벽에 닿으면 방향을 180도 회전하는 동시에 위로 30만큼 이동하여 점점 하늘에 올라가는 움직임을 보이게 코딩합니다.

※ 스크립트 연결에 대해 자세히 알아봅시다.

스크립트 2번 시작 블록이 이전에 자주 사용했던 블록 클릭할 때가 아닌 배경이 바뀔 때 동작하는 것인지에 대해 조금 더 자세히 살펴보도록 하겠습니다.

어떻게 1번 스크립트에서 2번 스크립트로 연결되어 블록들이 동작하지 그 과정에 대해 알아보도록 하겠습니다.

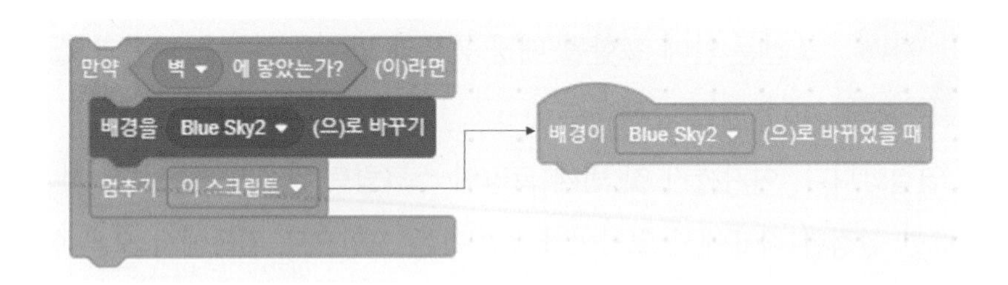

위의 그림은 1번 스크립트의 마지막 부분과 2번 스크립트의 첫 부분입니다. 1번 스크립트의 마지막 부분에서 멈추기 블록이 없었다면 어떻게 동작했을까요? 아래 그림에서 윗부분에 해당하는 부분은 멈추기를 하지 않았을 때 결과 화면이며, 1번 스크립트에서 고양이의 움직임에 대한 반복문이 있으므로 2번 스크립트로 넘어갈 때 순간 나는 고양이로 바뀌면서 바로 걸어가는 고양이 움직임을 관찰할 수 있습니다. 이와 동시에 고양이는 y축으로 '30' 만큼 이동하며 계속해서 좌우로 걸어가는 움직임을 확인할 수 있습니다. 아래에 있는 그림은 스크립트가 정상적으로 멈추면서 다음 동작을 할 수 있도록 하여 2번 스크립트를 완벽하게 표현합니다.

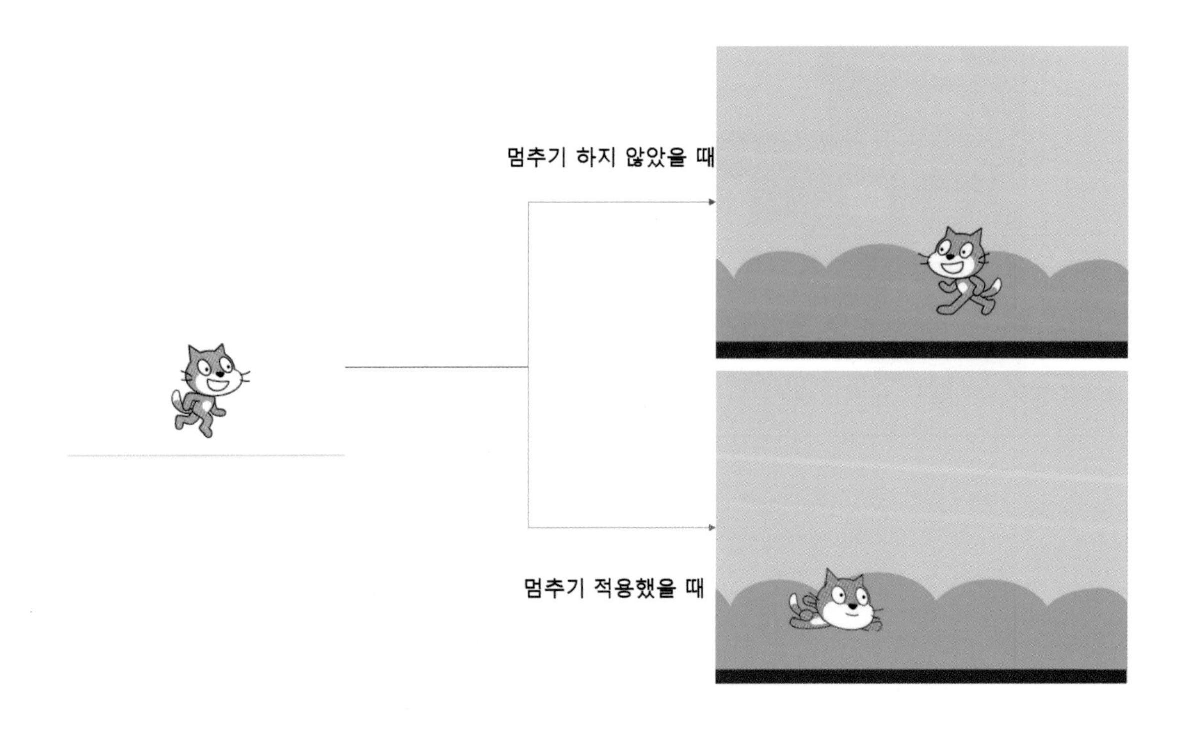

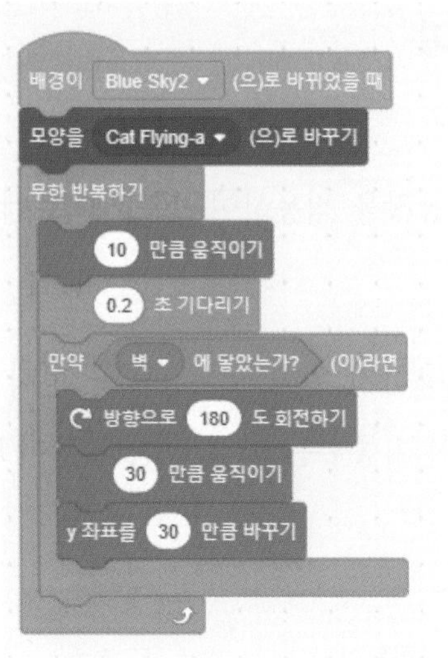

2번 스크립트를 다시 한번 살펴보겠습니다. 배경을 'Blue Sky2'로 바꿈과 동시에 고양이의 모양을 바꾸는 블록으로 시작합니다. 이후에 무한 반복되는 부분은 10만큼 0.2초 간격으로 이동하는 것이며, 만약 벽에 닿으면 스프라이트를 180도 회전하여 회전한 방향으로 30만큼 움직이고 y축으로도 30만큼 움직이는 것을 반복합니다. 여기서 30만큼 움직이기를 추가한 이유는 스프라이트가 벽에 닿고 바로 180도 회전하면 간혹 회전과 동시에 스프라이트가 바로 벽에 닿을 수 있으므로 30만큼 이동함으로써 원하는 동작을 만들기 위함입니다.

프로젝트를 완성한 블록과 전체 코딩은 아래 그림과 같습니다.

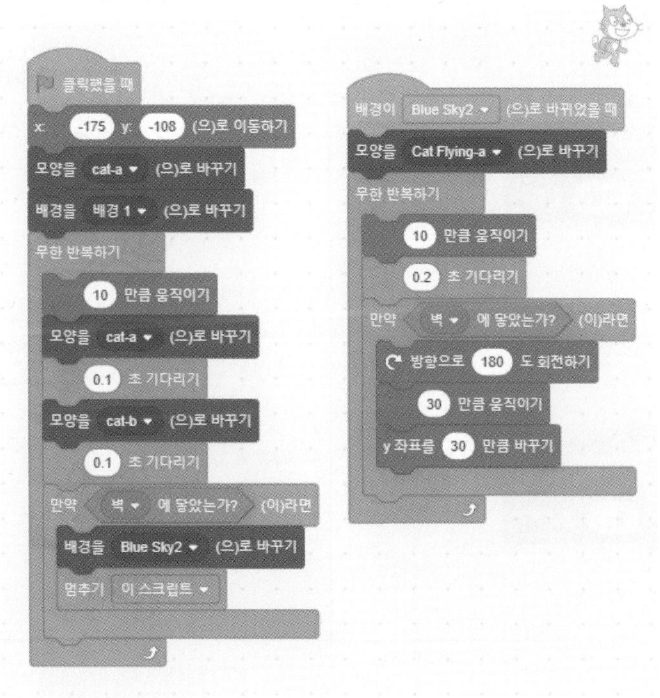

6-3 말하는 고양이

이번에는 스프라이트에 말하는 동작을 적용하여 스프라이트에 좀 더 재미를 주도록 해보겠습니다.

스크래치에서 말하는 동작을 적용하기 위해서는 코드 – 형태 안에 있는 말하기 블록을 통해 적용할 수 있습니다. 말하기 블록의 종류는 아래 그림과 같이 말하기 블록 2개와 생각하는 블록 2개로 구성되어 있습니다.

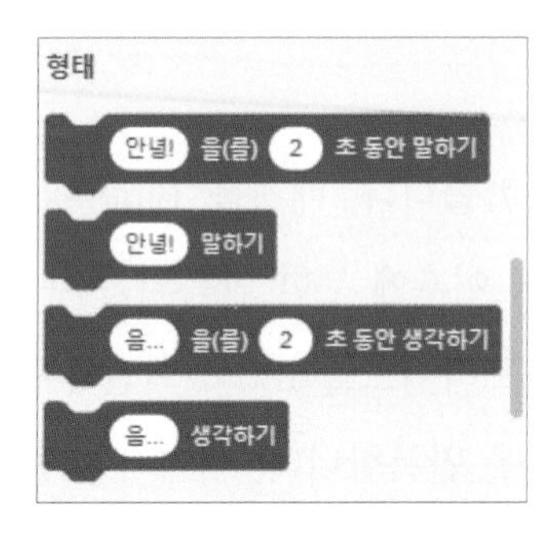

각각의 말하기 블록을 고양이 스프라이트에 적용한 결과는 아래 표와 같이 나타낼 수 있습니다.

말하기 블록	실행 결과
클릭했을 때 안녕! 말하기	안녕!
클릭했을 때 음... 생각하기	음...

말하기 블록은 사용자가 설정할 수 있는 부분이 말풍선 안에 들어갈 문구와 몇 초 동안 말하기를 명령할지 시간을 지정할 수 있습니다. 따라서 프로젝트에서 말하기 블록을 사용할 때 이러한 옵션을 잘 생각해서 상황에 따라 적당한 블록을 사용합니다.

이러한 블록을 사용하여 프로젝트에 재미를 주려면 어떻게 적용하여 사용해야 할까요? 이전의 연습문제를 통해 살펴보도록 하겠습니다. 먼저 아래에 나와 있는 그림에서와같이 코딩을 하고 실행한 후 결과를 관찰해 봅니다.

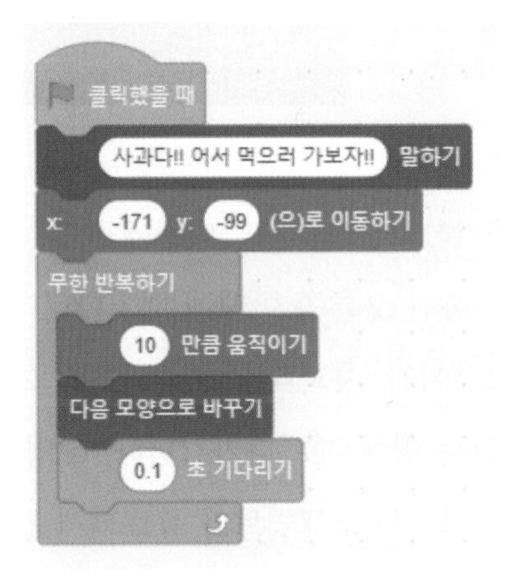

어떤 결과를 관찰할 수 있었나요?? 아래 그림과 같은 결과를 확인할 수 있었나요?

그림에서 확인할 수 있듯이 그냥 고양이 스프라이트가 움직이는 모습도 충분히 재미있게 보이지만, 과일과 같은 다른 스프라이트와 말하기 효과를 추가함으로 인해 꾸며진 효과와 조금 더 재미있는 프로젝트를 만들 수 있습니다. 조금 더 응용해서 이번에는 고양이가 사과에 닿게 되면 또 다른 말하기 효과를 추가하여 장면을 연출하는 재미를 더해보겠습니다.

위의 그림에서와같이 블록을 배치하고 코딩하고, 이전에 사과 스프라이트를 추가하지 않았다면 추가적인 사과 스프라이트도 화면 오른쪽 아래에 배치합니다. 코딩의 동작 순서를 한번 살펴보면 프로그램이 실행되면 고양이가 '사과다!! 어서 먹으러 가보자!!' 라고 말하면서 좌측에 있던 고양이가 서서히 사과가 있는 방향으로 다가갑니다. 고양이가 사과에 닿게 되면 말하기 블록이 '냠냠! 맛있는 사과!'로 바뀌면서 스크립트가 종료되게 됩니다. 여러분들도 그림에서 예를 들은 문제처럼 다른 문장이나 움직임으로 고양이의 움직임과 대화를 바꿔서 응용하여 연습해 봅니다.

6-4 크기 블록을 이용하여 효과주기

크기 블록을 이용하여 또 다른 효과를 연출해보겠습니다. 블록을 어떻게 배치하느냐에 따라 점점 커지거나 점점 작아지게도 연출할 수 있지만, 특정 조건에 따라서도 크기가 변화할 수 있게 연출할 수도 있습니다. 먼저 점점 크게 변화하는 연출을 연습해 보도록 하겠습니다.

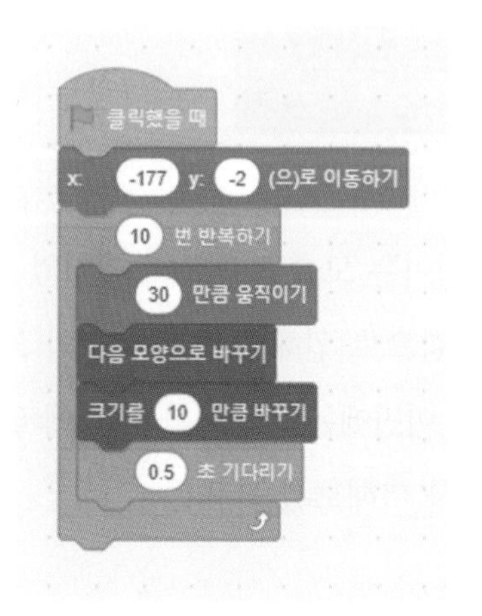

위의 그림과 같은 블록 코딩하고, 고양이 스프라이트는 화면 중앙쯤에 위치시키고 스크립트를 실행하여 결과를 살펴봅니다. 결과는 어땠나요? 아래 그림과 같이 고양이 스프라이트가 점점 커지는 모습을 볼 수 있었나요?

스크래치에서 스프라이트의 기본 크기는 '100'으로 설정되어 있습니다. 연습문제에서 크기 블록은 '10'만큼 증가하게 설정했기 때문에 고양이가 한번 움직일 때마다 크기의 수치가 '10'씩 10번 반복하게 되고 끝으로 '200'의 크기로 스크립트가 종료되게 되는 것입니다. 그런데 이 스크립트의 종료 시점에서 고양이의 스프라이트가 200에서 종료되는 부분을 원래 크기로 다시 돌리기 위해서는 어떻게 변화를 주어야 할까요? 다음과 같은 코딩으로 결과를 확인해 봅시다.

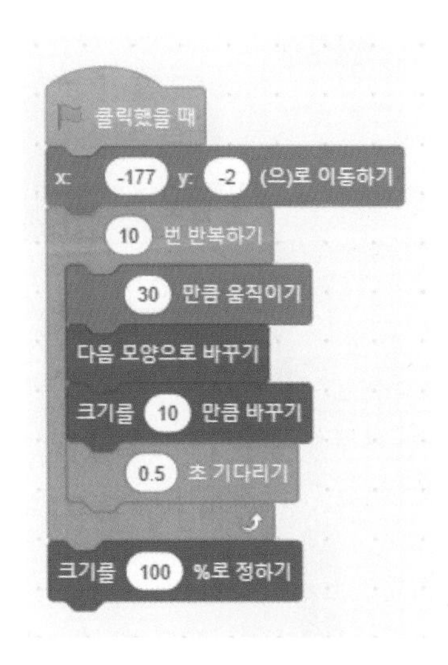

추가되는 블록은 앞에서 배치했던 블록에서 맨 마지막에 '크기를 100%로 정하기'가 추가되었습니다. 여기에서 100%는 크기 100으로 설정하는 것과 같은 효과입니다. 이러하여 결과는 고양이의 크기가 10만큼씩 200까지 증가하고 200까지 크기가 증가한 후 원래 크기였던 100으로 변하게 됩니다.

크기의 변화를 다르게 주어 다른 크기로도 변화하는 고양이의 모습을 확인해 봅시다.

6-5 스프라이트에 소리효과 추가하기

게임을 예로 들어보겠습니다. 재미있는 게임의 특징은 어떤 것들이 있을까요? 보통 게임의 구성을 살펴보면 그래픽, 인터페이스, 컨트롤, 액션, 타격감, 소리, 영상 등 다양한 요소가 있습니다. 여기에서 기본적으로 게임의 재미 요소 중 뽑으라고 한다면 개인적으로는 보이는 재미의 그래픽과 박진감이 느껴지는 소리를 뽑고 싶습니다. 이에 따라서 스크래치에서도 소리 블록을 통해 스프라이트에 적용함으로써 재미있는 효과를 만들 수 있습니다. 이번 연습문제는 스프라이트에 소리효과를 추가하여 실감 나는 고양이 스프라이트를 만들고 고양이를 좀 더 꾸며봅시다.

스크래치에서 소리를 추가하는 방법은 코드 - 소리에 있는 블록을 사용하면 스프라이트에 소리효과를 추가할 수 있습니다. 이처럼 블록을 추가하여 간단하게 소리효과를 적용할 수도 있

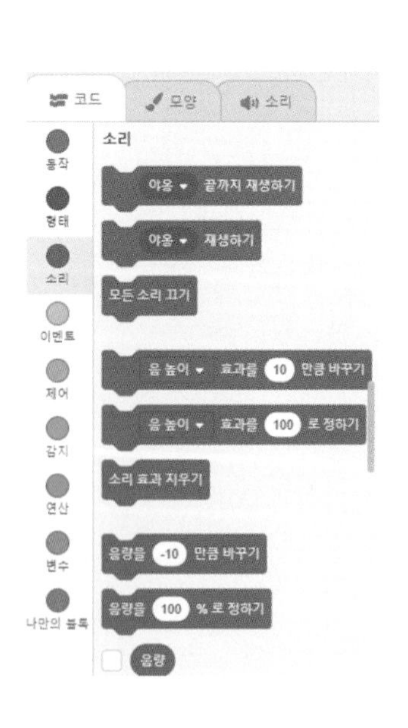

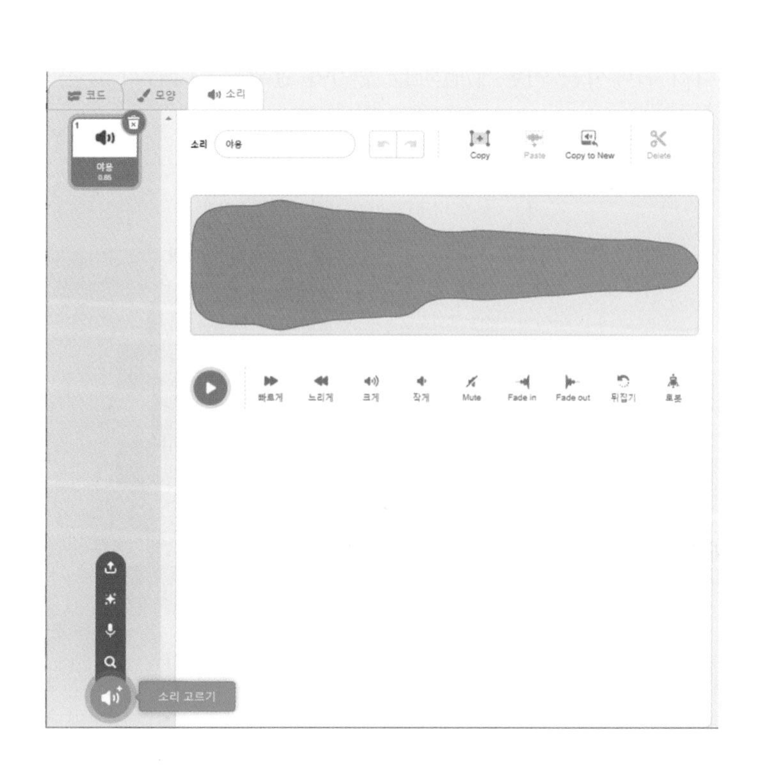

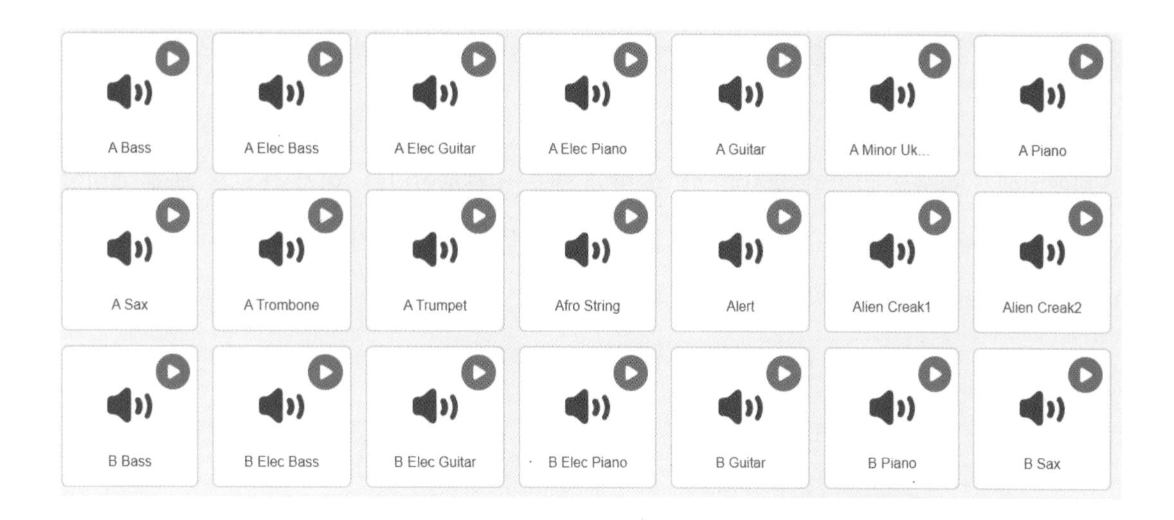

지만, 소리 탭에서 조금 더 다양하고 부가적인 옵션을 통해 소리 기능을 더 고급 적으로 이용할 수도 있습니다. 소리 탭에서는 소리 고르기를 통해 스크래치에서 제공하는 각종 소리효과 및 소리를 빠르게, 느리게, 크게, 작게, 음소거, 페이드인, 페이드아웃, 뒤집기, 로봇 효과 등 다양한 편집과 같은 기능도 제공합니다.

소리를 이제 적용해 볼까요? 스프라이트는 고양이를 사용하고 아래와 같이 소리 블록 '야옹 재생하기'를 배치하여 스크립트를 실행해봅시다.

어떤 결과가 나왔나요? 스크립트를 실행하면 고양이 스프라이트에서 움직이는 변화는 없지만 '야옹'하는 소리가 들렸나요? 그렇다면 이전 연습문제에서 다루었던 블록 코딩에서 소리를 적용하여 고양이 효과를 재미있게 표현해봅시다. 아래 그림과 같이 블록을 배치하고 마지막 부분에 소리 블록을 추가하여 스크립트를 실행해봅시다.

어떤 결과를 확인할 수 있었나요? 코딩에서 알아볼 수 있듯이 고양이가 걸어가다가 어느 순간 '야옹' 하면서 멈추는 결과를 확인할 수 있었을 것입니다. 이 밖에도 다른 스프라이트에 다른 소리를 적용하여 여러 가지 연출을 연습해 봅시다.

6-6 연산 블록 이해하기

스크래치에서 연산은 다양한 계산을 할 수 있게 해주는 블록입니다. 연산 블록을 통해 재미있는 연산 게임을 만들어보도록 하겠습니다. 게임을 만들기에 앞서 자주 사용하는 연산 블록에 대해 알아보도록 하겠습니다. 아래 표를 확인해주세요.

<table>
<tr>
<td>
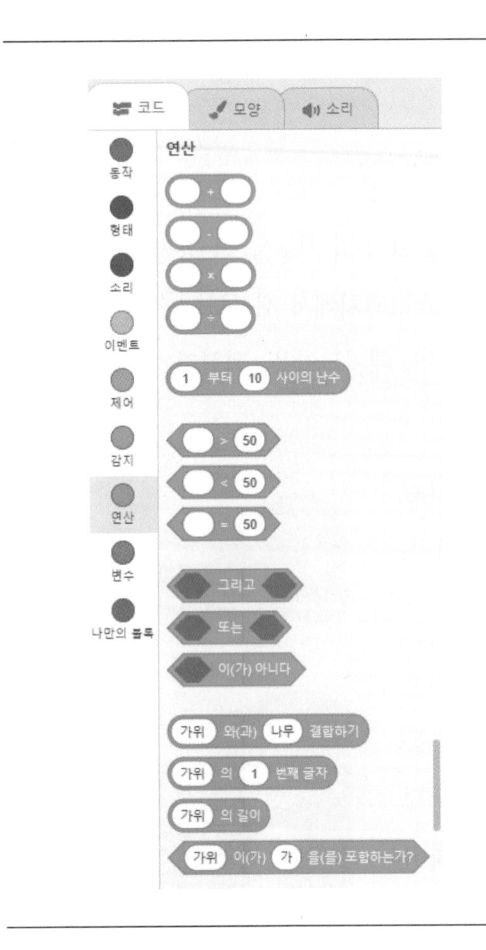

</td>
<td>
자주 사용하는 연산 블록 정리 및 설명

1. (? + ?), (? - ?), (? * ?), (? / ?)는 각 숫자에 해당하는 숫자들을 더하기, 빼기, 곱하기 나누기와 같은 계산을 하게 됩니다.

2. 1부터 10 사이의 난수의 경우는 1부터 10까지 랜덤한 숫자를 표시할 때 사용하는 블록입니다.

3. (? > 50), (? < 50), (? = 50)의 블록은 각각의 조건에 따라 미만, 초과, 같을시 어떠한 조건을 만들 때 사용하는 블록입니다.
</td>
</tr>
</table>

이제 각각의 연산 블록에 대해 사용방법을 알아보도록 하겠습니다.

연산 블록의 모양을 자세히 살펴보면 (+) 동그란 모양과 <(> 50)> 각진 모양으로 나누어져 있는 것을 확인할 수 있습니다. 연산 블록의 경우는 단독블록으로 실행했을 경우 동작하지 않고 다른 블록 사이에 삽입이 되어 동작합니다.

예들 들면 [안녕! 을(를) 2 초 동안 말하기] 와 같은 형태 블록에서 안녕! 부분과 2초 동안 부분에 [+] 와 같은 모양을 드래그하여 연산 블록을 활용할 수 있습니다.

[+ 을(를) - 초 동안 말하기] 이렇게 해당 모양과 같은 블록에 마우스를 드래그하여 새로운 조합을 만들 수 있으며, 이를 통해 더 다양한 코딩을 할 수 있습니다.

[> 50] 과 같은 경우는 어떤 블록과 조합이 되는지 살펴보겠습니다. 이전에 자주 사용했던 제어 블록에서

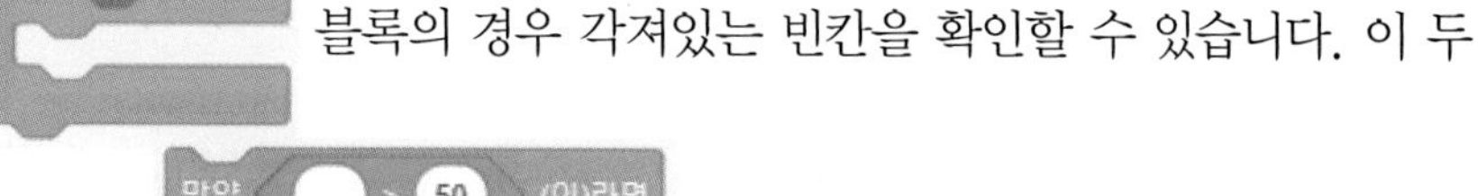

블록의 경우 각져있는 빈칸을 확인할 수 있습니다. 이 두 개의 블록을 조합하게 되면

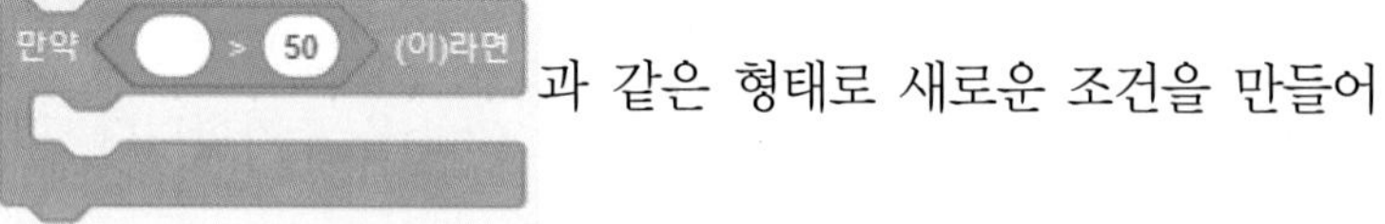

과 같은 형태로 새로운 조건을 만들어 활용할 수 있습니다. 이러한 간단한 블록을 활용하여 계산하는 고양이를 코딩해보도록 하겠습니다.

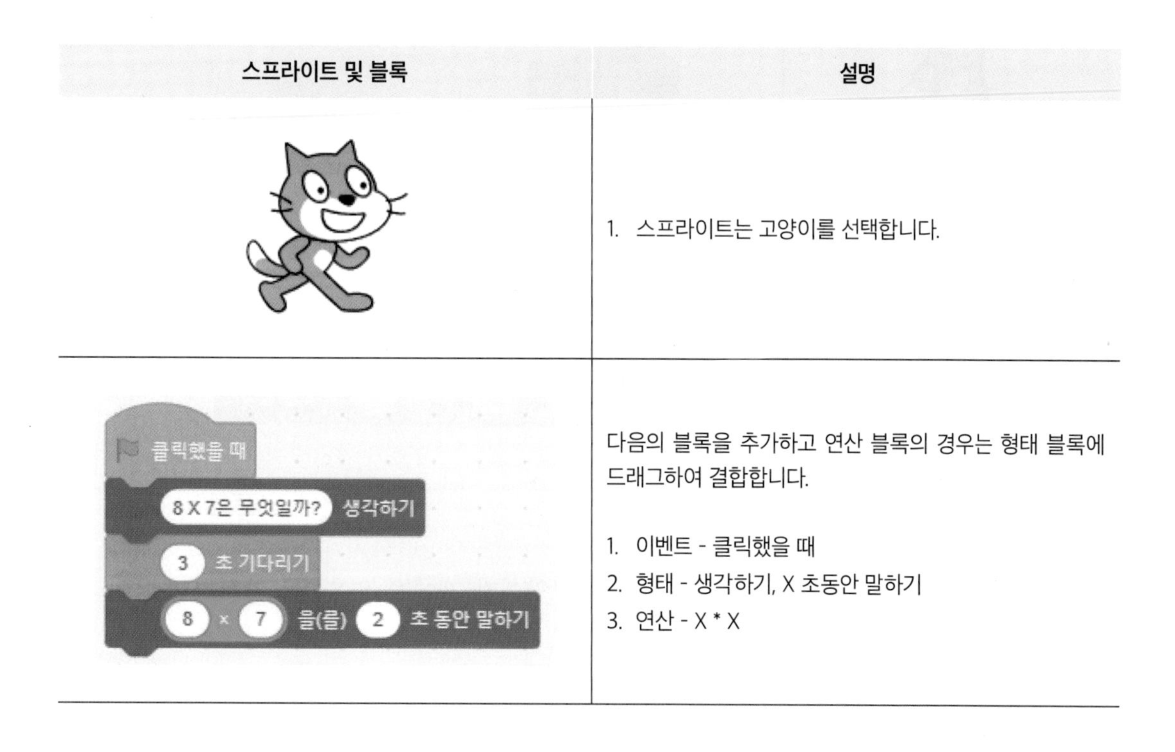

스프라이트 및 블록	설명
	1. 스프라이트는 고양이를 선택합니다.
	다음의 블록을 추가하고 연산 블록의 경우는 형태 블록에 드래그하여 결합합니다. 1. 이벤트 - 클릭했을 때 2. 형태 - 생각하기, X 초동안 말하기 3. 연산 - X * X

어떤 결과를 확인할 수 있었나요?결과 화면을 같이 살펴보도록 하겠습니다.

아래 그림처럼 처음 실행 시 고양이는 생각하는 말풍선으로 '8 X 7은 무엇일까?'라고 말풍선이 나타납니다. 그리고 '2'초 후에 고양이는 다시 한번 말풍선으로 '56'이라는 숫자를 말합니다.

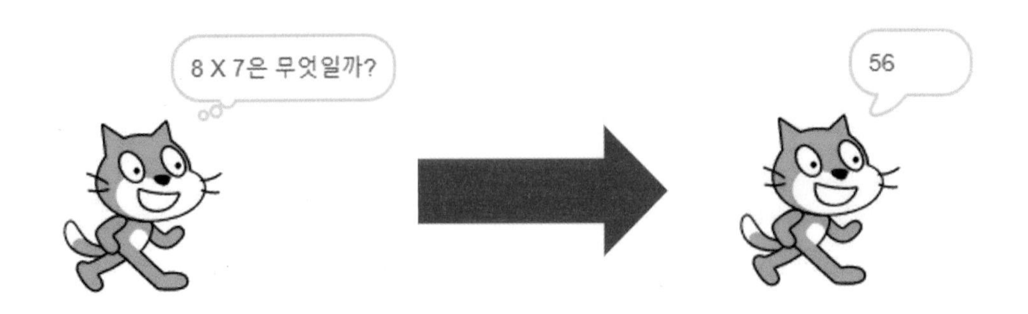

그런데 고양이가 혼자 생각하고 답을 말하니까 상황이 조금 어색하고 재미적인 요소가 부족하게 느껴집니다. 그래서 이번에는 다른 스프라이트를 추가하여 대화하는 형태로 코딩하여 변화된 모습의 결과를 나타내보도록 하겠습니다.

고양이와 대화할 스프라이트 

Crab을 추가합니다. 그리고 고양이, 게 스프라이트의 블록은 다음과 같이 코딩하고 스크립트를 실행해봅시다.

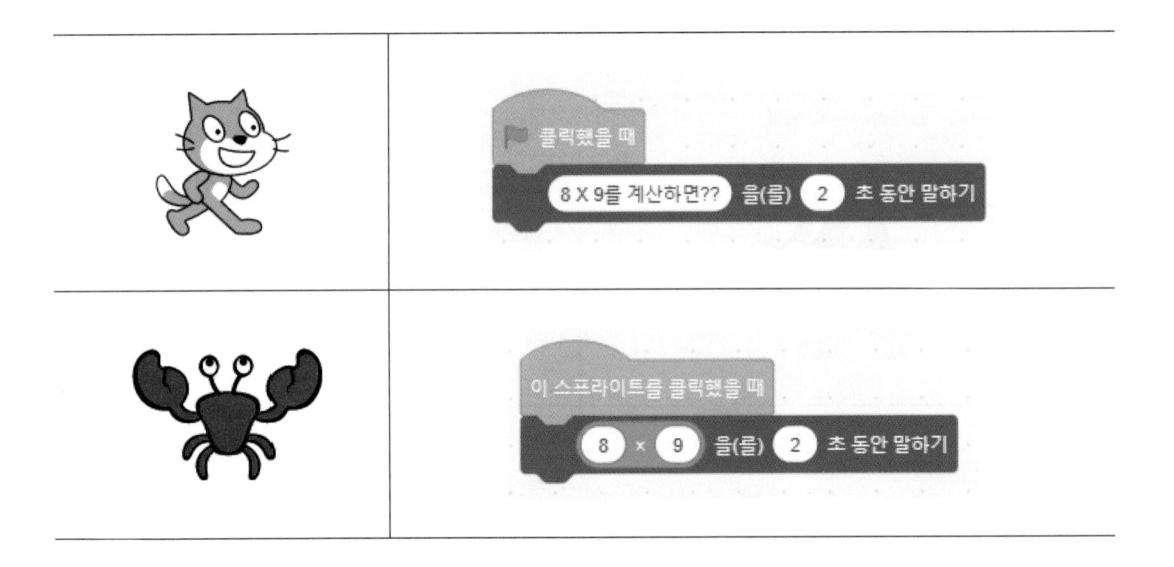

완성된 스크립트를 실행하면 아래 그림과 같이 고양이가 게에게 '8 X 9를 계산하면??'이라고 대화를 시작합니다.

그런데 실행 후 게의 반응이 아마 없었을 것입니다. 게는 왜 고양이의 말에 대답하지 않았을까요? 다시 게의 블록을 살펴보도록 하겠습니다. 아래 블록을 확인해주세요.

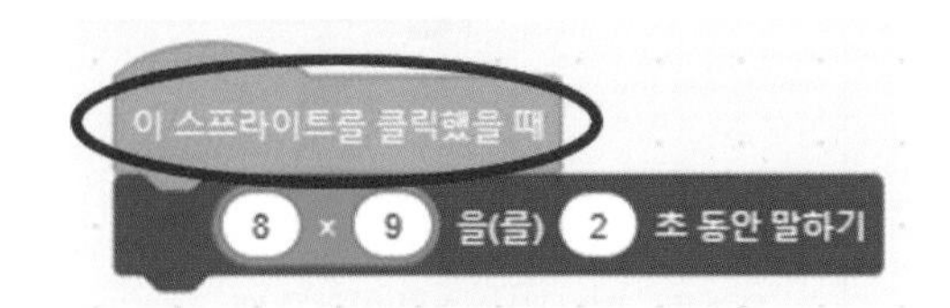

그렇습니다. 이때까지 연습문제에서 첫 시작은 '클릭했을 때'라는 이벤트 블록을 자주 사용했습니다. 그러나 이번에는 '이 스프라이트를 클릭했을 때' 이벤트를 사용하였으며, 이로 인해 고양이가 말을 시작하고 마우스로 게를 클릭하면 아래 그림과 같이 정상적으로 게는 '72'라고 말해주며, 정상적으로 실행됨을 확인할 수 있습니다.

스크립트를 실행하고 확인한 결과 원하는 동작대로 실행되어 상황 연출이 부드럽게 진행되었습니다. 그렇지만 이러한 코딩은 배치한 블록에 문제와 답을 미리 설정해두었기 때문에 사실상 실행하게 되면 코딩한 내용을 불러오는 것과 같습니다. 이번에는 문제에 대한 답을 사용자가 직접 할 수 있도록 코딩하여 결과를 확인해 보도록 하겠습니다.

<table>
<tr>
<td></td>
<td>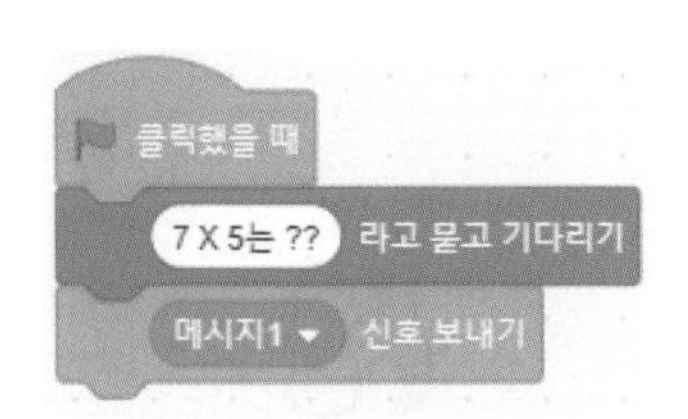

사용 블록

1. 이벤트 - 클릭했을 때
2. 감지 - ??? 라고 묻고 기다리기
3. 이벤트 - 메시지1 신호 보내기</td>
</tr>
</table>

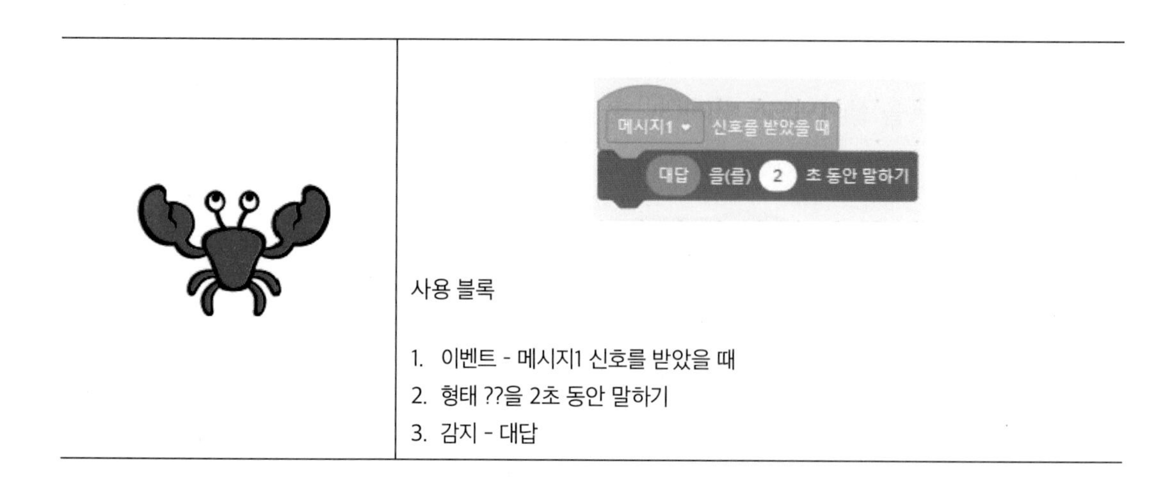

	사용 블록
	메시지1 ▾ 신호를 받았을 때 대답 을(를) 2 초 동안 말하기
	사용 블록
	1. 이벤트 - 메시지1 신호를 받았을 때 2. 형태 ??을 2초 동안 말하기 3. 감지 - 대답

위의 표의 설명대로 블록을 배치합니다.

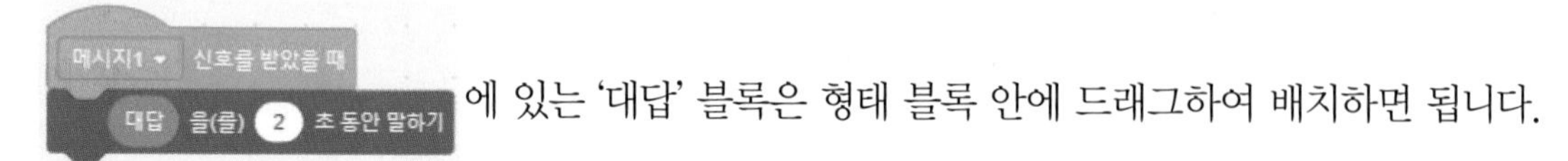

에 있는 '대답' 블록은 형태 블록 안에 드래그하여 배치하면 됩니다.

완성된 스크립트를 실행하여 결과를 살펴보도록 하겠습니다.

처음 실행 시 다음과 같이 고양이가 '7 X 5는??'이라고 말을 건넵니다. 여기서 스크립트 아래쪽에 채팅창이 나타났을 것입니다. '묻고 기다리기', '대답'과 같은 블록을 사용했을 때 나타나는 이벤트입니다.

이어서 채팅창에 '35'를 입력하고 확인 버튼을 클릭해봅시다. 결과는 아래 그림과 같이 게가 '35'라고 응답하는 모습을 확인할 수 있습니다.

여기까지 잘 따라왔다면 의문점이 하나 있을 수 있었을 것입니다. 입력창에 다른 숫자를 입력했다면 어떤 결과를 보여줬을까요?

결과 확인을 위해 스크립트를 다시 실행하고 고양이의 질문에 대한 답에 대해 '11'을 입력해 보도록 하겠습니다. 결과는 아래 그림과 같이 게가 '11'이라고 대답합니다.

이러한 상황을 해결하기 문제에 대한 답이 맞았는지 틀렸는지를 확인하기 위한 블록이나 조건을 추가할 필요가 있습니다. 아래 표와 같이 블록을 배치하고 코딩을 완성 시킨 후 스크립트를 실행해봅시다.

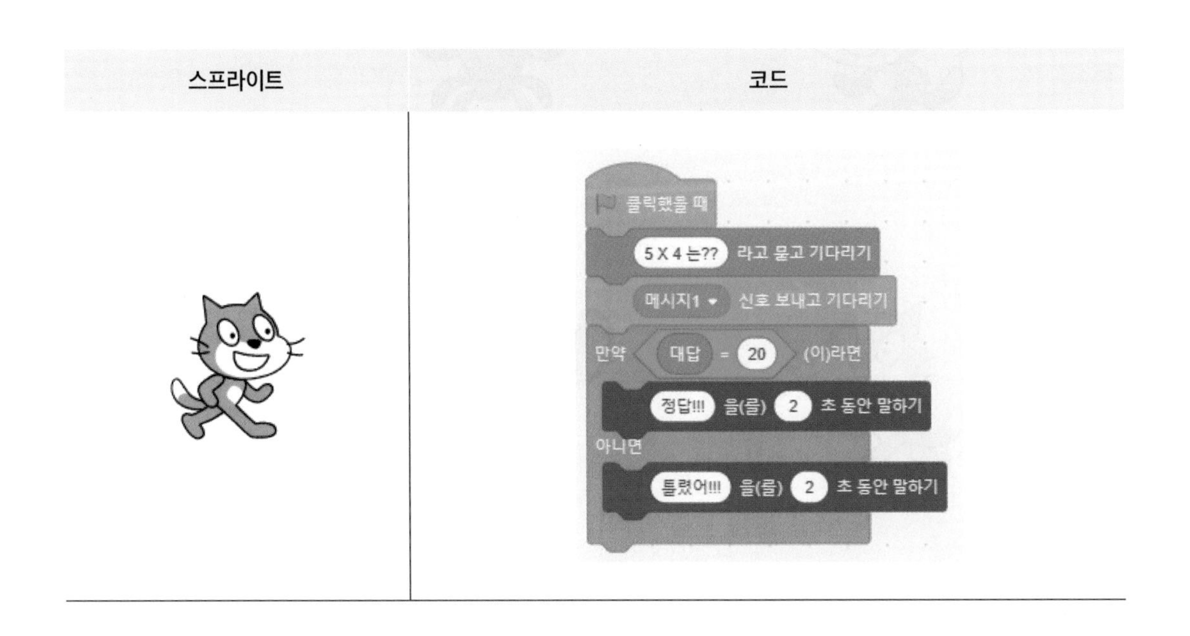

스크립트를 실행하고 나오는 채팅창에 정답 '20'을 입력했을 시 위의 그림과 같이 고양이는 정답이라고 말해줍니다. 블록에서 '참'에 해당하는 부분이 정상적으로 표시되고 있는 것을 확인했습니다. 이번에는 '20'이 아닌 다른 숫자 '22', '15'와 같은 숫자를 입력해 보겠습니다. 결과는 아래 그림처럼 고양이는 정답인 '20'이 아니므로 '거짓'에 해당하는 블록인 '틀렸어!!!'라고 말해줍니다.

6-7 구구단 게임 만들기

우리가 일상적으로 덧셈, 뺄셈, 곱셈, 나눗셈과 같은 연산을 하기 위해서는 첫 번째 수와 두 번째 수가 필요합니다. 스크래치에서도 각종 연산을 위해 사용하는 블록을 살펴보면 두 개의 입력을 요구합니다.

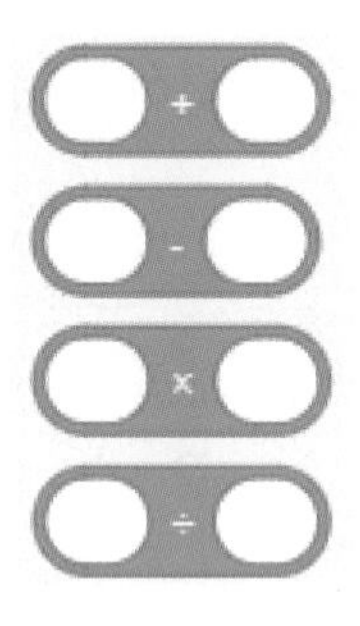

앞에서 연습했던 코딩들은 연산 블록을 통해 연산이 이루어지기는 했지만, 사실상 미리 정해진 숫자 두 개를 입력하여 결과를 보여주는 과정을 알아본 것이라 할 수 있습니다. 따라서 흔히 연산이라고 하는 것은 예를 들어 계산기와 같은 기기를 말할 수 있습니다.

간단하게 두 자리 수를 계산하는 과정을 나열해 보겠습니다. '5 + 2'를 계산한다고 하면 계산기 숫자 패드에서 '5'를 누르고 '+'를 누른 후 '2'를 누릅니다. 마지막으로 결과를 확인하기 위해 '='을 누르면 화면에 '7'이라는 결과를 확인할 수 있습니다. 이러한 것이 사용자 입력을 통해 연산되는 부분이며, 스크래치에서도 이와 같은 과정과 결과를 똑같이 적용할 수 있습니다. 그러기 위해서는 변수에 대해 알아야 합니다. 변수란 무엇일까요? 변수는 쉽게 풀어 말하자면 하나의 저장소라고 생각하시면 됩니다. 아래 그림을 통해 변수가 어떻게 사용되는지 알아봅시다.

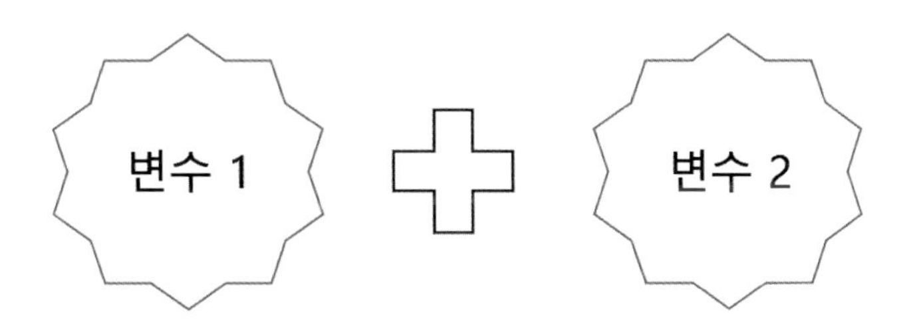

'5 + 7'을 계산하는 과정을 알아보도록 하겠습니다. 먼저 '5'라는 수를 입력하게 되면 변수 1에 '5'를 저장합니다. 그리고 (덧셈, 뺄셈, 곱셈, 나눗셈)과 같은 연산자를 입력하고 '7'을 입력합니다. 입력된 수 7은 변수 '2'에 저장됩니다. 현재까지의 상황은 다음 아래에 있는 그림과 같습니다. 이처럼 변수는 미리 정해둔 수를 프로그램에 입력하여 보여주는 것과는 달리 사용자가 직접 입력한 두 수를 변수에 저장하고 연산자를 통해 결과를 보여주게 되는 것입니다.

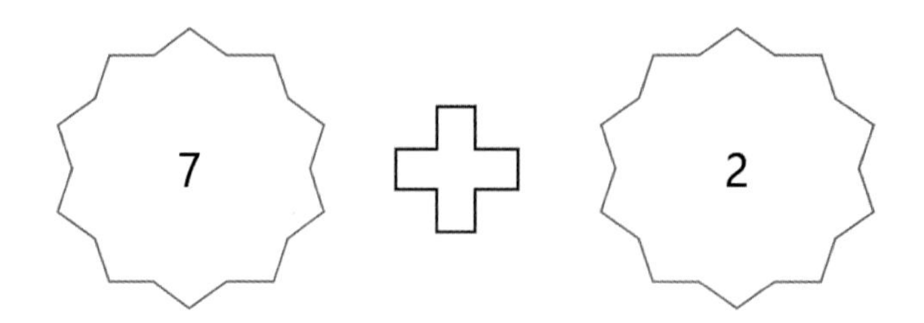

그렇다면 두 수가 아닌 여러 개의 수를 계산해야 하는 경우는 어떨까요? 그렇습니다. 변수의 수는 제한이 없으므로 여러 개의 변수를 사용하여 이러한 문제를 해결할 수 있습니다.

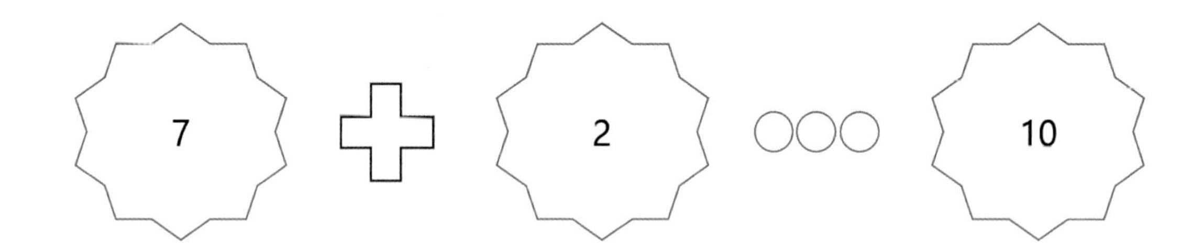

이러한 이론을 바탕으로 스크래치를 통해 구구단 게임을 만들어 보도록 하겠습니다. 이번 구구단 게임은 고양이 스프라이트만 사용하여 고양이 질문에 사용자가 답을 입력하고 정답인지 오답인지 고양이가 판단한 후 말풍선으로 표시까지 구현해보도록 하겠습니다. 구현하기에 앞서 먼저 스크래치에서 변수를 어떻게 사용하는지 간단하게 알아보고 진행하겠습니다.

변수의 블록은 코드 탭 안에 포함되어 있습니다. 연습문제에 사용할 블록은 a, b, a,를 0으로 정하기를 사용합니다.

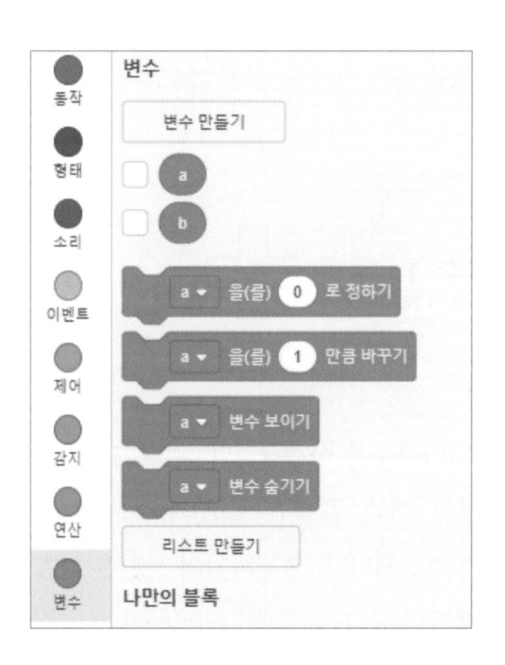

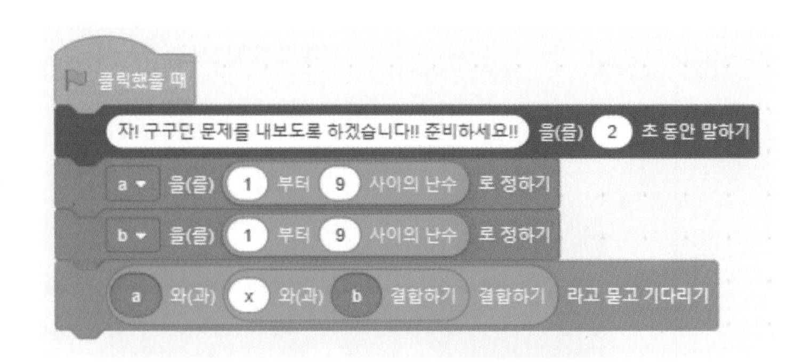

위와 같이 블록 배치와 코딩을 한 후 스크립트를 실행해 봅니다. 아래 그림과 같이 고양이의 변화가 어떤지 확인할 수 있습니다.

여기서 난수라는 블록을 처음 사용했습니다. 난수를 사용한 이유는 1부터 9까지 랜덤한 숫자로 여러 가지 문제를 제출하기 위함입니다. 난수의 범위는 1부터 9뿐만 아니라 2자리(10) 3자리(100) 그 이상의 자리 숫자도 가능합니다. 현재까지의 스크립트는 고양이의 대사와 문제 그리고 사용자가 답을 입력하는 것까지 구현이 되었으며, 답을 입력하여도 고양이는 반응이 나타나지 않을 겁니다. 추가적인 기능 구현을 위해 아래와 같은 코드를 추가하여 블록을 추가합니다.

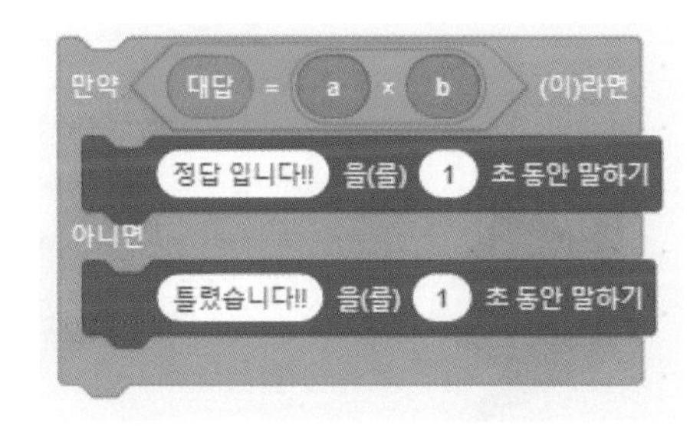

스프라이트	전체 블록 및 코드

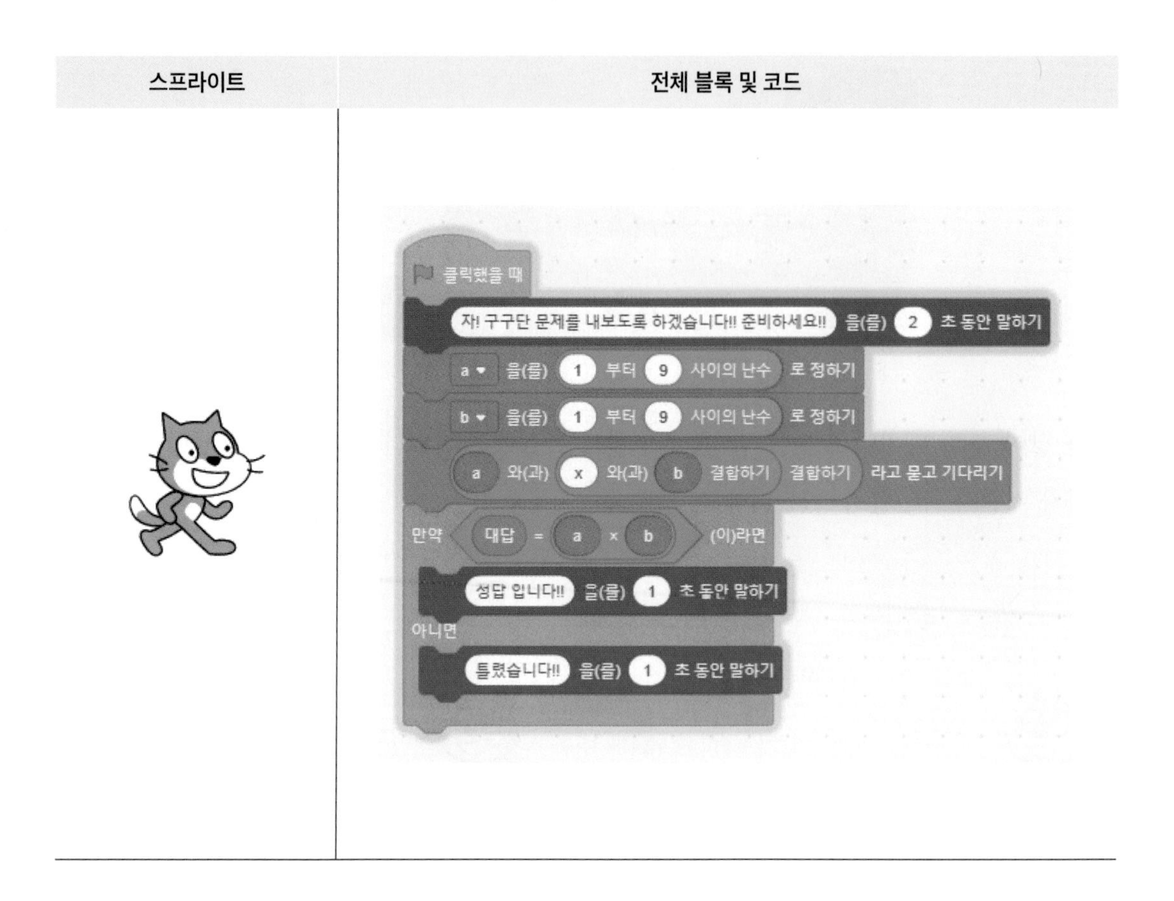

완성된 블록과 코딩은 위와 같습니다. 실행 결과를 한번 살펴볼까요? 스크립트를 실행 후 정답도 입력해 보고 오답도 입력해 봅시다. 아래 그림과 같이 고양이가 답변을 해주면 성공적으로 변수를 활용하여 구구단 게임을 만든 것입니다.

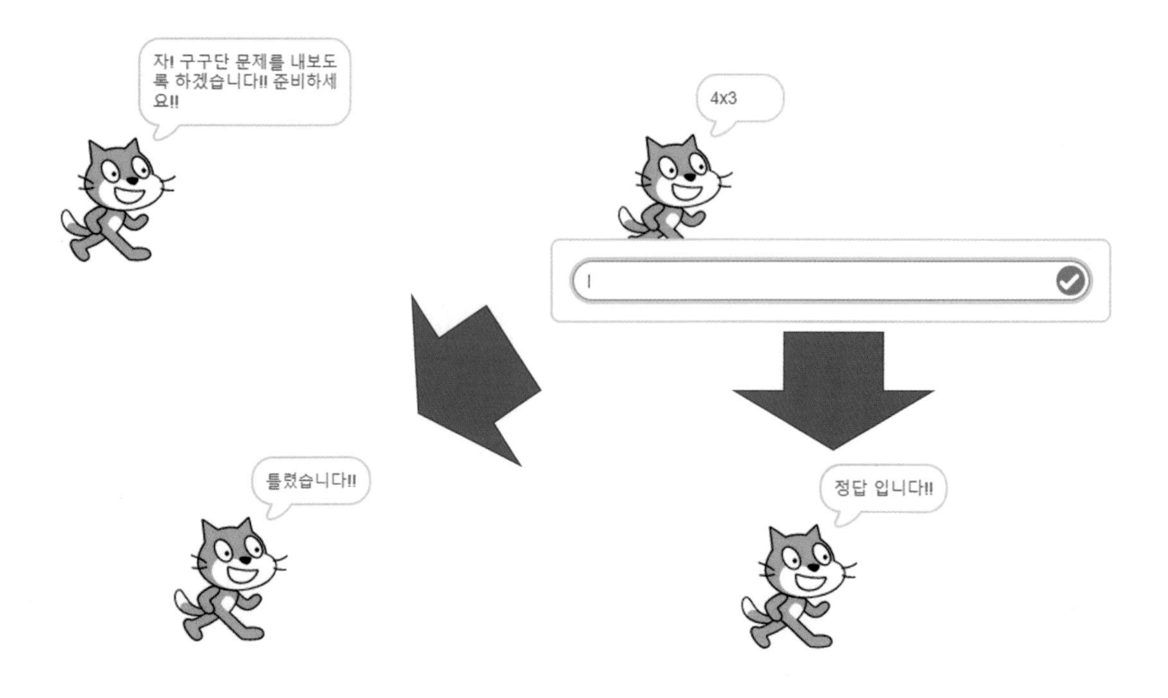

스크립트를 실행해보니 어땠나요? 고양이 스프라이트가 구구단 1단부터 9단까지 랜덤하게 문제를 제출해 주니 마치 퀴즈를 풀어내는 듯한 재미를 느낄 수 있었나요? 그런데 조금 아쉬운 부분이 있습니다. 바로 스크립트 실행한 후 문제 하나만 풀 수 있어서 이 부분이 조금 아쉽습니다. 이런 아쉬운 부분을 어떻게 해결하면 좋을까요? 이미 우리는 앞에서 연습문제를 통해 그 방법을 알고 있습니다. 바로 반복문을 이용하여 특정 블록을 반복 동작하게 하는 것입니다. 그렇다면 반복문을 어디에 추가해야 원하는 동작이 나올 수 있는지 알아보도록 하겠습니다.

처음 고양이가 문제를 내겠다는 대화를 제외하고 모든 부분이 반복되면 스크립트를 중지하기 전까지 계속해서 문제를 풀어나갈 수 있습니다.

아래처럼 무한 반복하기 블록을 추가하고 그 안에 해당 블록을 포함 시켜줍니다.

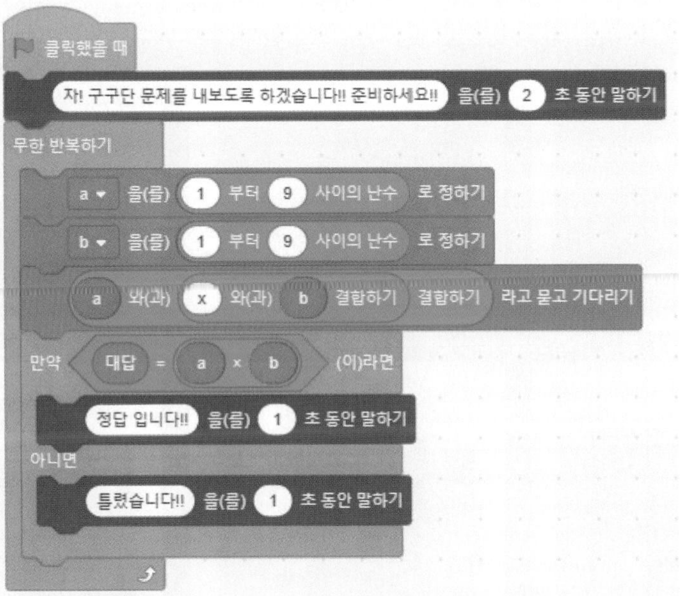

블록을 살펴보면 처음 클릭했을 때 고양이가 구구단 문제를 내겠다는 말하기 블록을 제외하고 나머지 블록은 무한 반복하는 구간임을 확인할 수 있습니다. 즉 처음에 문제를 내겠다는 말하기는 한 번만 말하고, 이후 구구단 문제는 랜덤하게 반복적으로 보이게 될 것입니다. 대답에서는 정답이나 오답에 대해 1초 동안 말하고, 바로 다음 문제를 보여주는 블록이 호출되면서 이 과정이 계속해서 반복되게 됩니다.

연습문제 

1. 아래의 스프라이트(Hare)와 배경(Forest)를 이용하여 Hare 스프라이트가 벽에 닿으면 반대로 뛰어가는 움직임의 코딩해봅니다. 이때 Hare 스프라이트의 모양 3개를 이용하여 움직임을 표현합니다.

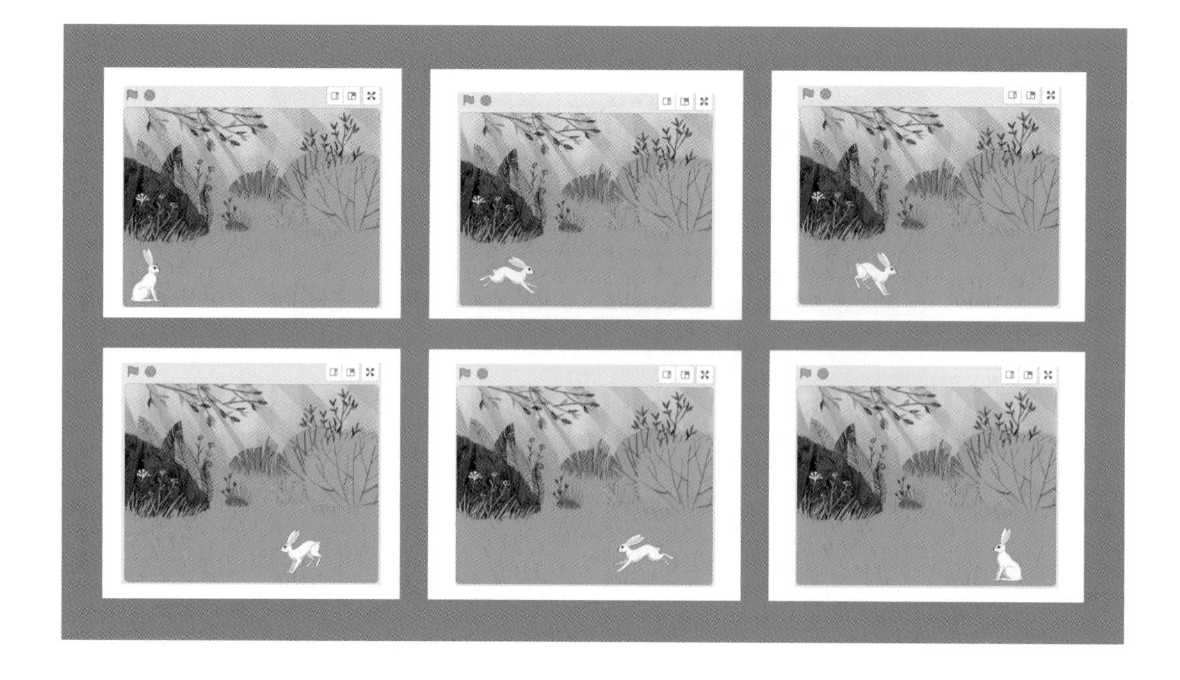

2. 아래 그림에서처럼 스프라이트(Drum, Drum Kit, Drum-cymbal, Drum-highhat, Drum-snare, Speaker 2대)와 배경(Concert)을 배치하여 해당 스프라이트를 클릭하면 해당 악기 소리가 나올 수 있도록 코딩해봅니다.

3. 고양이 스프라이트(Cat)와 칠판 스프라이트(Chalkboard)를 이용하여 칠판에 적힌 문제를 고양이가 답을 말하는 코딩을 해보도록 합니다. 이때 고양이 스프라이트에서 연산 블록과 말하기 블록을 이용하여 문제를 풀어보도록 합니다.

CHAPTER 7

키보드와 마우스로 이용하여 스프라이트 가지고 놀기

CONTENTS

7-1 마우스 포인터를 따라가는 스프라이트

이전에 연습했던 문제들은 스크립트를 실행한 후 입력을 주거나 실행 결과를 지켜보는 방식의 코딩을 진행했습니다. 이번에는 스크립트 실행 시 출력을 마우스를 이용해보도록 하겠습니다. 먼저 연습할 문제는 마우스 포인터를 따라가는 스프라이트를 구현해보도록 하겠습니다. 아래 표와 같이 블록을 배치하여 스크립트를 실행해봅시다.

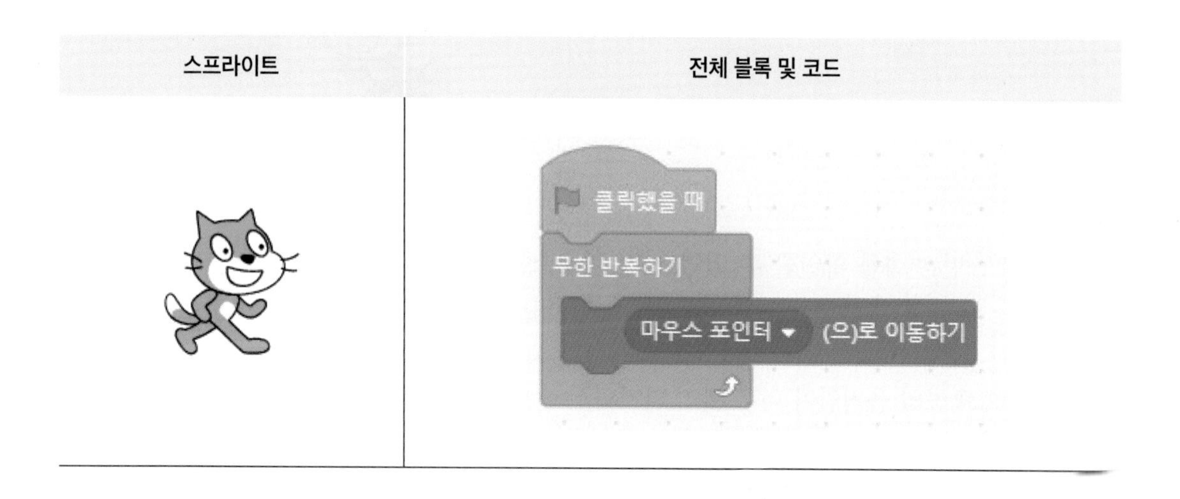

스크립트를 실행하니 어떤 결과를 관찰할 수 있었나요? 실행 창에서 마우스를 움직여보면

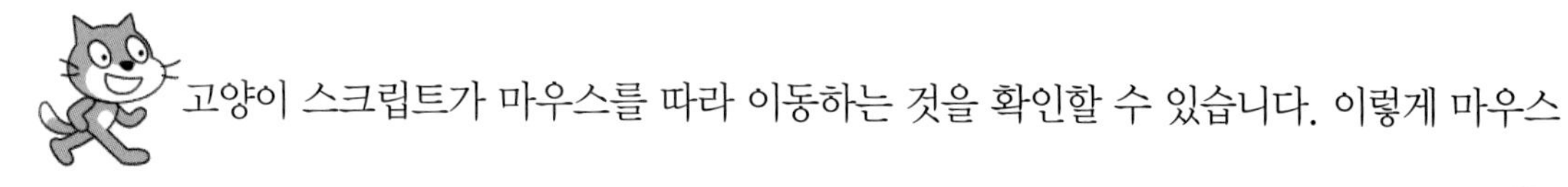

고양이 스크립트가 마우스를 따라 이동하는 것을 확인할 수 있습니다. 이렇게 마우스를 포인터를 따라가는 고양이 스프라이트를 좀 더 활용하기 위해 새로운 스프라이트 'Ball'을 추가하여 고양이 스프라이트를 따라다니도록 업그레이드를 해보겠습니다.

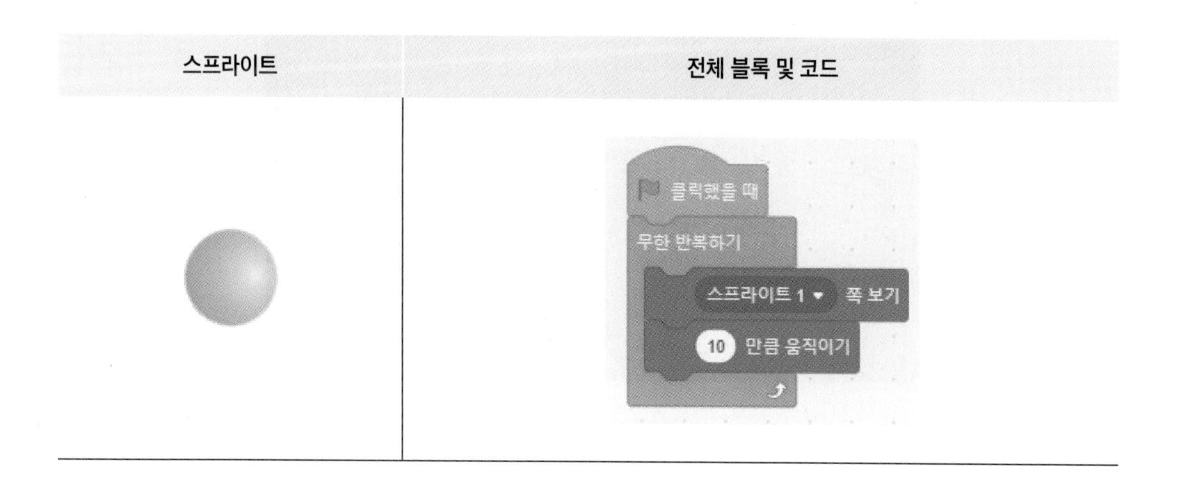

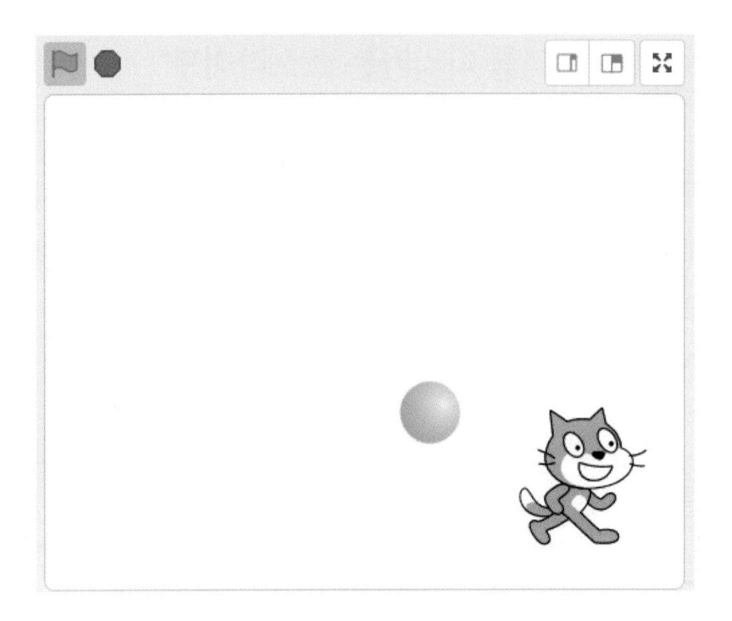

결과적으로 어떤 변화를 확인할 수 있었나요? 마우스를 창안에서 움직이게 되면 고양이가 마우스 포인터를 따라 움직이게 되고 이러한 움직임 뒤에 공이 계속해서 따라오는 장면을 확인할 수 있습니다. 혹시 공의 움직임이 너무 빨리 다가와서 속도를 조절하고 싶으면 0.1 초 기다리기 와 같이 기다리기 블록을 통해 속도를 조금 느리게 조절하거나, 10 만큼 움직이기 를 조절하여 난이도를 높이거나 줄일 수 있습니다.

이러한 코딩을 이번에는 배경도 추가하고 다른 스프라이트를 사용하여 재미있는 프로젝트를 만들어 보도록 하겠습니다.

위의 그림처럼 배경과 곰, 사과 스프라이트를 이용하여 똑같은 블록을 사용하여 재미 요소를 추가해봅시다. 아래 표를 참고하여 새 프로젝트에 스프라이트를 배치하고 블록을 적용합니다.

스프라이트	블록
Castle 2	1. 배경은 Castle 2를 추가합니다.
Apple	클릭했을 때 무한 반복하기 Apple ▾ 쪽 보기 10 만큼 움직이기 0.1 초 기다리기
Bear	클릭했을 때 무한 반복하기 마우스 포인터 ▾ (으)로 이동하기

모든 코딩을 완료하였으면 스크립트를 실행하여 마우스를 움직여서 곰이 잘 따라오는지 확인합니다.

곰이 사과를 향해 이동하는 모습을 관찰할 수 있었습니다. 그런데 막상 실행하면 동작은 자연스럽게 진행은 되고 있으나, 곰의 움직임이 자연스럽지 않습니다. 곰의 움직임을 좀 더 자연스럽게 표현해보도록 하겠습니다.

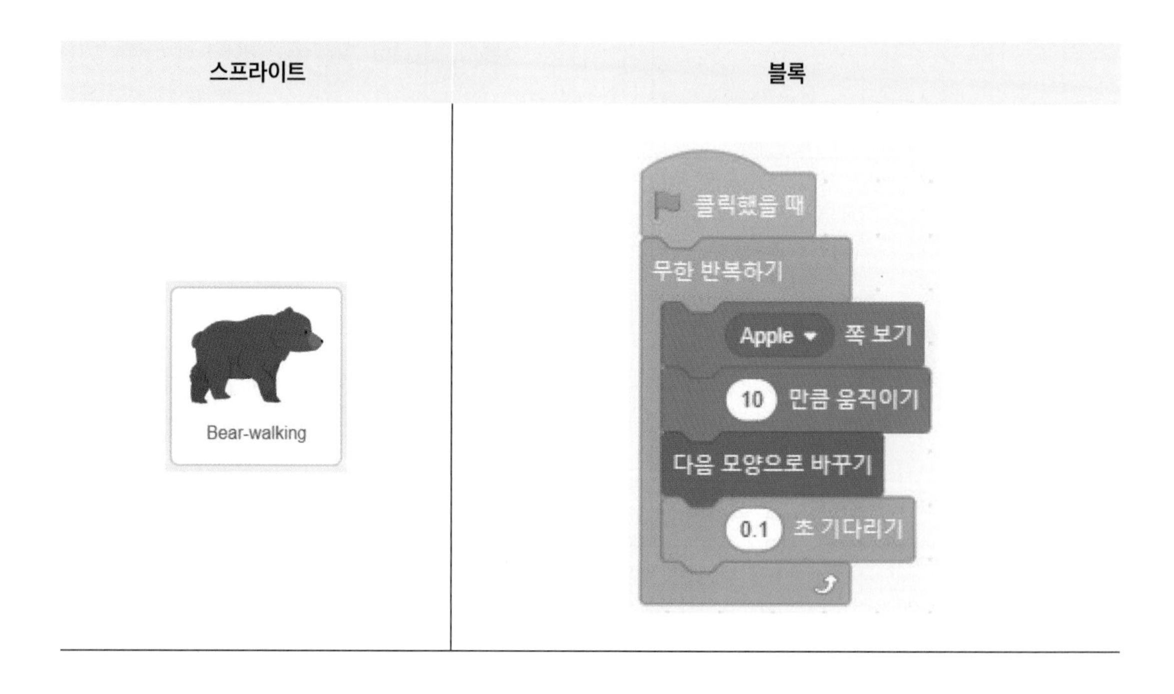

이전에 사용했던 곰 스프라이트를 삭제하고 새로운 곰 스프라이트(Bear-walking)를 추가합니다. 그리고 표에서와같이 새로 블록을 배치하여 코딩하도록 합니다. 스크립트를 실행하여 이전과 어떤 부분이 다른지 확인해 봅니다.

실행 결과를 비교해보면 곰의 움직임이 이전과는 다르게 부드럽고 자연스럽게 움직이는 모습을 확인할 수 있습니다. 어떻게 이런 모습이 보일 수 있었을까요? 이유를 살펴보도록 하겠습니다.

Bear 스프라이트의 구성을 보면 답을 알 수 있습니다. Bear의 구성은 아래 그림과 같이 Bear-a와 Bear-b로 구성되어 있습니다. 연습문제에서는 Bear-a만을 사용하였기 때문에 고정된 이미지가 계속 표시되기 때문에 자연스럽지 못한 움직임을 보여줍니다.

이에 반에 Bear-walking 스프라이트의 모양을 자세히 살펴보면 아래 그림과 같이 a부터 h까지 8개로 구성되어 있음을 확인할 수 있습니다. 이전 Bear 스프라이트에 비에 Bear-walking의 경우는 곰의 걸음 하나하나마다 움직임이 그대로 담겨 있으므로 연속으로 동작게 되면 이전 Bear보다 더 자연스럽고 부드러운 움직임을 확인할 수 있습니다. 즉 1프레임과 8프레임의 차이라고 할 수 있겠습니다.

7-2 키보드로 스프라이트 제어하기

스크래치에서는 키보드로도 스프라이트를 제어할 수 있습니다. 연습문제를 통해 키보드로 제어하는 과정을 학습하고, 이를 통해 키보드를 이용한 게임도 같이 만들어 보도록 하겠습니다.

스프라이트를 키보드로 제어하기 위해서는 [스페이스 ▾ 키를 눌렀을 때] 와 같은 이벤트 블록을 통해 설정할 수 있습니다. 이 블록에 대한 종류 및 사용방법은 아래 표를 통해 자세히 설명하도록 하겠습니다.

스프라이트	설명
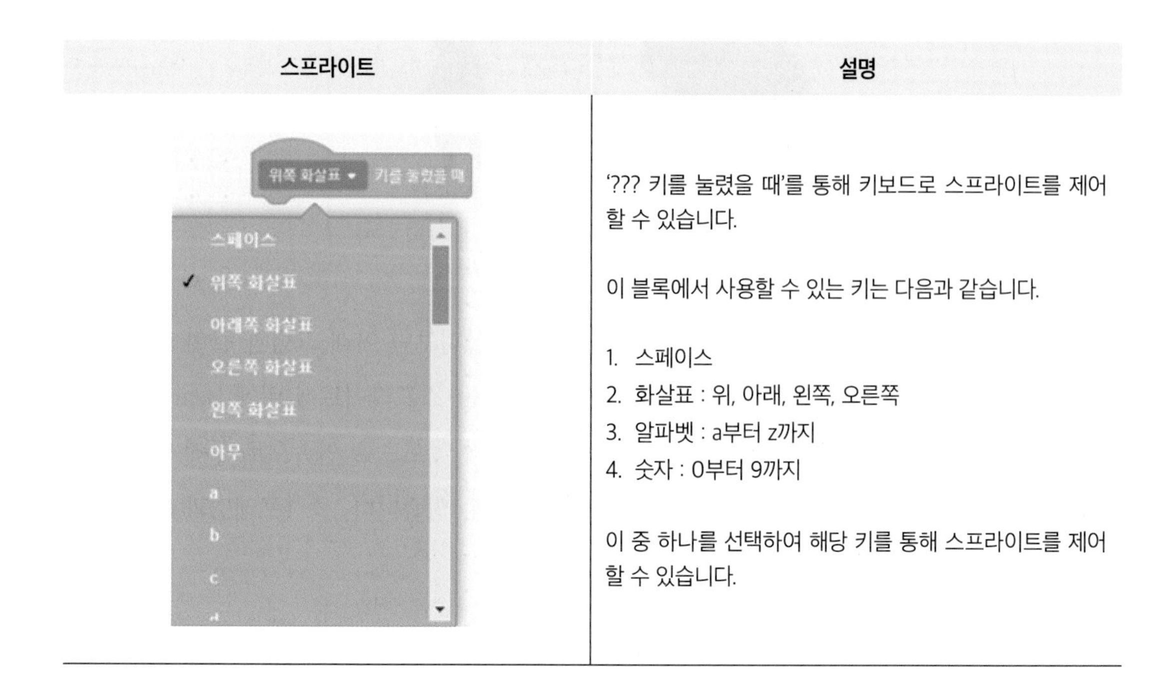	'??? 키를 눌렸을 때'를 통해 키보드로 스프라이트를 제어할 수 있습니다. 이 블록에서 사용할 수 있는 키는 다음과 같습니다. 1. 스페이스 2. 화살표 : 위, 아래, 왼쪽, 오른쪽 3. 알파벳 : a부터 z까지 4. 숫자 : 0부터 9까지 이 중 하나를 선택하여 해당 키를 통해 스프라이트를 제어할 수 있습니다.

이 블록을 4개를 이용하여 스프라이트를 상, 하, 좌, 우로 움직이는 코딩을 해보도록 하겠습니다.

이번에는 고양이가 아닌 Gobo 스프라이트를 추가하여 진행해보겠습니다. 고양이 스프라이트는 삭제하시고, Gobo 를 추가합니다.

키보드 방향키로 제어하기 위해 위와 같이 '??? 키를 눌렀을 때' 블록을 4개 배치하고 각각의 방향에 맞는 옵션을 선택합니다.

각각의 키에 따른 방향에 따라 스프라이트가 이동하기 위해 먼저 스크래치에서는 x축과 y축에 대해 알 필요가 있습니다. 아래 그림처럼 위쪽에 해당하는 축은 y축, 아래쪽은 - y축, 왼쪽에 해당하는 축은 -x축, 오른쪽에 해당하는 축은 x축입니다. 이를 그대로 블록으로 적용합니다. 사용하는 블록은 '(x, y)좌표를 ?? 만큼 바꾸기' 블록을 이용합니다.

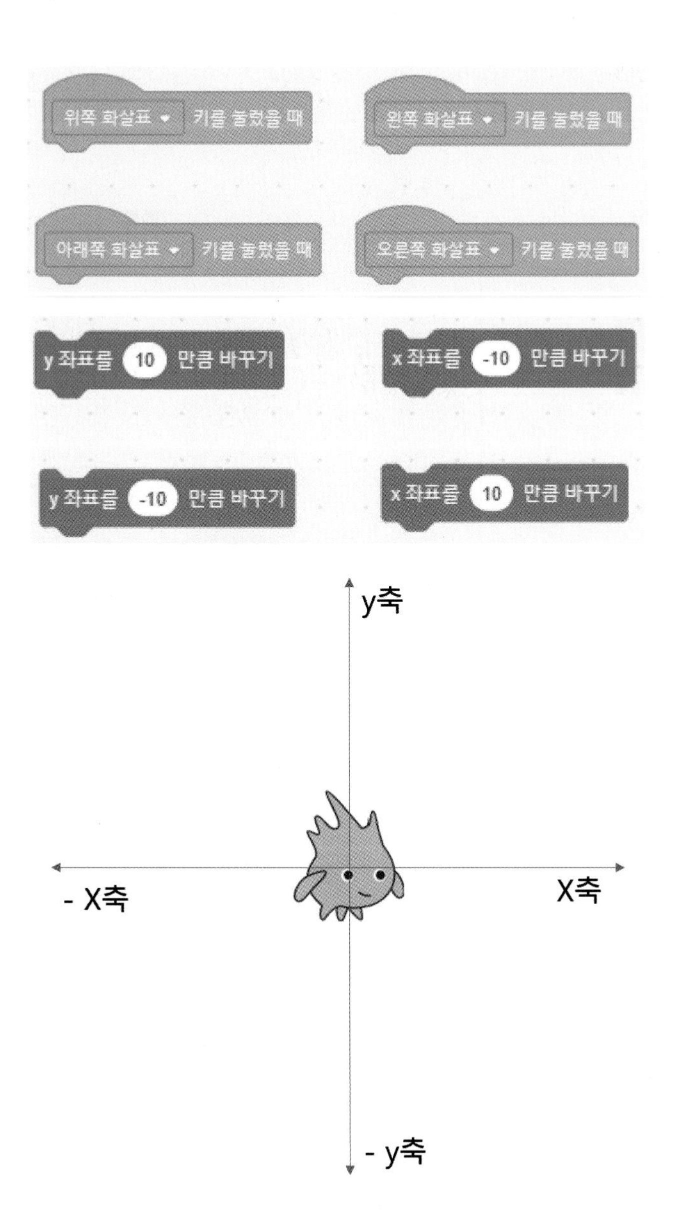

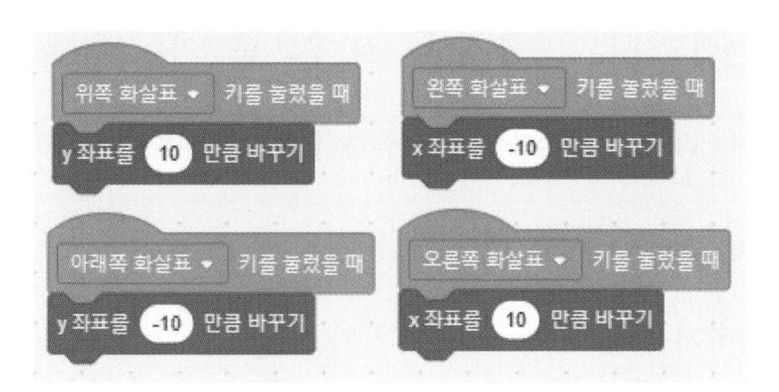

위와 같이 코딩을 완성 시킨 후 스크립트를 실행하여 키보드 화살표를 눌려서 방향대로 Gobo 스프라이트가 잘 움직이는지 확인해 봅니다.

스크립트 실행 후 Gobo를 화살표를 눌려보면 마치 실제 게임 할 때 자신의 캐릭터를 움직이는 듯한 느낌을 받을 수 있습니다. 이번에도 역시 재미 요소를 추가하여 조금 업그레이드된 코딩을 해보도록 하겠습니다. 아래 표와 같이 블록을 배치하여 코딩을 완성 시켜보도록 하겠습니다.

스프라이트	블록
Jurassic	배경 블록 Jurassic을 추가하여 Gobo와 Donut 스프라이트를 원하는 곳에 배치합니다.
Gobo	위쪽 화살표 키를 눌렀을 때 / y 좌표를 10 만큼 바꾸기 아래쪽 화살표 키를 눌렀을 때 / y 좌표를 -10 만큼 바꾸기 왼쪽 화살표 키를 눌렀을 때 / x 좌표를 -10 만큼 바꾸기 오른쪽 화살표 키를 눌렀을 때 / x 좌표를 10 만큼 바꾸기

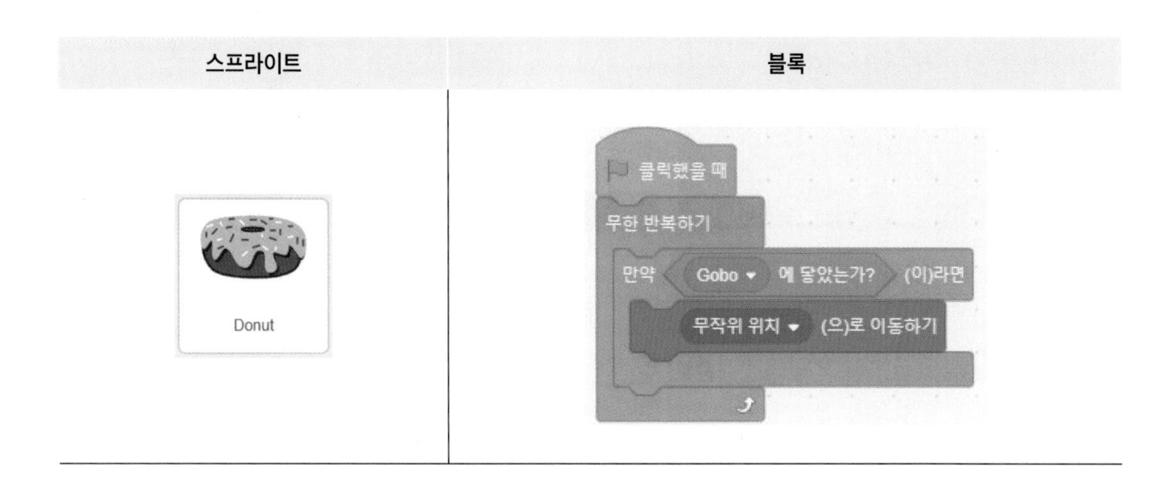

스프라이트	블록
Donut	클릭했을 때 무한 반복하기 만약 Gobo ▾ 에 닿았는가? (이)라면 무작위 위치 ▾ (으)로 이동하기

완성된 스크립트를 실행하고 키보드 화살표를 눌러서 Gobo를 Donut 방향으로 이동하고 결과를 확인해 보도록 합니다.

결과는 Gobo가 Donut에게 가서 닿게 되면 Donut의 위치가 계속해서 바뀌는 결과를 확인할 수 있습니다. 계속해서 위치가 변경되는 이유는 Donut에 속해있는 무작위 위치 ▾ (으)로 이동하기 의 블록 때문입니다. 이 블록으로 인해 Gobo가 계속해서 도넛으로 다가가면 다른 랜덤한 곳에 나타나게 되는 것입니다. 여기서 이 블록을 조금 응용하여 Gobo가 Donut에 닿는다면 사라지게 하는 것도 쉽게 변경 가능해집니다. 기존 Donut에 있던 무작위로 이동하기 블록을 삭제하고 새로운 블록인 숨기기 블록을 추가하여 다시 실행하여 결과를 살펴보겠습니다. 어떠한 결과를 확인할 수 있었나요? 아래 그림과 같이 Gobo가 점점 donut에 다가가니 사라지는 donut 모습을 볼 수 있습니다.

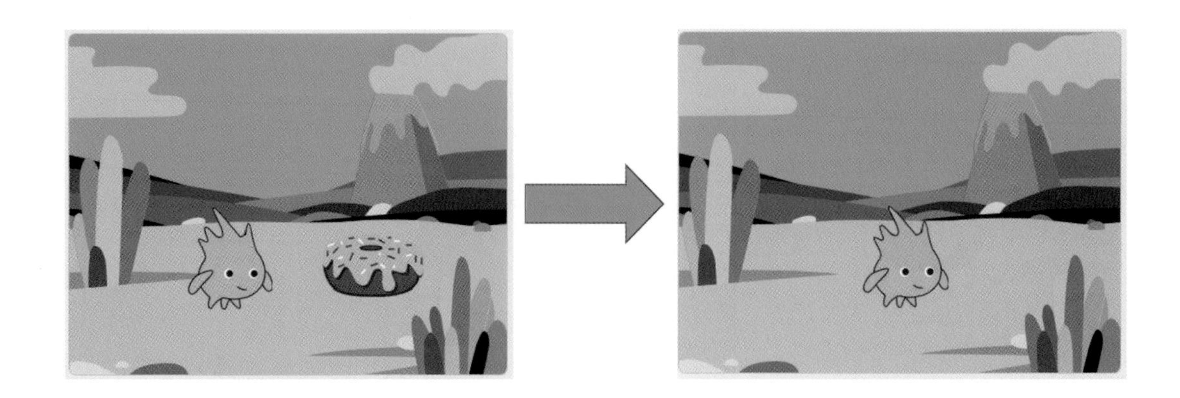

여기서 스크립트를 다시 실행하면 donut이 다시 나오지 않는 현상이 생깁니다. 그 이유는 숨기고 다시 나타나는 블록을 추가하지 않았기 때문입니다. 따라서 보이는 블록을 추가하여 donut을 다시 나타나게 하여 게임을 계속 진행할 수 있도록 코딩을 수정해 보겠습니다. 아래와 같이 donut 스프라이트의 블록을 수정합니다.

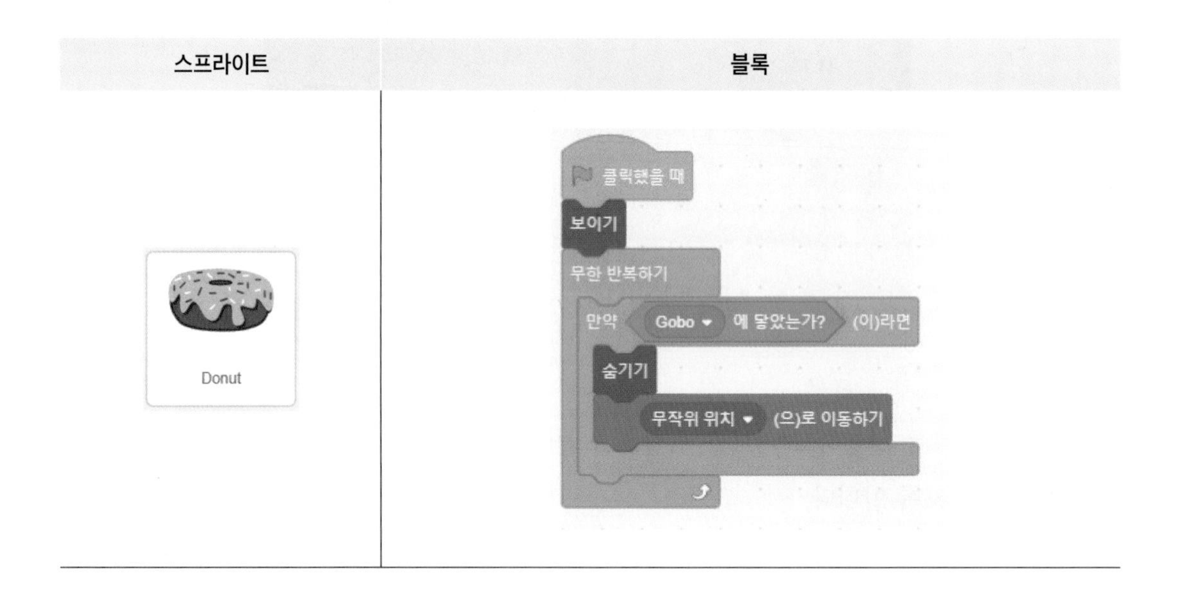

스프라이트	블록
Donut	클릭했을 때 보이기 무한 반복하기 만약 Gobo ▾ 에 닿았는가? (이)라면 숨기기 무작위 위치 ▾ (으)로 이동하기

수정된 코딩을 실행하면 이제는 Gobo가 Donut에 닿으면 사라지고, 다시 스크립트를 실행하면 다시 donut이 나타나는 것을 확인할 수 있습니다. 이러한 결과를 활용하여 일부 블록을 조금 수정 및 추가하여 Gobo가 Donut에 닿으면 점수를 획득하는 게임을 만들어 보도록 하겠습니다.

첫 번째로 점수를 사용하기 위해 변수를 설정하도록 하겠습니다. 변수 처음 블록 ☑ 점수 의 이름을 점수라고 바꾸고 체크 박스를 체크 해줍니다. 점수 블록을 체크하면 점수판을 확인할 수 있습니다.

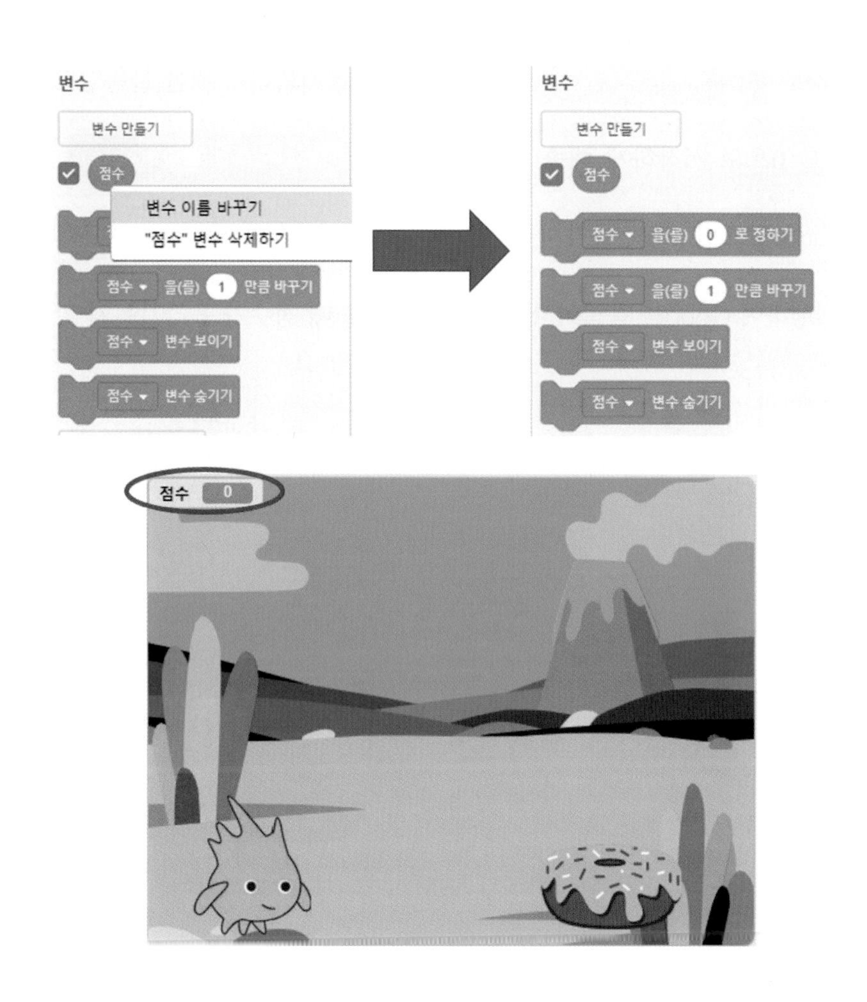

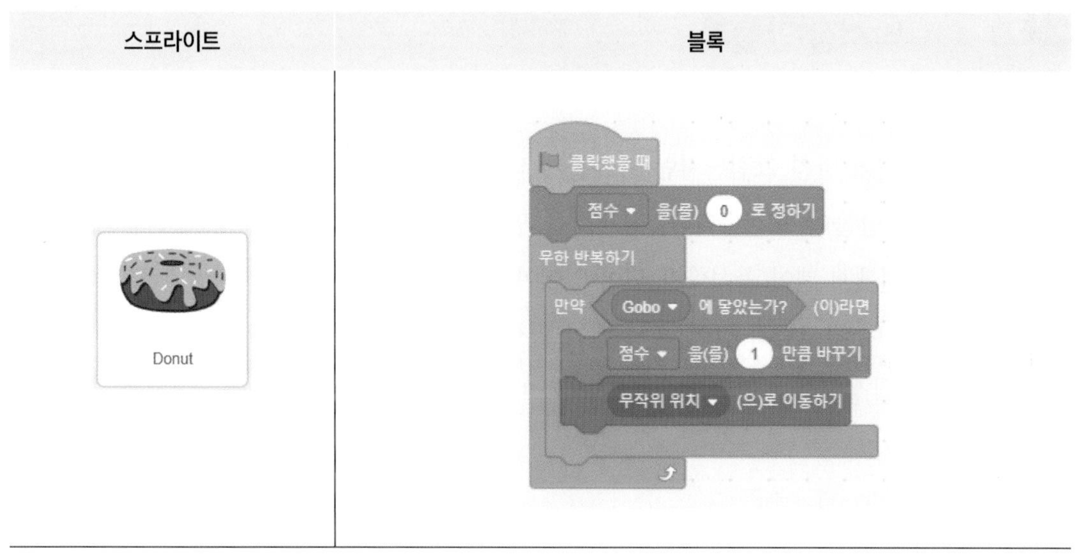

Gobo가 닿으면 점수 올라가게 하려면 donut의 블록 추가 및 수정이 필요합니다. 표에서 보이는 바와 같이 점수 블록 2개를 위치에 맞춰 추가합니다.

점수 블록의 경우 [점수 ▾ 을(를) 0 로 정하기] 은 점수를 초기화하기 위한 블록입니다. 스크립트 시작 시 점수를 0으로 시작하게 해줍니다. 그리고 [점수 ▾ 을(를) 1 만큼 바꾸기] 블록의 경우 Gobo가 donut에 닿으면 1점씩 증가시키기 위한 블록입니다.

스크립트를 실행하여 Gobo를 움직여서 donut에게 갔을 때 점수가 올라가는지 확인해 봅시다.

7-3 낙서장 만들기

마우스가 펜이 되어 마치 그림판처럼 자유롭게 낙서할 수 있는 공간을 만들어 보겠습니다. 낙서장을 만들기 위해서는 코드 탭에서 펜이 활성화가 되어 있어야 진행할 수 있습니다. 아래 그림과 같이 혹시 펜이 활성화되어 있지 않다면 활성화하는 방법부터 따라 해가며 진행해보겠습니다.

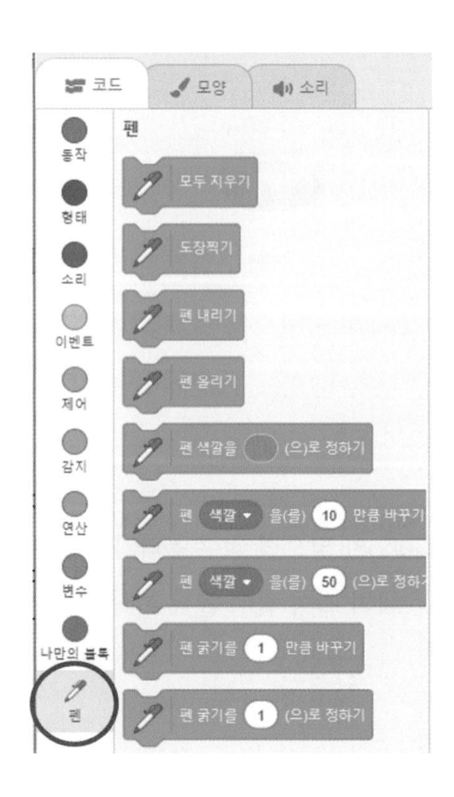

스크래치 왼쪽 아래쪽에 확장기능 추가하기 아이콘을 클릭하여 아래 그림처럼 펜을 선택하여 기능을 추가합니다.

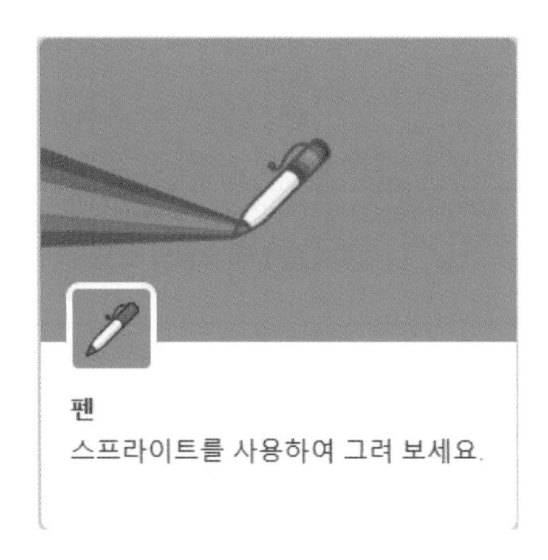

낙서장에서 사용할 스프라이트 'Pencil'과 배경 'Xy-grid-30px'를 추가하여 낙서장처럼 보이도록 꾸미고 코딩을 진행해보도록 하겠습니다.

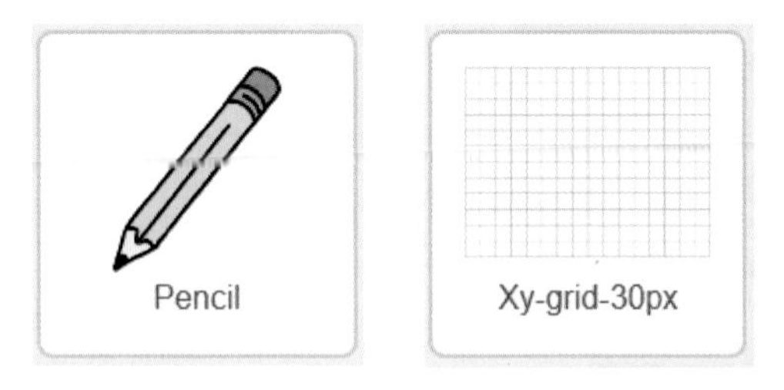

아래 그림은 배경과 스프라이트를 추가한 후의 화면입니다. 이러한 상태가 확인됐으면, pencil 스프라이트를 코딩해보도록 합시다.

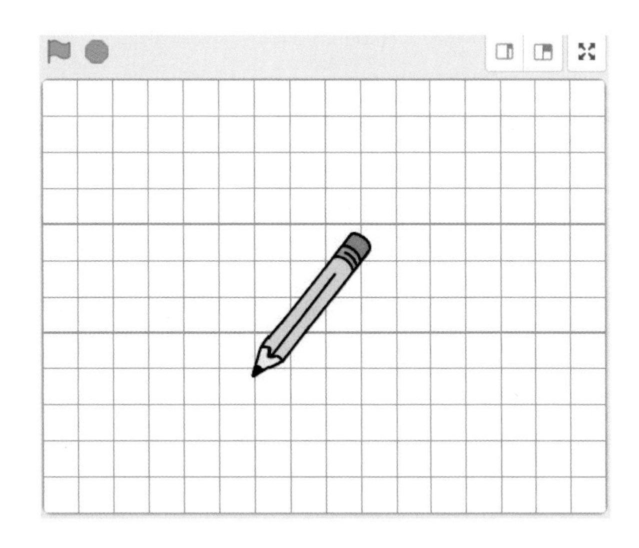

낙서장을 코딩하기 전에 먼저 펜에 있는 각각의 블록에 대해 알아보도록 합시다.

블록	설명
모두 지우기	해당 블록을 추가하면 화면에 그린 모든 부분이 지워집니다.
도장찍기	현재 펜 모양의 스프라이트를 도장을 찍듯이 나타냅니다.
펜 내리기	그림을 그릴 수 있는 상태입니다.
펜 올리기	그림을 그릴 수 없는 상태입니다.
펜 색깔을 ( )(으)로 정하기	해당 펜의 색을 변경할 때 사용합니다.
펜 색깔 ▾ 을(를) 10 만큼 바꾸기	펜의 색을 해당 숫자만큼 바꿉니다.
펜 색깔 ▾ 을(를) 50 (으)로 정하기	펜의 색을 대항 숫자만큼 정합니다.
펜 굵기를 1 만큼 바꾸기	펜의 굵기를 해당 숫자만큼 바꿉니다.
펜 굵기를 1 (으)로 정하기	펜의 굵기를 해당 숫자만큼 정합니다.

사용자의 생각에 따라 펜의 다양한 블록을 통해 여러 가지 낙서장을 표현할 수 있지만, 연습문제에서는 모두 지우기, 펜 내리기, 펜 올리기, 펜 색깔 바꾸기 정도만 사용하여 기본적으로 동작이 어떻게 되는지 살펴보도록 하겠습니다.

새 프로젝트를 실행하여 기존의 고양이 스프라이트를 제거하고 'pencil' 스프라이트를 추가합니다.

다음 그림과 같이 블록을 배치하고 스크립트를 실행하여 결과를 살펴보겠습니다.

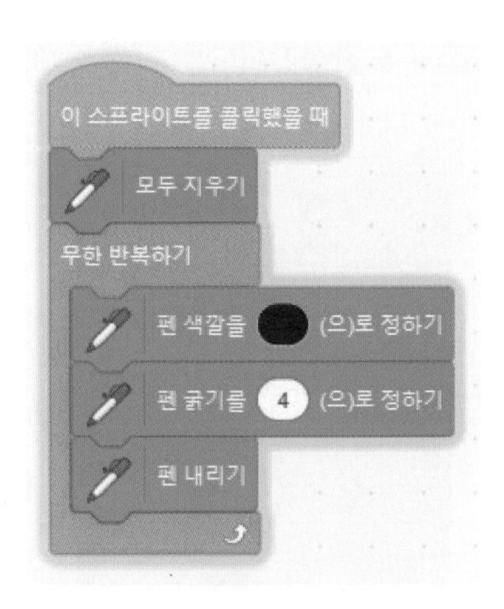

스크립트를 실행하고 마우스를 펜을 클릭 및 드래그하여 그림을 그리듯 펜을 움직여봅시다. 어떤 결과를 발견할 수 있었나요? 코딩된 내용으로 보면 계속해서 그려 질 듯했지만, 펜을 드래그하면 잘 따라오는데 그려지지는 않고 점만 찍는 모습을 볼 수 있습니다. 어떻게 해야 점으로 그려지는 부분을 선으로 표현할 수 있을까요? 그리고 펜의 위치도 중앙이 아닌 연필심으로 포인트를 주기 위해서는 어떻게 해야 할까요?

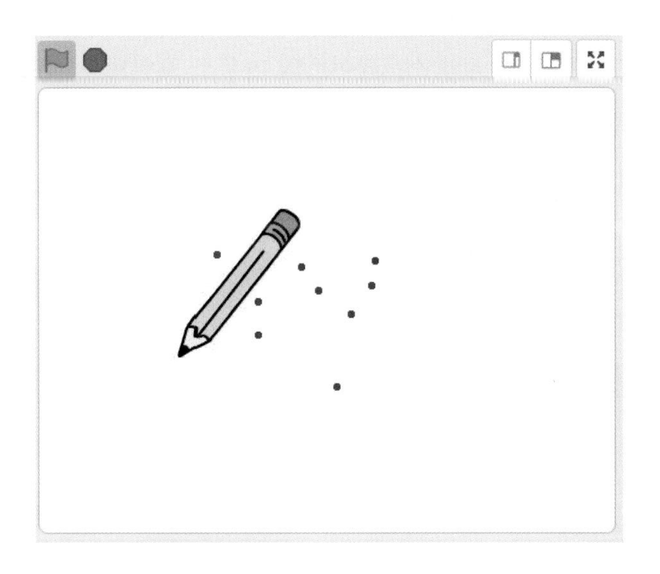

이 부분에 대한 답은 제어문 

과 반복문을 사용하면 펜이 점으로 표현되는 것이 아닌 연속으로 그려지게 구현할 수 있습니다. 그리고 스크립트 실행 시 마우스 포인터로 따라갈 수 있게 (동작– 마우스 포인터로 이동하기) 마우스 포인터 ▾ (으)로 이동하기 블록을 이용합니다.

아래 그림처럼 블록을 배치하고 코딩을 완성합니다.

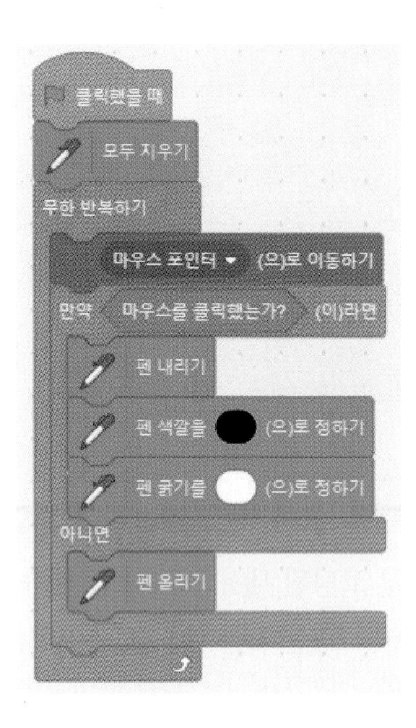

여기까지 따라왔다면 스크립트 실행 시 펜이 마우스를 따라다니고 클릭할 때 아직은 선이 아닌 점으로 찍히면서 표현될 것입니다. 블록과 코딩 상에서는 사실상 동작은 정상적인 동작을 하고 있습니다. 하지만 문제는 pencil 스프라이트의 마우스 포인트 지점이 중앙으로 지정되어 있으므로 이 부분을 연필 끝쪽으로 변경해주어야 합니다. 스프라이트의 포인트 위치를 같이 변경해보도록 하겠습니다.

그림에서와 같이 모양 탭에서 pencil−a 스프라이트의 마우스 포인트 지점을 수정해 보도록 하겠습니다.

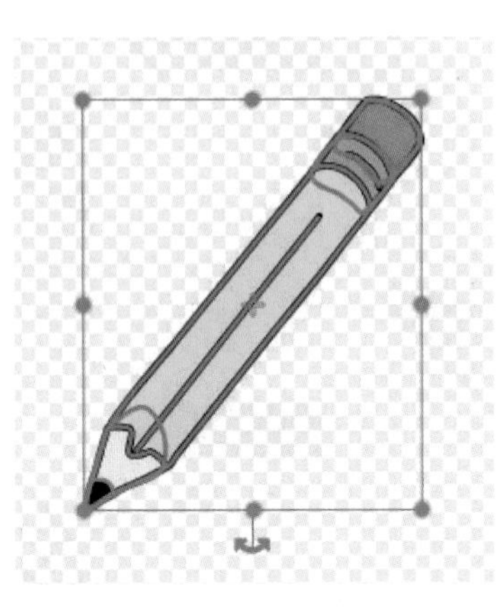

그림에서와같이 pencil−a를 전체적으로 선택하게 되면 + 지점이 현재 스프라이트 중간에 있음을 확인할 수 있습니다. 이 중앙에 있는 + 부분을 펜 끝쪽에 위치하게 되면 마우스 포인터 끝에 따라 이동하게 됩니다.

그림에서 빨간색으로 표시되어 있는 부분이 마우스 포인터에 따라다니게 될 부분입니다. 왼쪽은 처음 pencil−a의 기본 포인터 위치이고, 중앙은 개체를 이동하여 포인터 지점을 보여주기 위한 예입니다. 마지막으로 오른쪽은 pencil−a의 포인터를 연필심 쪽으로 이동시킨 모습입니다.

아래 그림을 통해 원리를 다시 한번 보고 이해해봅시다. 빨간색 원이 실제 스크립트 실행 시 마우스 포인터가 위치하는 곳입니다.

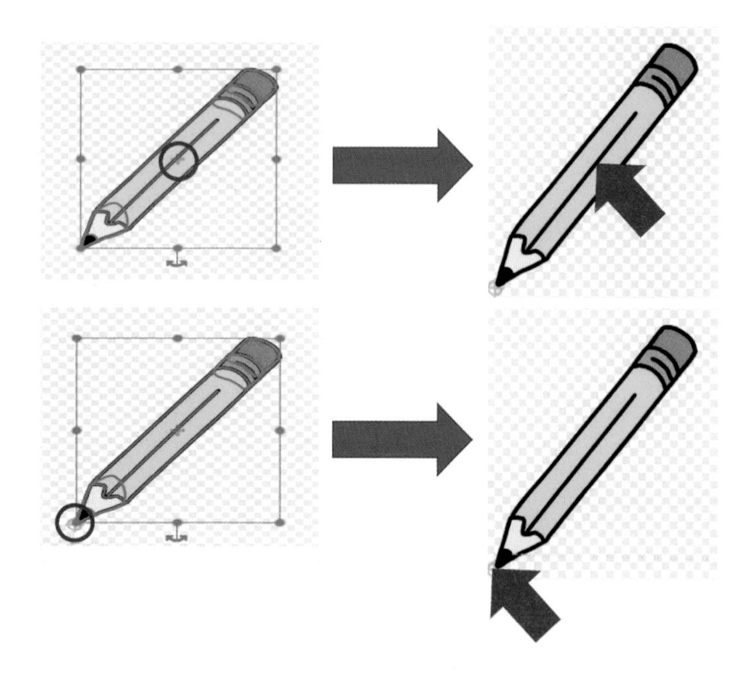

pencil-a의 마우스 포인터 위치를 변경한 후 다시 스크립트를 실행하여 낙서해봅니다. 이전에 점으로만 나오던 펜이 연속으로 선도 그려질 것입니다. 낙서가 잘되었으면 이제 배경을 추가하여 실제 종이에 그리는 것과 비슷한 재미 요소를 추가해보겠습니다. 'Xy-grid-30px' 배경을 추가하고 아래 표와 같이 pencil 블록의 코딩을 완성합니다.

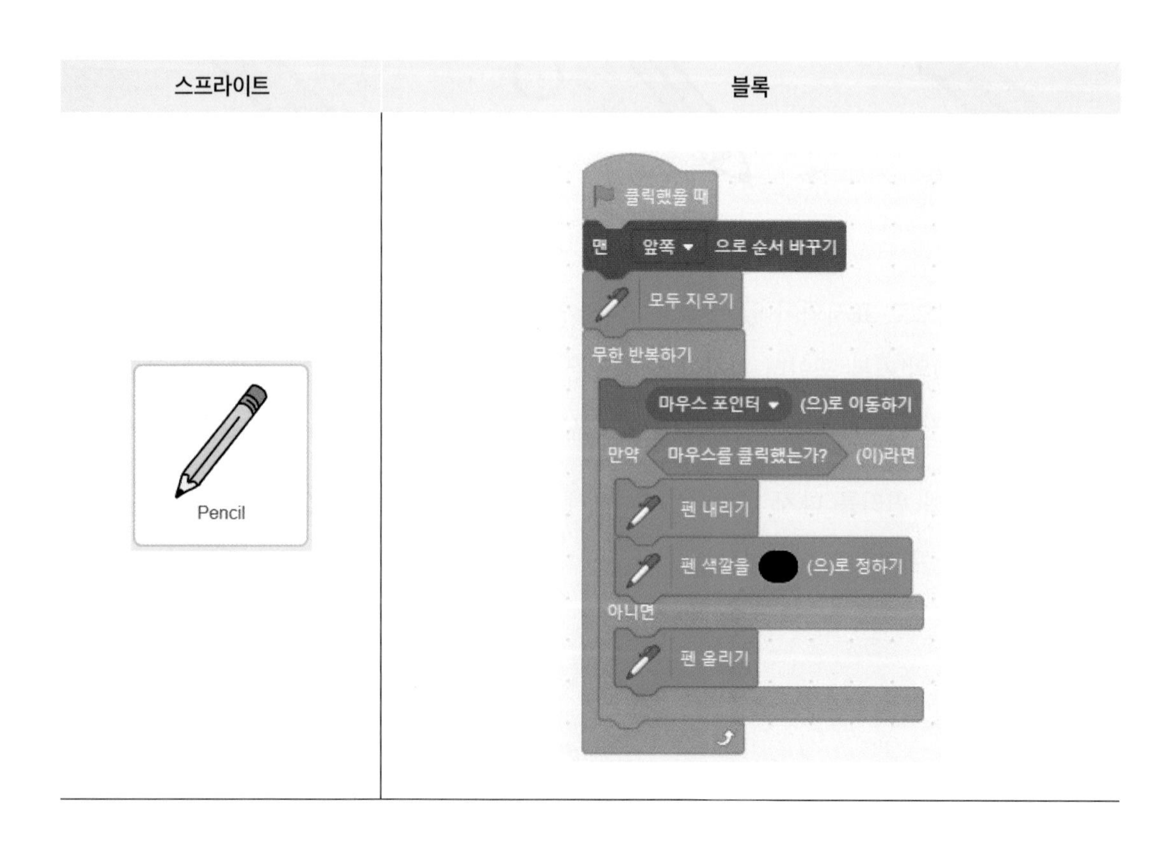

스프라이트	블록
Pencil	클릭했을 때 맨 앞쪽 ▾ 으로 순서 바꾸기 모두 지우기 무한 반복하기 마우스 포인터 ▾ (으)로 이동하기 만약 마우스를 클릭했는가? (이)라면 펜 내리기 펜 색깔을 ● (으)로 정하기 아니면 펜 올리기

맨 앞쪽 ▾ 으로 순서 바꾸기 의 경우 배경 위에 그림을 그리는 데 필요한 블록입니다. 아래 그림을 통해 원리를 살펴 보겠습니다.

3차원으로 겹치는 그림에 대해 나타낸 것이며, 파란색 부분은 또 다른 종이라고 예를 들면 그 위에 흰 종이 또 그 위에는 연필 구조로 총 3겹으로 이루어져 있습니다. 맨 앞으로 순서 바꾸기를 할 경우 오른쪽 그림과 같이 표현됩니다. 즉 연필은 흰 종이에 표현이 됨으로써 왼쪽의 경우 또 다른 종이가 가려서 그 표현을 확인할 수 없는 것입니다.

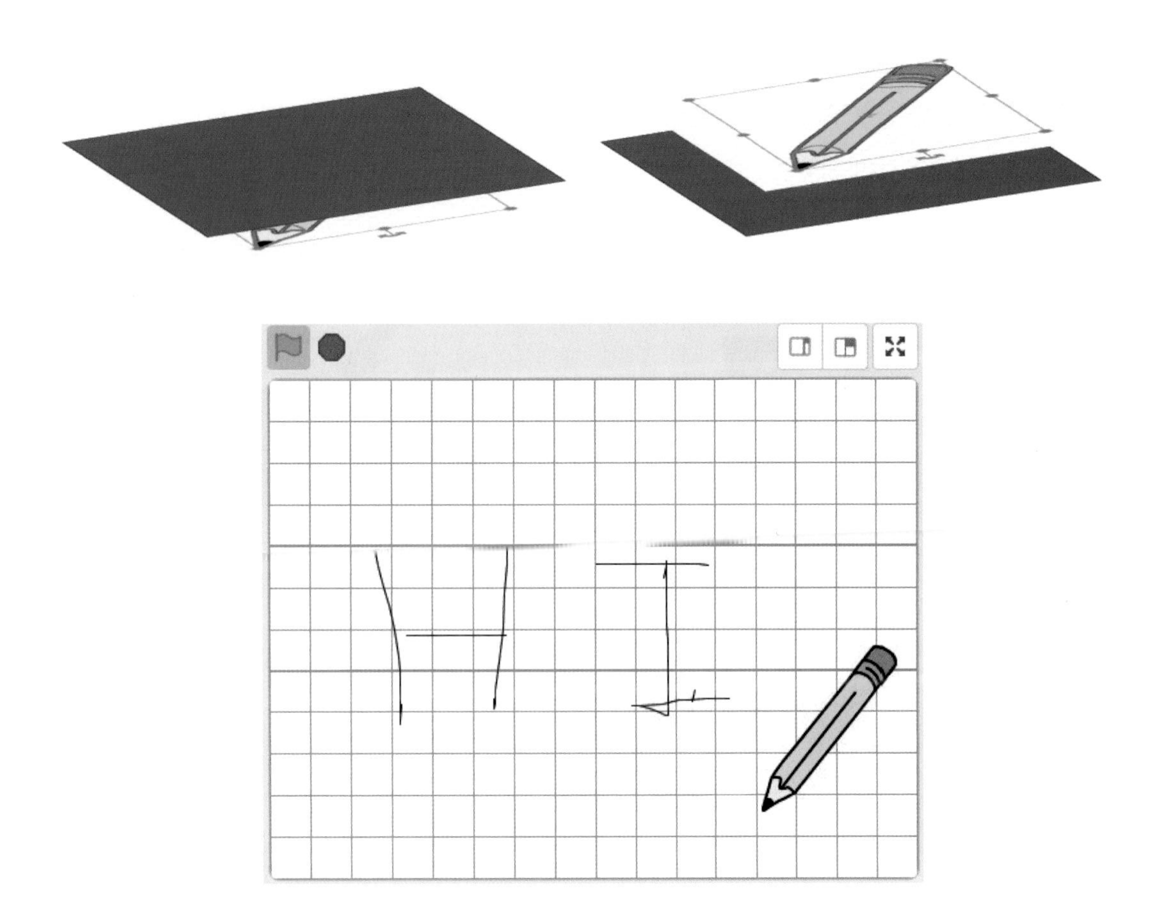

스크립트를 실행하여 아무 글씨나 그림과 같은 것을 잘 그려지는지 한번 그려봅시다. 이번 연습문제를 통해 이해가 아직 안 된 부분이나 블록이 있다면 다시 한번 따라서 연습해 보고 완벽하게 이해하고 넘어가도록 합시다.

7-4 기능을 추가한 낙서장

7-3에서 만들었던 낙서장은 간단하게 펜으로 글씨나 그림 정도만 사용 가능한 낙서장이었습니다. 보통 일반적인 낙서장의 경우 다양한 펜의 종류 및 색상 및 지우개, 도형 등 다양한 기능이 있는 경우도 많습니다. 그래서 이번에는 좀 더 기능을 추가하여 다양한 기능을 추가한 낙서장을 만들어 보도록 하겠습니다.

지금 구현된 지우기 기능은 스크립트를 실행할 때 화면에 보이는 것을 모두 지우게 되어 있습니다. 이 부분을 버튼을 추가하여 지울 수 있도록 분리해 보겠습니다. 새 스프라이트를 추가하기 진에 그림에서와같이 기능을 분리하기 위해 먼저 기존 '모두 지우기' 블록을 제거합니다.

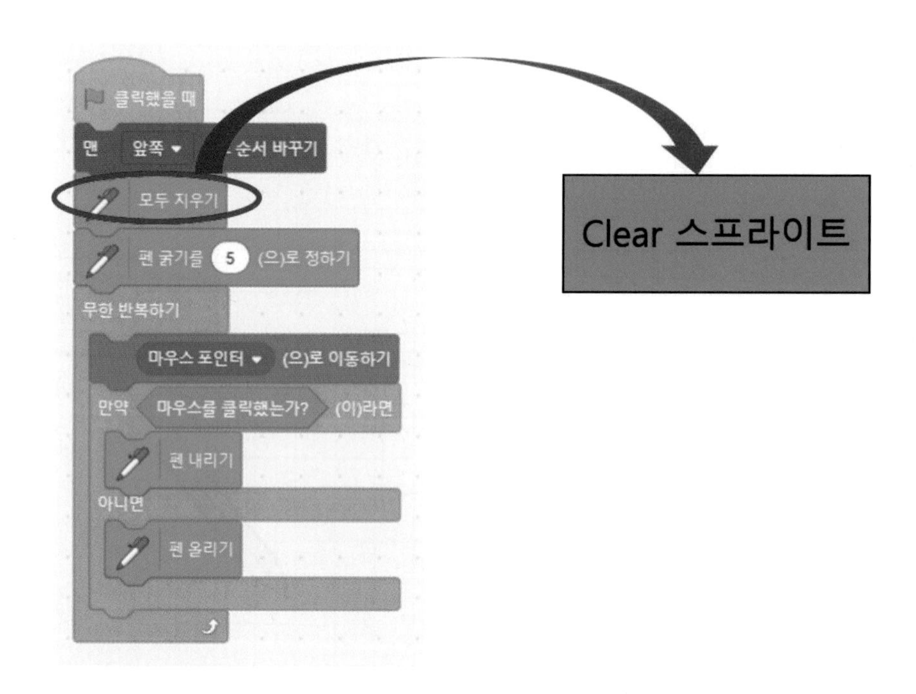

스프라이트	설명
Button2	Clear 버튼에 사용할 새 스프라이트 'Button2'를 추가합니다.
Clear	버튼의 이름을 입력합니다. 입력하는 방법은 모양 탭에서 T 를 클릭한 후 버튼에 클릭하면 입력할 수 있습니다.

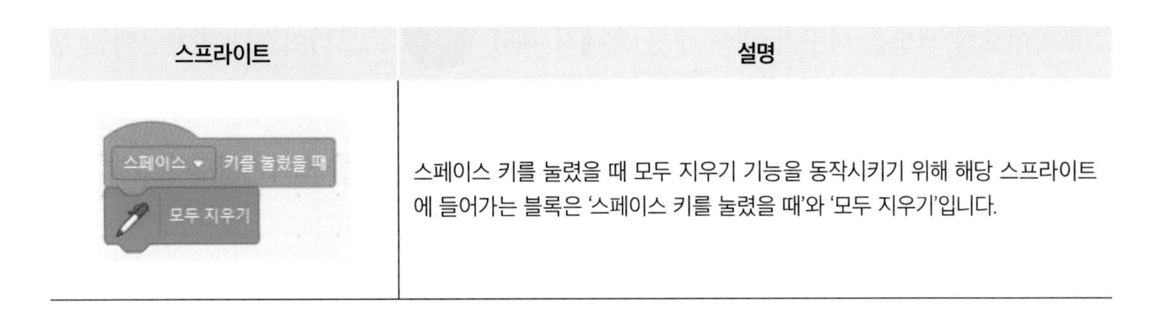

스프라이트	설명
스페이스 키를 눌렀을 때 모두 지우기	스페이스 키를 눌렸을 때 모두 지우기 기능을 동작시키기 위해 해당 스프라이트에 들어가는 블록은 '스페이스 키를 눌렸을 때'와 '모두 지우기'입니다.

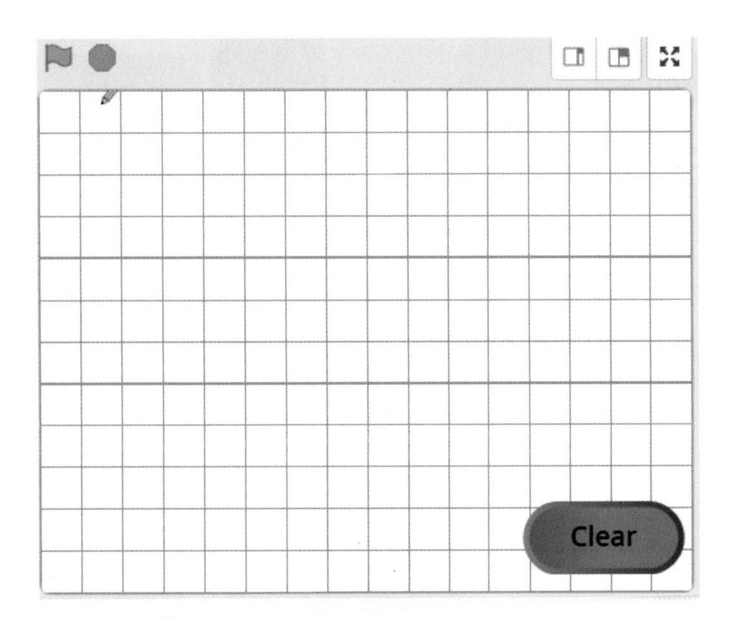

표에서와 같이 다 적용되었으면 해당 Clear 스프라이트는 오른쪽 아래에 배치하고 스크립트를 실행하여 해당 스프라이트가 잘 동작하는지 스페이스 키를 눌려서 확인해 봅니다.

해당 기능이 잘 작동했다면 다음 기능을 추가해보도록 하겠습니다. 이번에 추가할 기능은 펜의 다양한 색을 추가하여 여러 가지 색상으로 낙서를 할 수 있도록 기능을 추가해보겠습니다. 색을 추가하는 스프라이트도 역시 이전과 비슷한 방법을 사용합니다. 4가지 정도 색을 추가하여 낙서장에 적용 해보도록 하겠습니다.

4가지 색상을 위해 Clear 스프라이트를 추가할 때와 같이  스프라이트 4개를 추가합니다. 추가한 스프라이트 색상은 검은색, 빨간색, 파란색, 노란색으로 설정해 보도록 하겠습니다. 그림과 같이 화면 하단에 우선 스프라이트를 배치합니다.

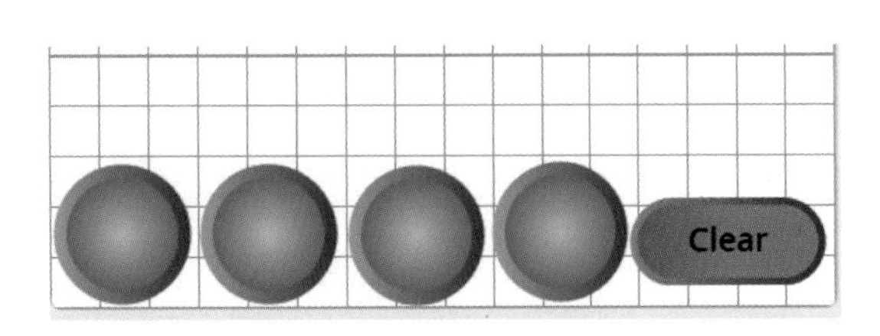

스프라이트의 색상을 바꾸기 위해 모양 탭에서 해당 스프라이트를 전체선택한 후 채우기 색 을 이용하여 각각의 스프라이트의 색상을 적용하여 줍니다. 아래 그림과 같이 원하는 색상이 스프라이트에 잘 나타났다면 각각의 색상을 적용한 스프라이트에 실제 색상이 적용될 수 있도록 코딩을 진행해보도록 하겠습니다.

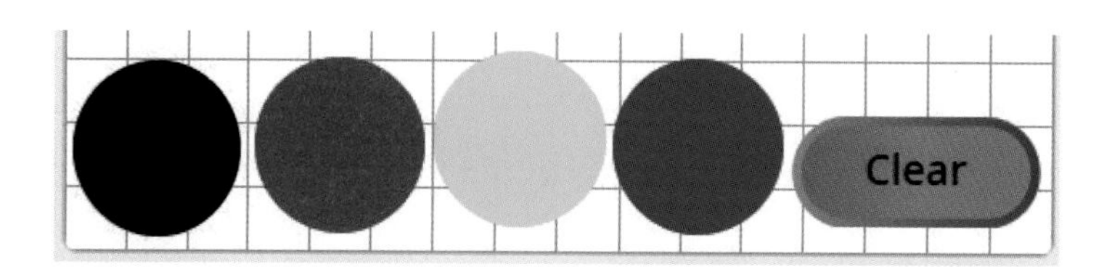

각각의 스프라이트마다 블록 및 코딩은 아래 표를 참고하여 진행해봅시다.

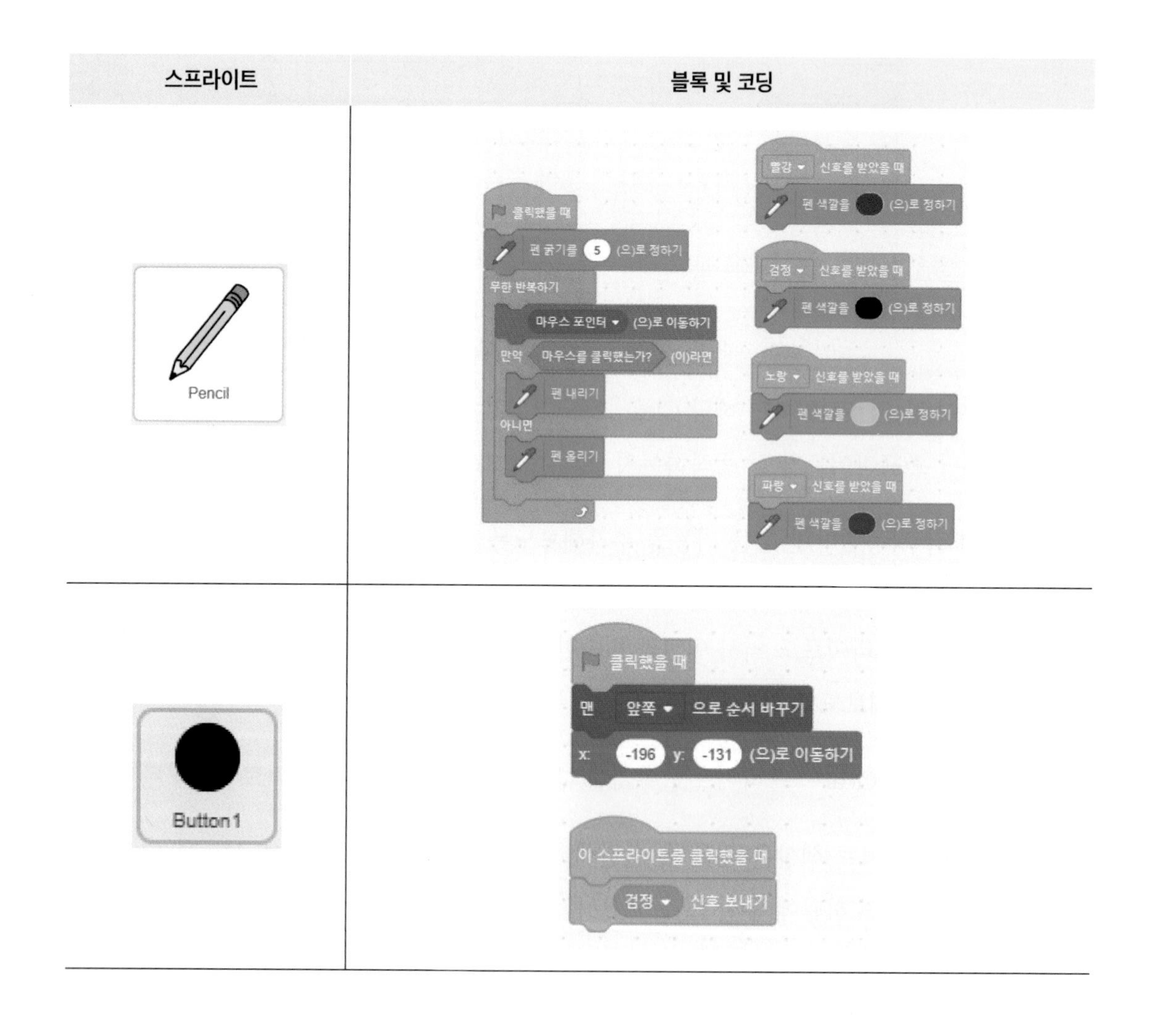

스프라이트	블록 및 코딩
Pencil	클릭했을 때 / 펜 굵기를 5 (으)로 정하기 / 무한 반복하기 / 마우스 포인터 (으)로 이동하기 / 만약 마우스를 클릭했는가? (이)라면 / 펜 내리기 / 아니면 / 펜 올리기 빨강 신호를 받았을 때 / 펜 색깔을 (으)로 정하기 검정 신호를 받았을 때 / 펜 색깔을 (으)로 정하기 노랑 신호를 받았을 때 / 펜 색깔을 (으)로 정하기 파랑 신호를 받았을 때 / 펜 색깔을 (으)로 정하기
Button1	클릭했을 때 / 맨 앞쪽 으로 순서 바꾸기 / x: -196 y: -131 (으)로 이동하기 이 스프라이트를 클릭했을 때 / 검정 신호 보내기

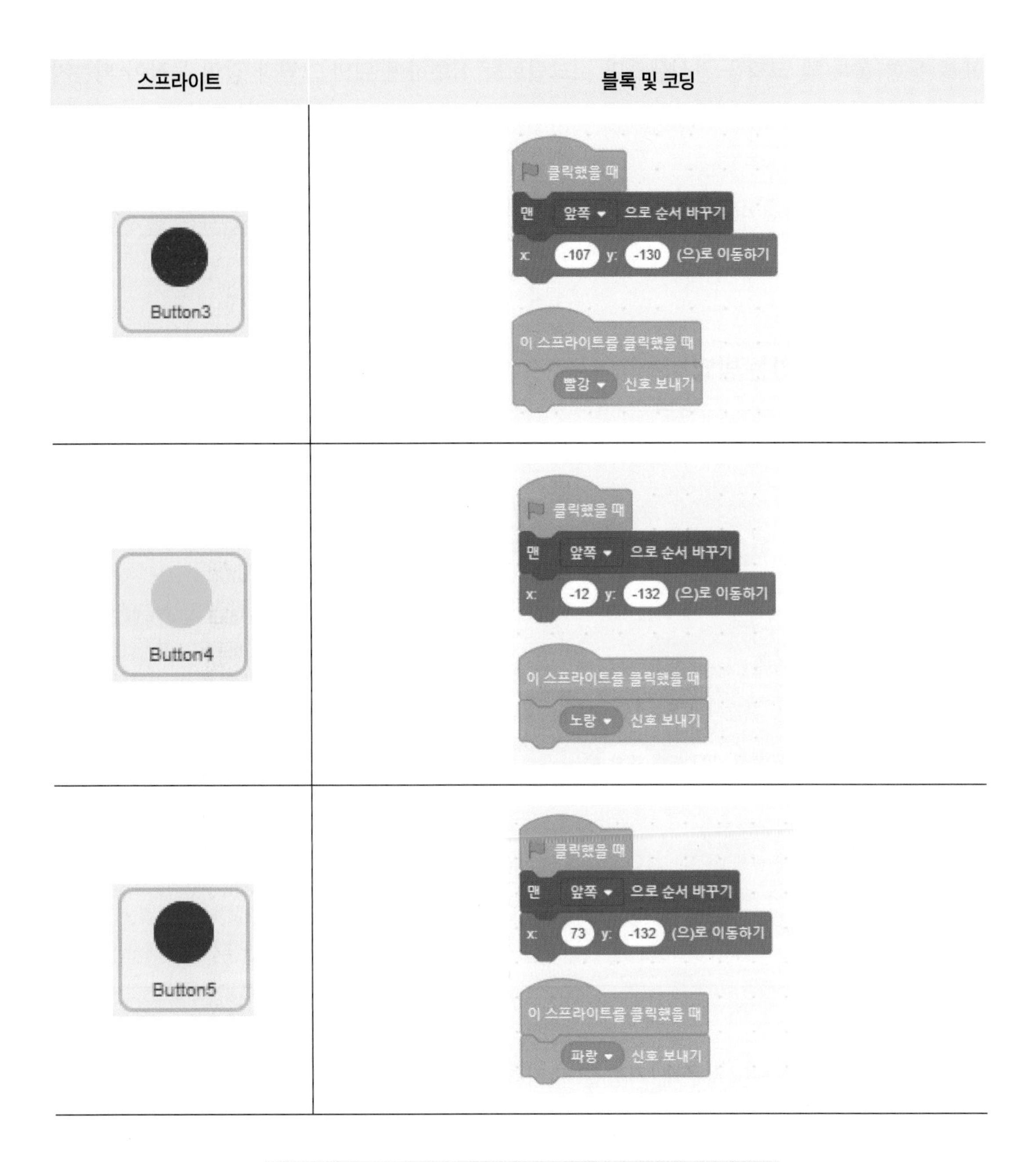

스프라이트	블록 및 코딩
Button3	클릭했을 때 맨 앞쪽 ▾ 으로 순서 바꾸기 x: -107 y: -130 (으)로 이동하기 이 스프라이트를 클릭했을 때 빨강 ▾ 신호 보내기
Button4	클릭했을 때 맨 앞쪽 ▾ 으로 순서 바꾸기 x: -12 y: -132 (으)로 이동하기 이 스프라이트를 클릭했을 때 노랑 ▾ 신호 보내기
Button5	클릭했을 때 맨 앞쪽 ▾ 으로 순서 바꾸기 x: 73 y: -132 (으)로 이동하기 이 스프라이트를 클릭했을 때 파랑 ▾ 신호 보내기

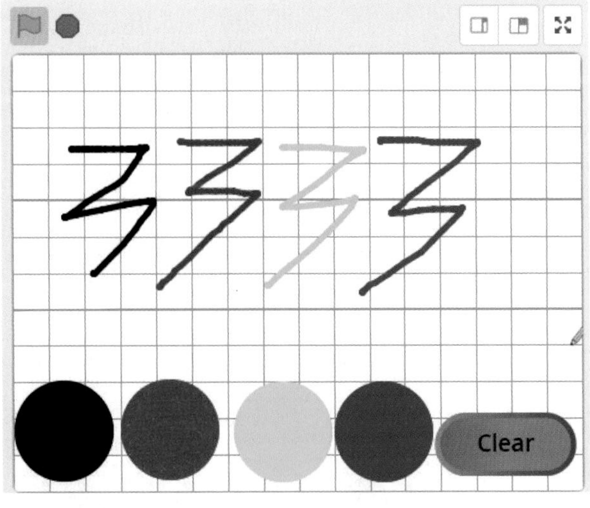

표를 통한 블록 및 코딩을 완성했으면 스크립트를 실행하여 위의 그림과 같이 동작이 되는지 확인해 봅니다.

※ 펜의 입력이 지연되거나 선을 그을 때 자주 끊어진다면 펜의 크기를 조금 작게 설정하여 다시 그려보세요.

색상을 더 추가하는 방법

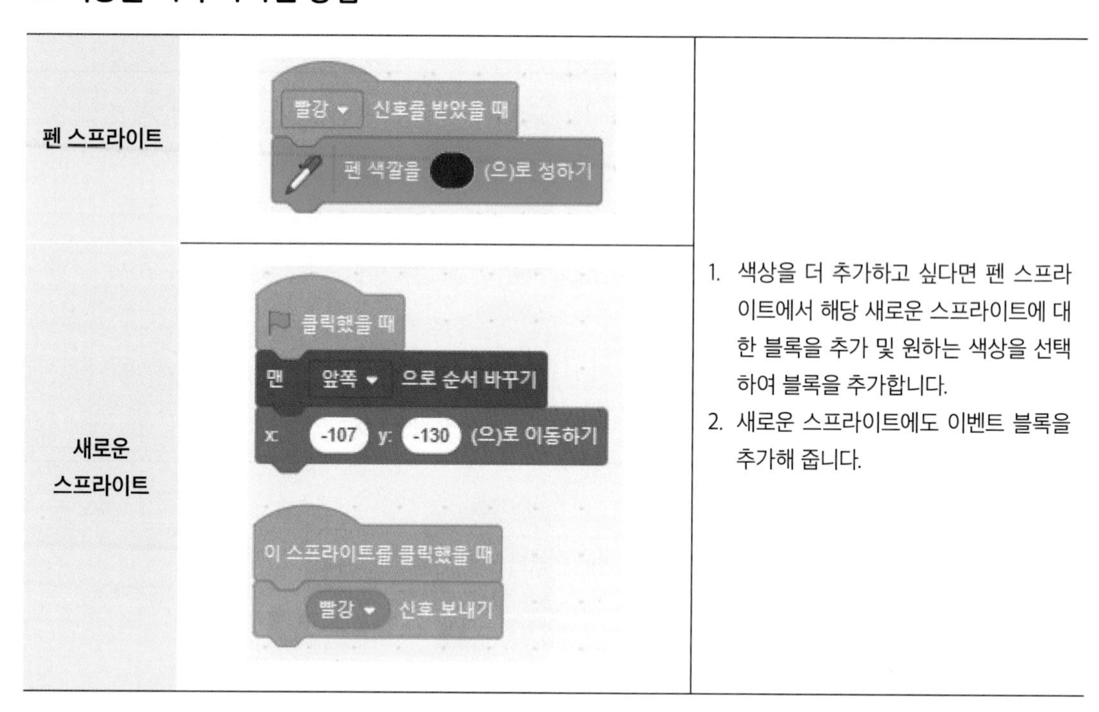

펜 스프라이트	빨강 ▾ 신호를 받았을 때 펜 색깔을 ● (으)로 정하기	1. 색상을 더 추가하고 싶다면 펜 스프라이트에서 해당 새로운 스프라이트에 대한 블록을 추가 및 원하는 색상을 선택하여 블록을 추가합니다. 2. 새로운 스프라이트에도 이벤트 블록을 추가해 줍니다.
새로운 스프라이트	클릭했을 때 맨 앞쪽 ▾ 으로 순서 바꾸기 x: -107 y: -130 (으)로 이동하기 이 스프라이트를 클릭했을 때 빨강 ▾ 신호 보내기	

다음으로 추가할 기능은 지우개 기능을 추가해보겠습니다. 지우개에 사용할 스프라이트는 ✖ 이며 해당 스프라이트를 찾아서 추가합니다.

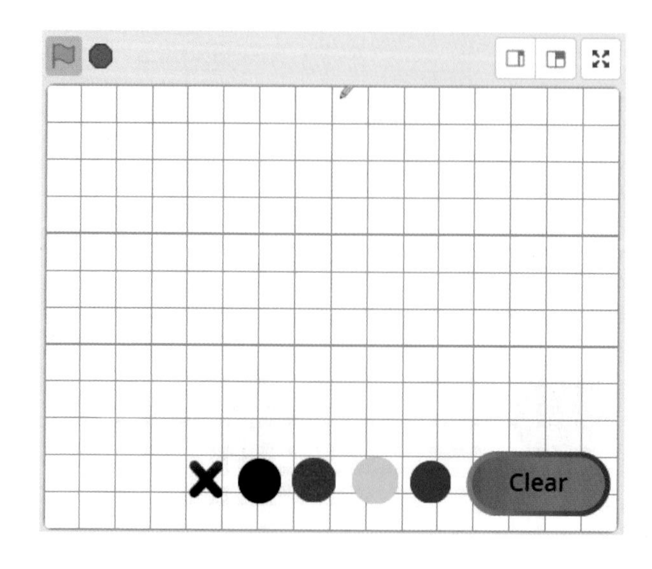

지우개 기능을 사용하기 위한 블록과 코딩은 아래 표를 참고하여 코딩합니다.

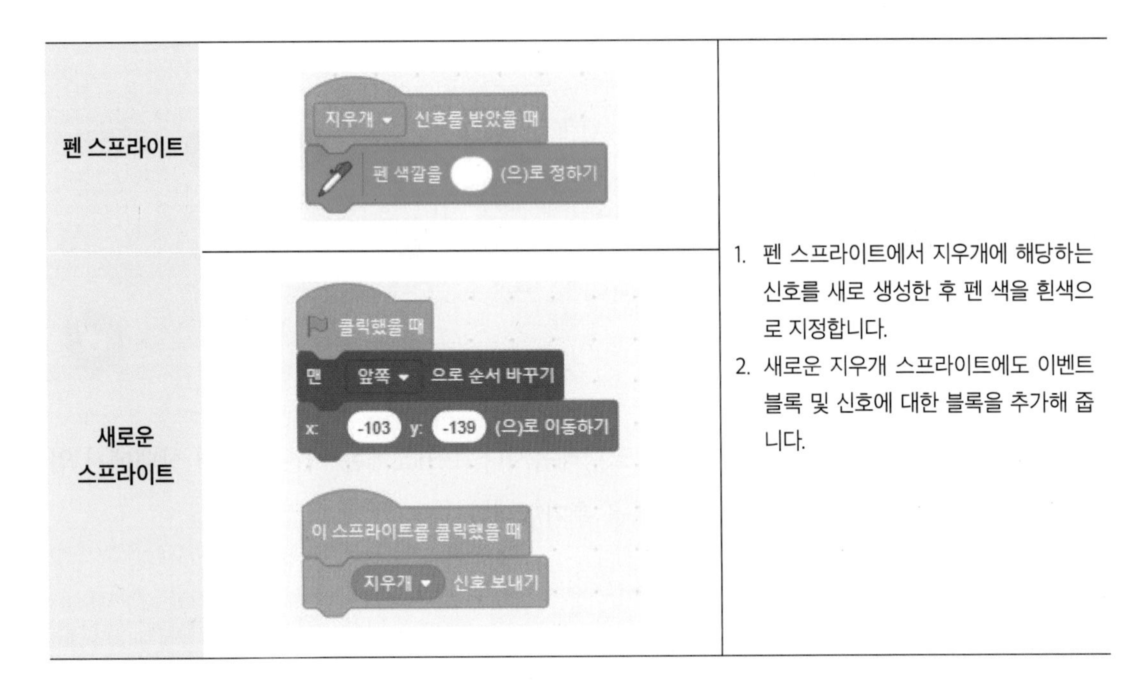

펜 스프라이트	지우개 ▾ 신호를 받았을 때 펜 색깔을 ( )(으)로 정하기	1. 펜 스프라이트에서 지우개에 해당하는 신호를 새로 생성한 후 펜 색을 흰색으로 지정합니다. 2. 새로운 지우개 스프라이트에도 이벤트 블록 및 신호에 대한 블록을 추가해 줍니다.
새로운 스프라이트	클릭했을 때 맨 앞쪽 ▾ 으로 순서 바꾸기 x: -103 y: -139 (으)로 이동하기 이 스프라이트를 클릭했을 때 지우개 ▾ 신호 보내기	

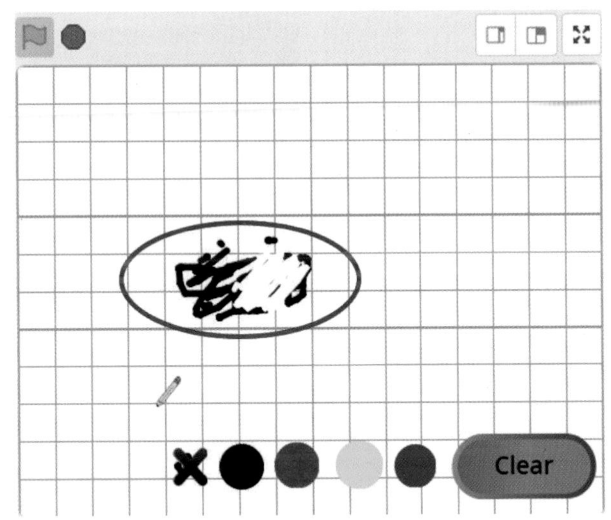

지우개 기능이 정상적으로 작동되는지 확인하기 위해서 스크립트를 실행하여 아무 색의 펜을 이용하여 낙서를 한 뒤 지우개 블록을 선택하고 낙서한 부분을 지워봅니다. 지우개 기능이 정상적으로 잘 작동되나요? 그런데 아쉬운 부분이 있습니다. 지우개의 지우는 범위가 작아서 세밀하게 지우기 위해서는 현재 설정이 좋을 수도 있지만 한 번에 많은 범위를 지우기 위해서는 번거로울 수 있습니다. 이러한 문제를 해결하기 위해 지우개의 범위를 설정하는 옵션을 추가해 보도록 하겠습니다.

펜 굵기에 사용할 'Arrow1' 스프라이트를 2개 추가합니다. 그리고 해당 스프라이트의 화살표 방향을 과 으로 모양을 바꾸고, 아래와 같이 배치하도록 합니다.

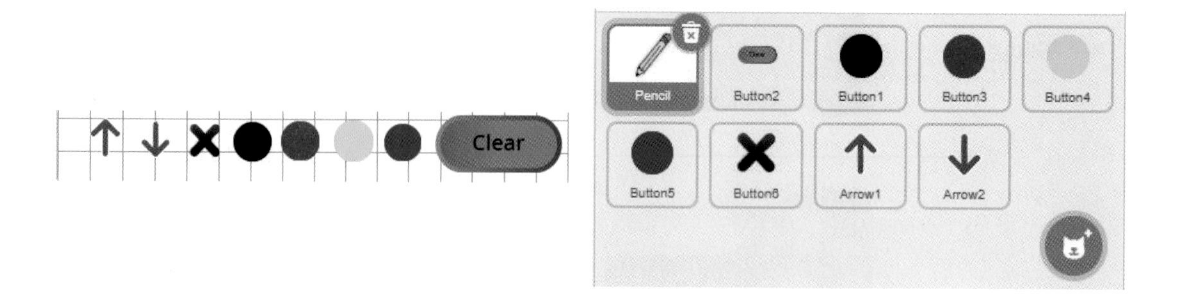

아래 표를 참고하여 각각의 스프라이트에 코딩해봅시다. Pencil에는 기존 코딩된 상태에서 업과 다운에 대한 신호를 추가하고 굵기 블록을 추가합니다.

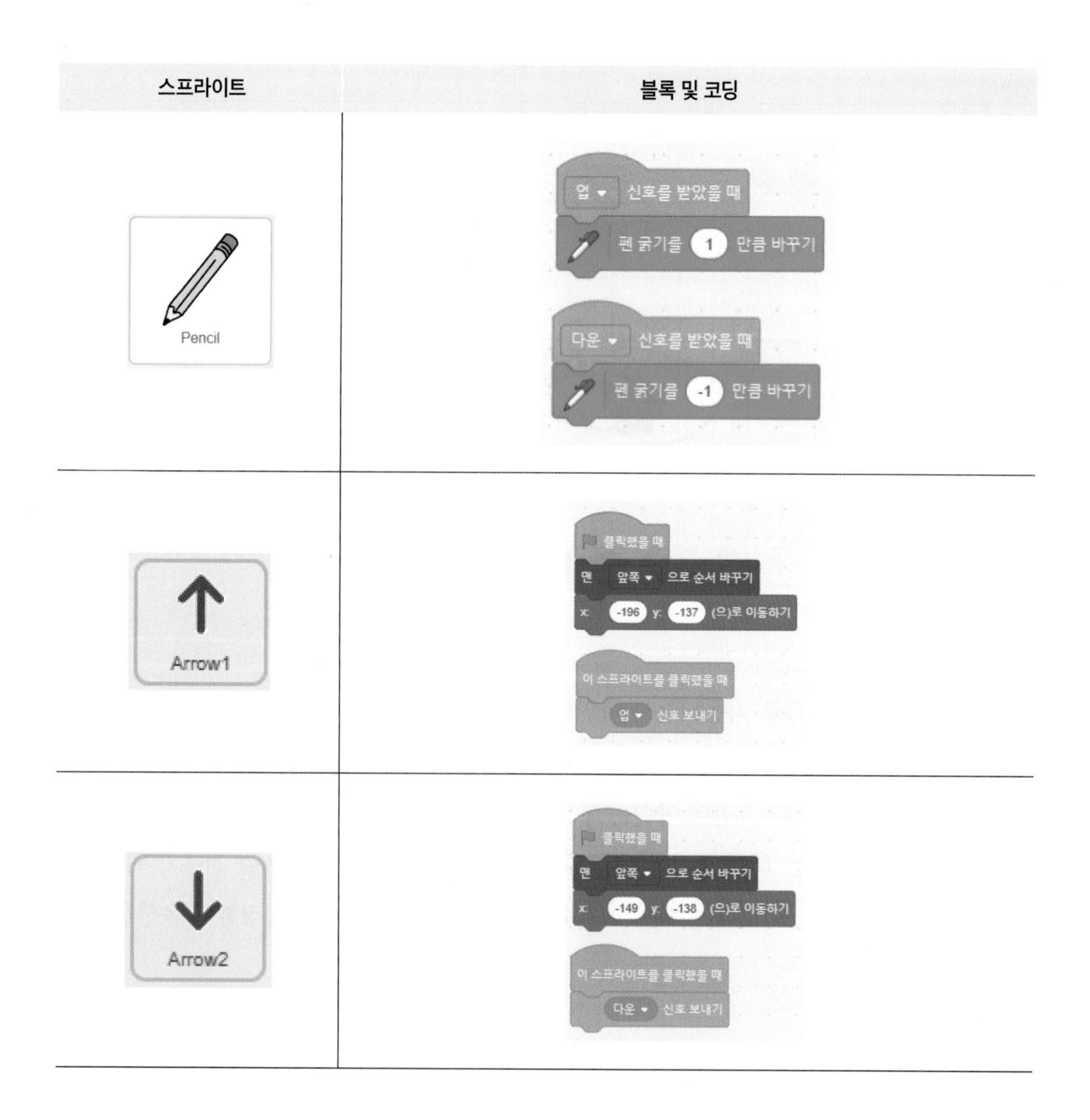

스프라이트	블록 및 코딩
Pencil	업 신호를 받았을 때 펜 굵기를 1 만큼 바꾸기 다운 신호를 받았을 때 펜 굵기를 -1 만큼 바꾸기
Arrow1	클릭했을 때 맨 앞쪽 으로 순서 바꾸기 x: -196 y: -137 (으)로 이동하기 이 스프라이트를 클릭했을 때 업 신호 보내기
Arrow2	클릭했을 때 맨 앞쪽 으로 순서 바꾸기 x: -149 y: -138 (으)로 이동하기 이 스프라이트를 클릭했을 때 다운 신호 보내기

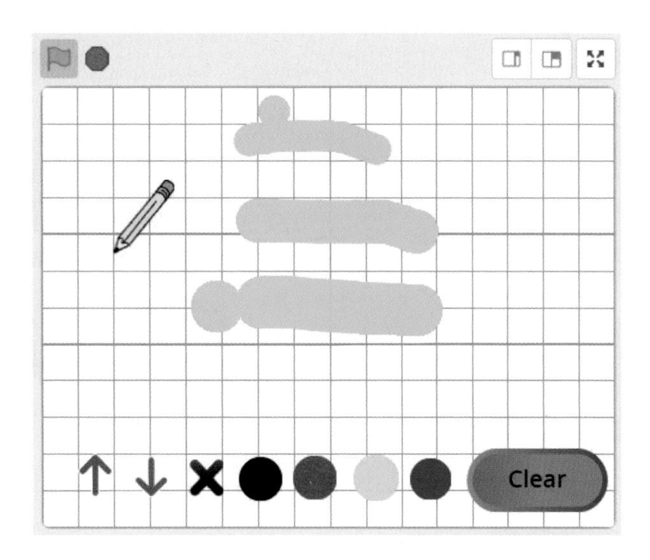

완성된 스크립트를 실행하여 그림에서와 같은 결과가 나타나는지 펜의 굵기를 조절해서 다양한 선을 그어봅시다.

결과가 그림과 같이 성공적으로 잘 동작한다면 선 굵기를 표시하기 위해 현재 굵기를 나타내주는 창을 추가 해보도록 하겠습니다. 현재 펜 굵기를 표시하기 위해 굵기 라는 변수를 만들고 체크를 합니다.

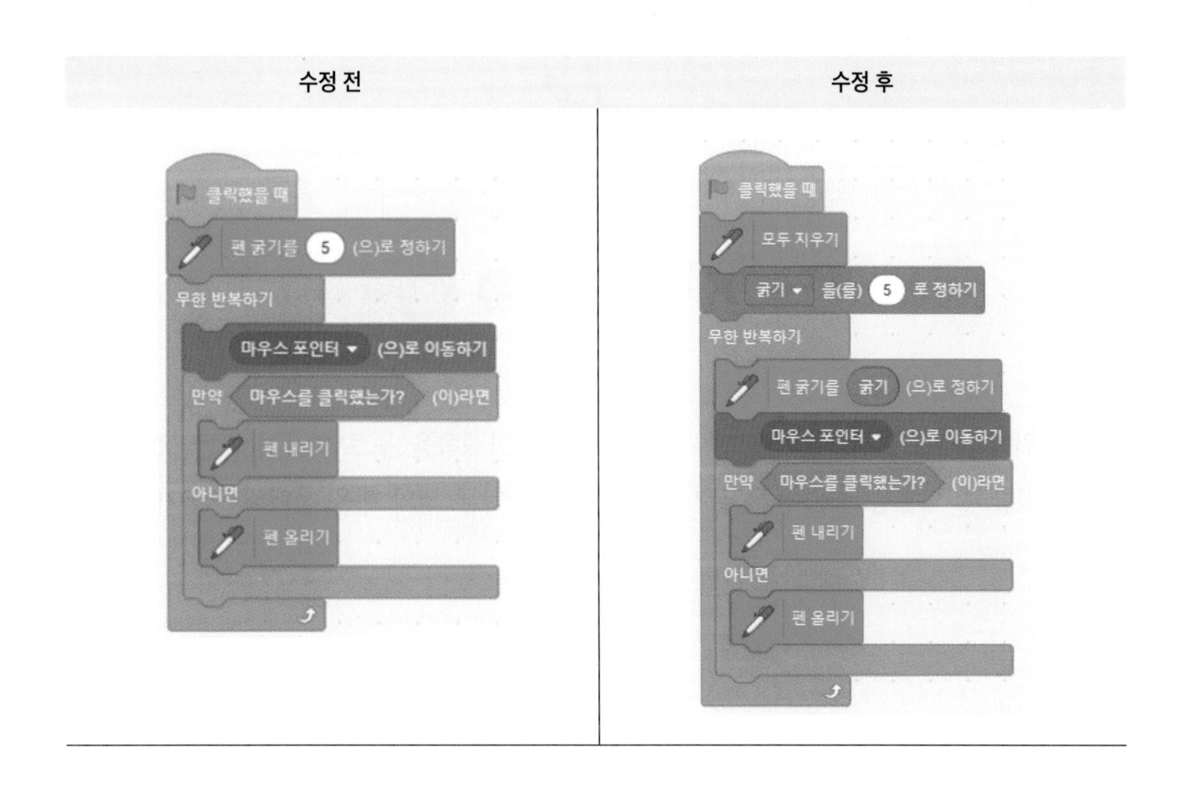

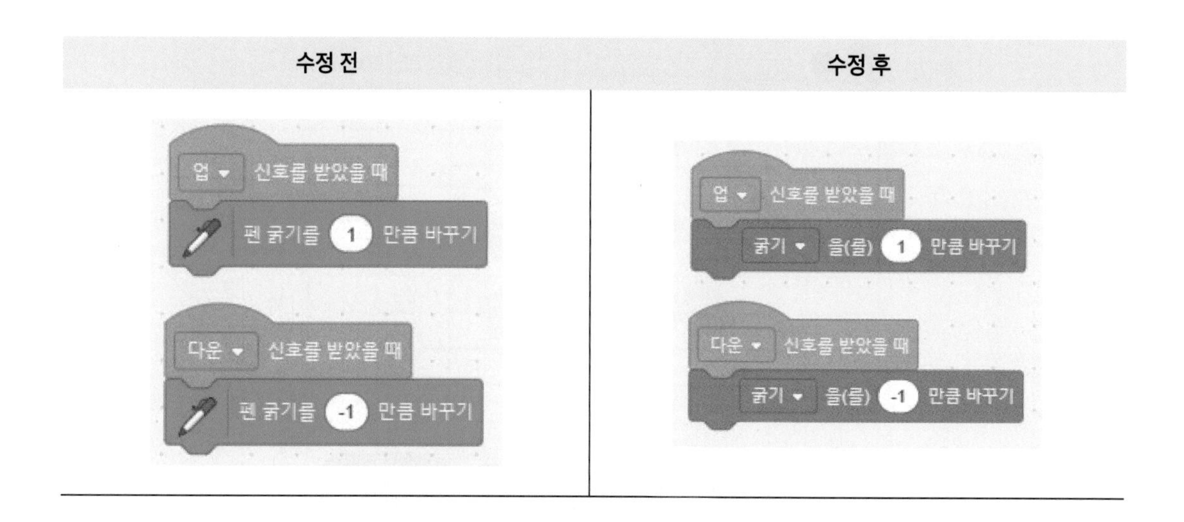

표와 같이 코딩을 수정한 후 스크립트를 실행해서 펜 굵기를 조정해 봅시다. 펜 굵기 스프라이트를 누를 때 굵기의 숫자가 1씩 올라가거나 내려가는지 확인해 봅니다.

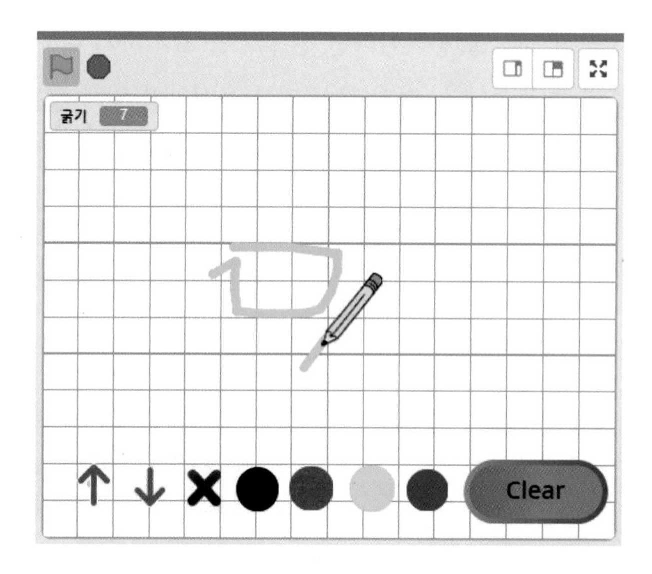

화살표 위쪽을 누르면 굵기가 1씩 증가하고, 화살표 아래쪽을 누르면 굵기가 1씩 감소하는 것을 확인할 수 있었습니다. 물론 굵기 스프라이트는 다른 색의 펜을 선택해도 굵기는 유지됩니다.

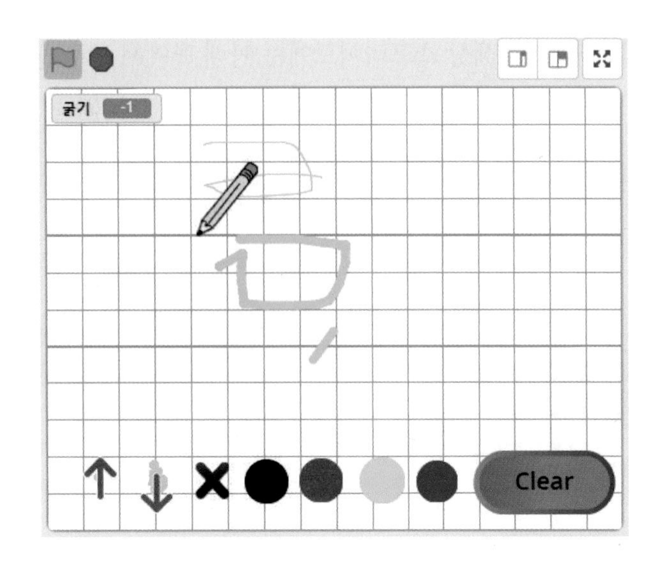

굵기를 올리는 것은 사실상 문제가 크게 되지 않지만, 위의 그림에서처럼 굵기를 낮추게 되면 -1과 같이 표시는 되지만 사실상 -1에 해당하는 굵기가 아님을 확인할 수 있습니다. 이러한 부분을 변수를 이용하여 설정해 보도록 하겠습니다. 아래 표에서 나타낸 것처럼 다운 신호에 대한 코딩을 변경해주도록 하겠습니다. 해당 코딩에 대한 설명은 다운 버튼을 눌렸을 때 1보다 클 때만 동작이 되도록 한 것입니다.

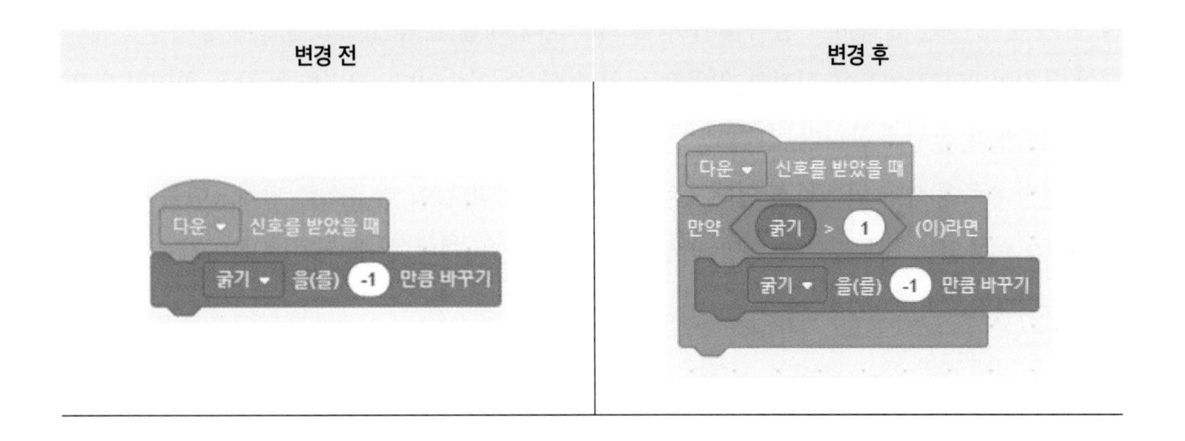

변경 전	변경 후
다운 ▾ 신호를 받았을 때 굵기 ▾ 을(를) -1 만큼 바꾸기	다운 ▾ 신호를 받았을 때 만약 굵기 > 1 (이)라면 굵기 ▾ 을(를) -1 만큼 바꾸기

다음은 스크립트 실행 후 펜의 굵기나 펜의 색을 선택할 때 스프라이트가 움직여서 배열이 흐트러지는 경우가 발생 되고 있습니다. 이러한 문제를 해결해 보겠습니다.

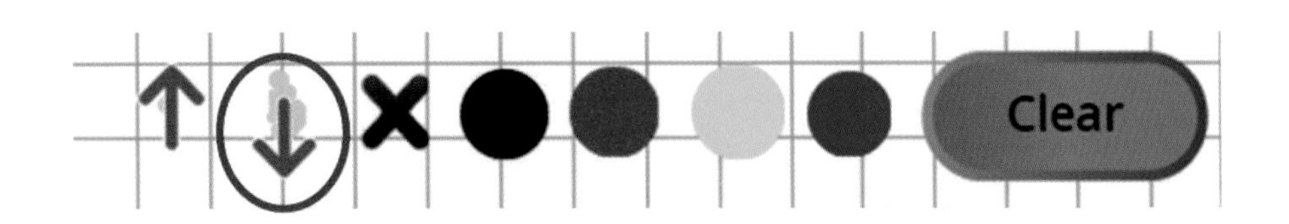

Clear 스프라이트를 제외한 굵기, 색상 스프라이트에는 아래 표에서 변경된 코딩을 적용합니다.

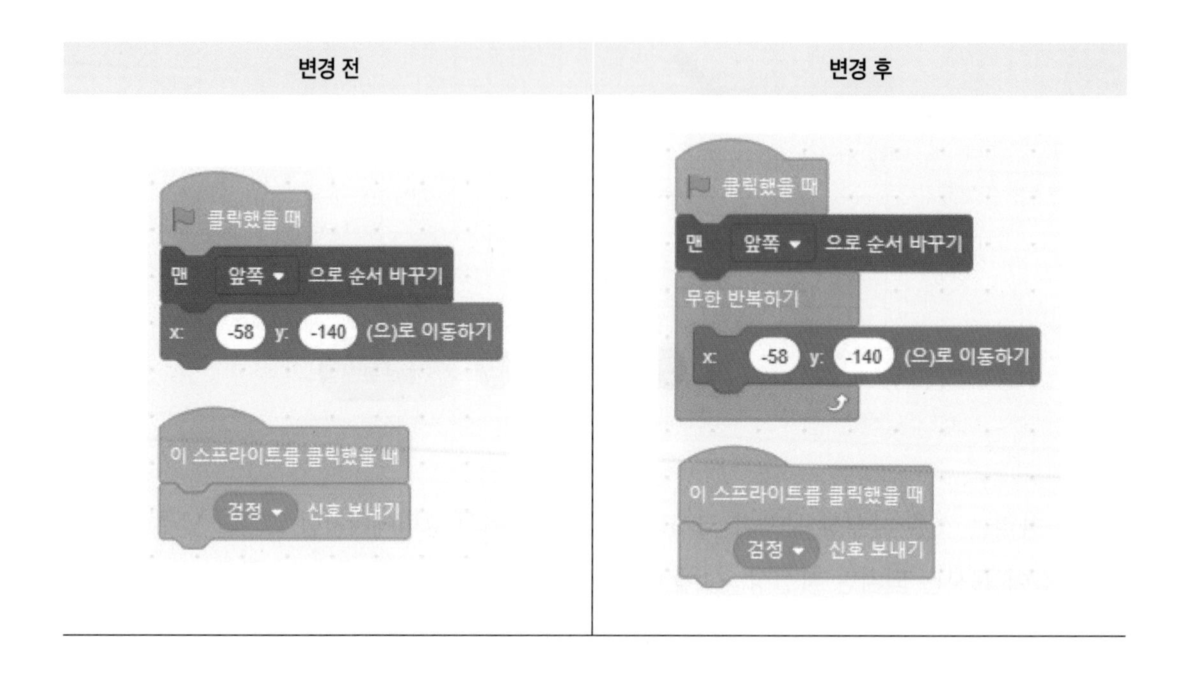

변경 전	변경 후
클릭했을 때 맨 앞쪽 으로 순서 바꾸기 x: -58 y: -140 (으)로 이동하기 이 스프라이트를 클릭했을 때 검정 신호 보내기	클릭했을 때 맨 앞쪽 으로 순서 바꾸기 무한 반복하기 x: -58 y: -140 (으)로 이동하기 이 스프라이트를 클릭했을 때 검정 신호 보내기

변경 전 코드의 경우 최초 스크립트가 실행될 때만 해당 스프라이트들이 정해진 좌표로 이동하게 되고 사용자가 해당 스프라이트를 드래그하게 된다면 그 위치는 이동되게 됩니다. 따라서 이 부분에 무한 반복하기 블록을 추가함으로 인해 해당 블록이 스크립트 실행에서 드래그되어 움직이더라도 처음에 설정한 위치로 원위치 할 수 있습니다. 코딩한 동작을 확인하기 위해 스크립트를 실행해 봅니다. 그리고 마우스로 해당 스프라이트를 드래그 했을 때 실제 이 부분이 설명대로 동작이 되는지 확인해 봅니다. 아래 그림과 같이 마우스로 드래그했을 때 스프라이트가 이동되는 것처럼 보이지만 막상 마우스 버튼을 떼면 원래 위치로 돌아감을 확인할 수 있습니다.

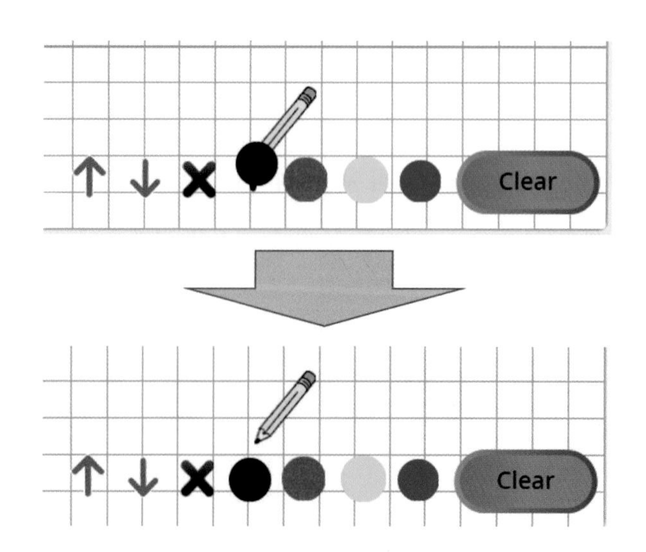

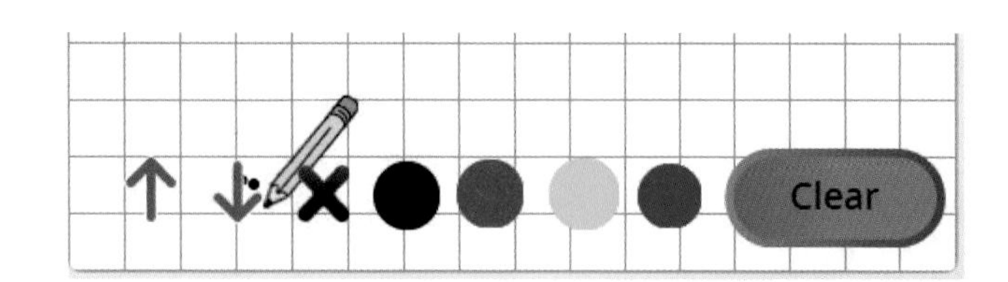

낙서장이 거의 완성되었습니다. 굵기도 사용자 마음대로 설정했고, 여러 가지 색상의 펜도 사용할 수 있도록 했습니다. 그런데 각 기능을 추가 및 보강할 때마다 스프라이트 선택할 때 마우스 포인트 맞추기가 상당히 불편한 점이라 생각합니다. 위의 그림에서 확인할 수 있듯이 예를 들어 펜의 굵기를 작게 하려고 해당 스프라이트를 클릭하려 한다면 해당 포인트에 그림이 그려지거나 혹은 기능이 잘 선택되지 않는 현상을 경험했을 것이라고 예상됩니다. 이와 같은 문제를 해결하기 위해 가장 좋은 방법은 Pencil 스프라이트를 어느 정도 안의 범위에서만 따라오게 하고 기능들이 있는 스프라이트와의 경계선을 만드는 것입니다.

낙서장에서 마지막으로 적용해 볼 옵션은 마우스를 따라다니는 스프라이트 Pencil이 일정 범위 이상 따라오지 못하도록 설정해 보겠습니다.

먼저 설정 범위까지만 스프라이트를 움직이게 하기 위해서는 해당 스프라이트의 좌표 x축 혹은 y축의 값을 알아야 합니다. 낙서장에서는 Pencil의 범위를 설정할 것이기 때문에 Pencil의 상세정보를 확인해 보도록 하겠습니다. 아래 그림에서와같이 Pencil이 x축 또는 y축의 좌표를 확인합니다. 현재 Pencil의 위치를 보면 x축이 31 y축이 −86에 있음이 확인됩니다. 해당 라인에서 스프라이트 라인에 넘어오지 못하도록 y축을 약 −90 정도로 설정하여 코딩을 진행해보도록 하겠습니다.

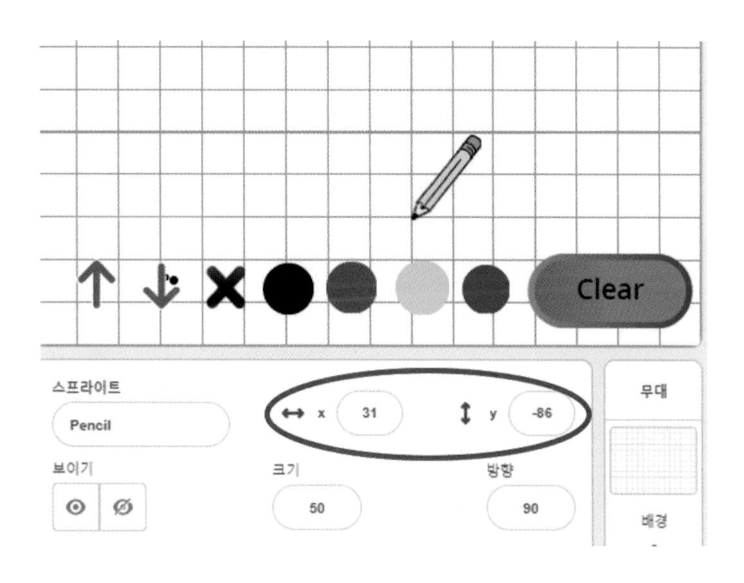

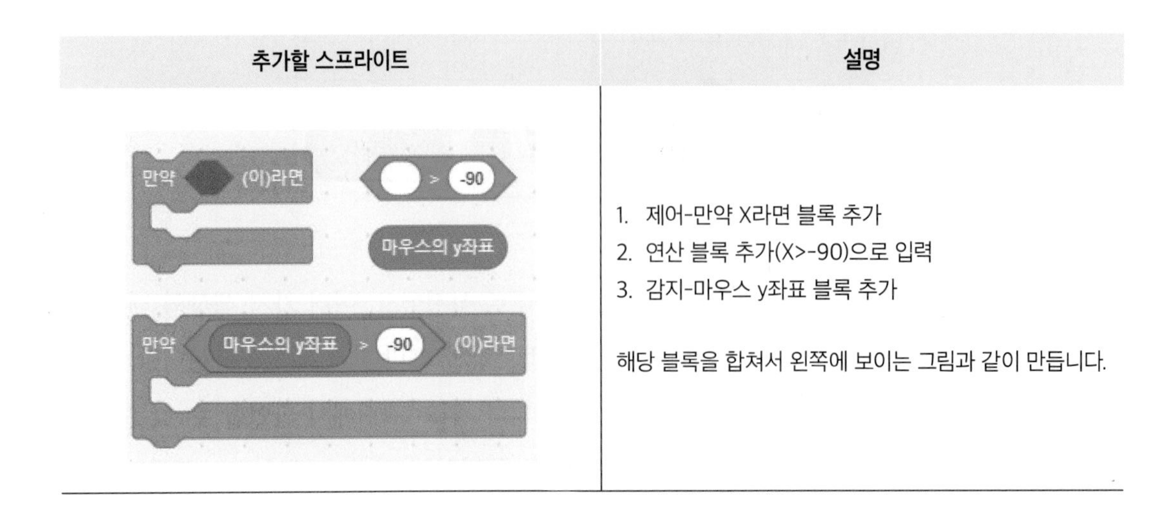

추가할 스프라이트	설명
만약 (이)라면 > -90 마우스의 y좌표 만약 마우스의 y좌표 > -90 (이)라면	1. 제어-만약 X라면 블록 추가 2. 연산 블록 추가(X>-90)으로 입력 3. 감지-마우스 y좌표 블록 추가 해당 블록을 합쳐서 왼쪽에 보이는 그림과 같이 만듭니다.

위의 표에서 만든 블록을 이전 Pencil 코딩에서 4번째 순서에 해당하는 곳에 삽입하여 아래 그림과 같이 만들어 줍니다. 이제 스크립트를 실행하여 Pencil 스프라이트가 y축 −90에서 어떻게 반응하는지 확인해 봅시다.

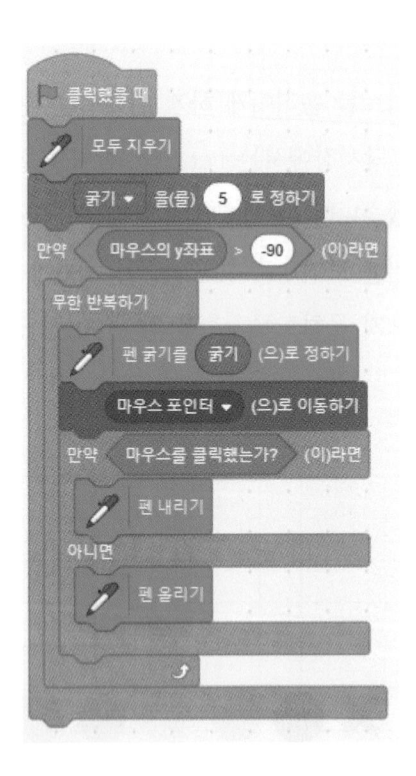

전체 코드

1 Pencil 스프라이트

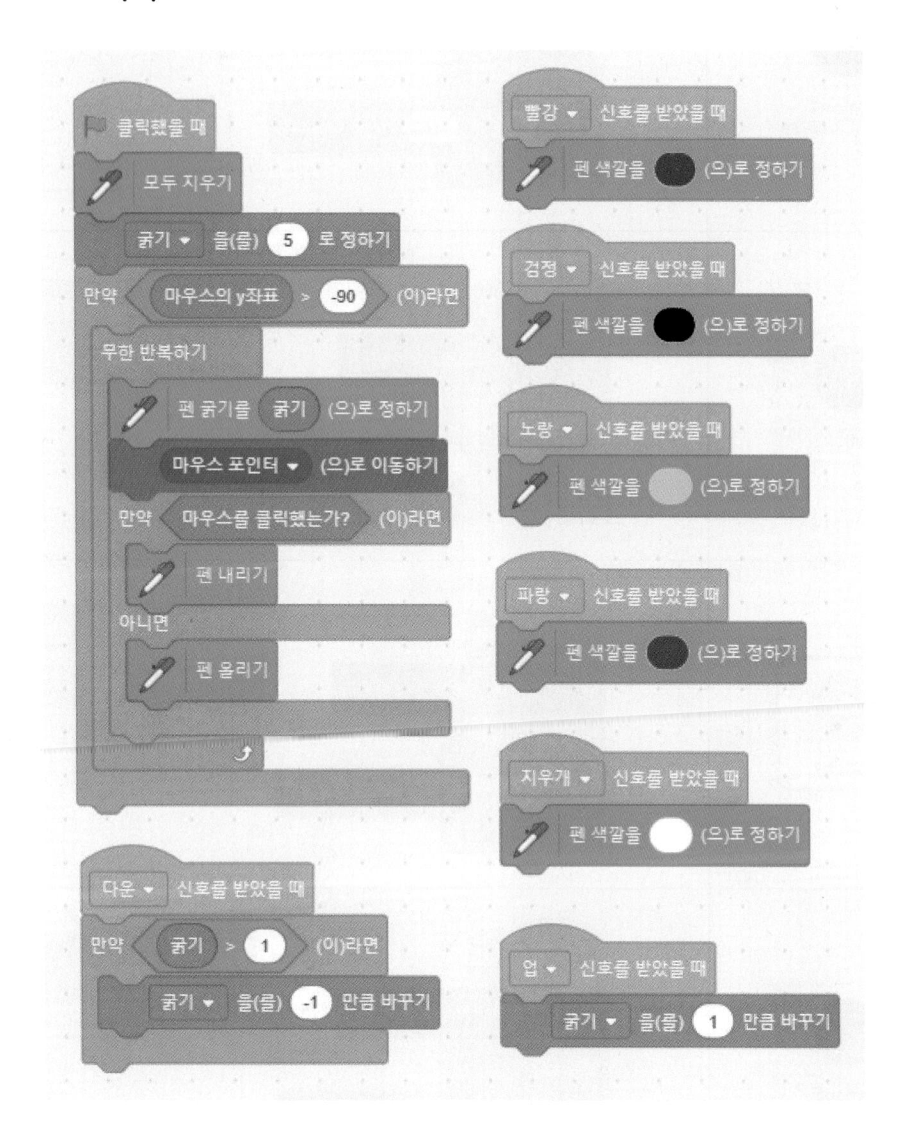

2 펜의 굵기, 색상, 지우기 스프라이트

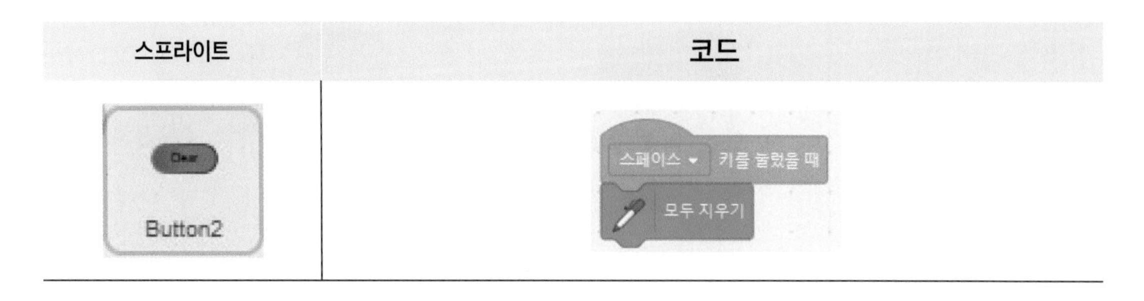

스프라이트	코드
Button2	스페이스 키를 눌렀을 때 모두 지우기

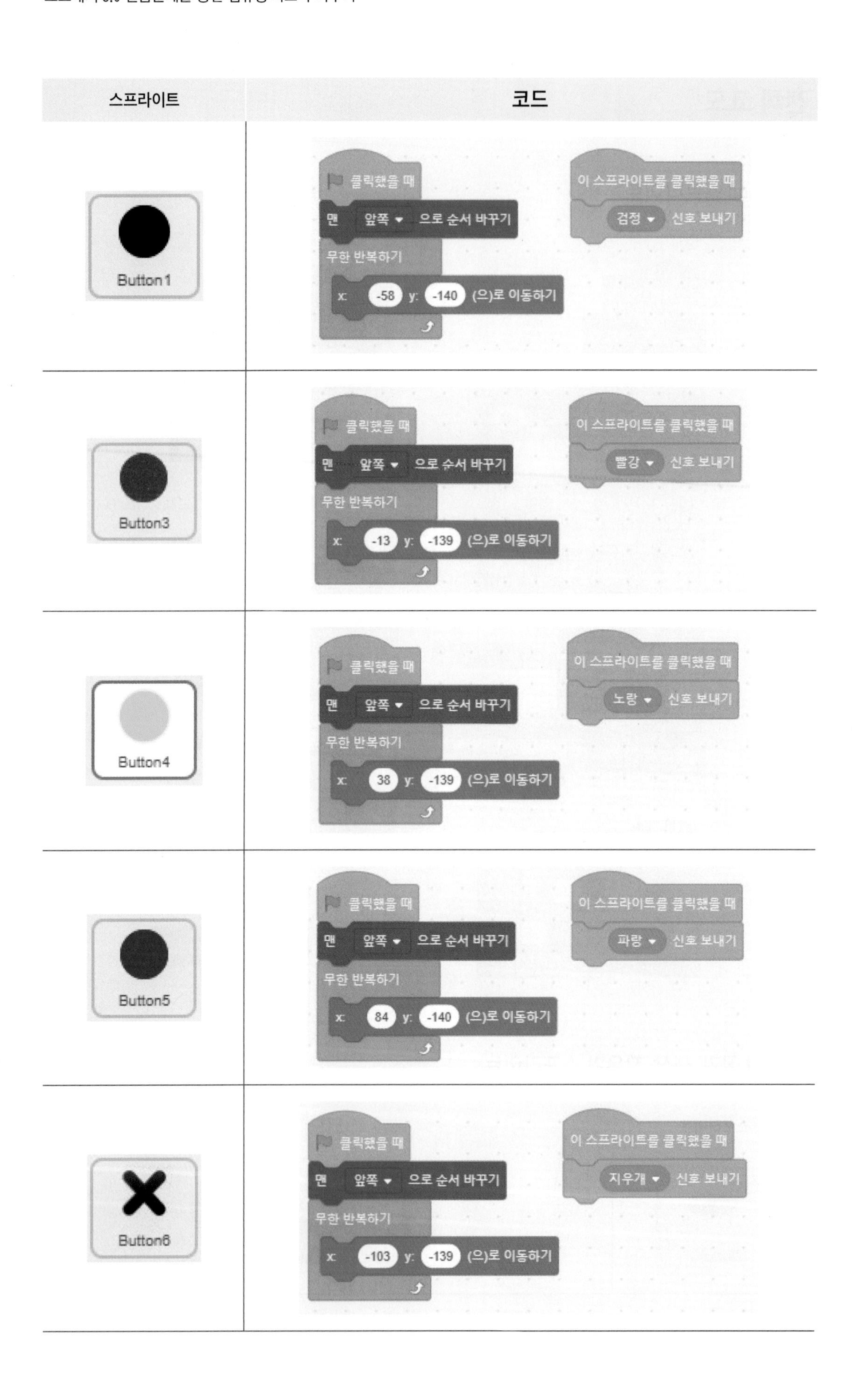
스프라이트
코드
Button1
클릭했을 때
맨 앞쪽 으로 순서 바꾸기
무한 반복하기
x: -58 y: -140 (으)로 이동하기
이 스프라이트를 클릭했을 때
검정 신호 보내기
Button3
클릭했을 때
맨 앞쪽 으로 순서 바꾸기
무한 반복하기
x: -13 y: -139 (으)로 이동하기
이 스프라이트를 클릭했을 때
빨강 신호 보내기
Button4
클릭했을 때
맨 앞쪽 으로 순서 바꾸기
무한 반복하기
x: 38 y: -139 (으)로 이동하기
이 스프라이트를 클릭했을 때
노랑 신호 보내기
Button5
클릭했을 때
맨 앞쪽 으로 순서 바꾸기
무한 반복하기
x: 84 y: -140 (으)로 이동하기
이 스프라이트를 클릭했을 때
파랑 신호 보내기
Button6
클릭했을 때
맨 앞쪽 으로 순서 바꾸기
무한 반복하기
x: -103 y: -139 (으)로 이동하기
이 스프라이트를 클릭했을 때
지우개 신호 보내기

7-5 묻고 기다리기 활용하기

묻고 기다리기 블록을 활용하여 재미있는 코딩을 해보도록 하겠습니다. 코딩에 들어가기에 앞서 묻고 기다리기 블록은 어떤 것인지 살펴보겠습니다.

묻고 기다리기 블록을 추가하기 위해서는 먼저 감지 부분을 클릭하면 나타나는 블록 중 너 이름이 뭐니? 라고 묻고 기다리기 을 말합니다. 그렇다면 이 블록은 어떻게 사용할까요? 간단한 예제제를 통해 이 블록에 대해 이해해보도록 하겠습니다. 먼저 아래 표에서와같이 고양이, 오리 스프라이트를 추가하고 해당 스프라이트에 블록을 추가하여 코딩을 완성해 봅시다.

스프라이트	블록
Duck	이 스프라이트를 클릭했을 때 대답 말하기

스프라이트 배치와 코딩을 완성했으면 스크립트를 실행해봅시다.

아래 보이는 그림은 스크립트를 실행하면 나타나는 첫 동작입니다. 고양이 스프라이트가 코딩에서 했던 것처럼 '너 이름이 뭐니?'라는 말을 오리에게 건넵니다. 여기서 아래쪽에 채팅창 같은 화면이 하나 나오는 것을 확인할 수 있습니다. 여기에 '오리'라고 입력을 한번 해볼까요? 어떤 결과가 나타날까요?

아래 그림처럼 '오리'라고 입력하면 어떤 결과를 확인할 수 있었나요? 아마 결과적으로 오리는 아무 반응이 없을 것입니다.

왜 아무 반응이 없었을까요? 이유는 간단합니다. 다시 오리 스프라이트의 블록을 확인해 보겠습니다.

스프라이트	블록
Duck	이 스프라이트를 클릭했을 때 대답 말하기

오리의 블록을 확인해 보면 이벤트 블록이 '이 스프라이트를 클릭했을 때' '대답'을 말하도록 코딩했기 때문이었습니다. 그렇다면 다시 한번 스프라이트를 실행한 후 '오리'를 입력하고 오리 스프라이트를 클릭해볼까요?

아래 그림과 같이 고양이의 대답을 오리가 말해주는 것을 확인할 수 있습니다. 대답을 '오리' 외에 다른 대답도 입력하여 오리가 입력한 대답을 말하는지도 확인해 봅시다.

이전 연습문제와는 다르게 이번에는 단답형 대답이 아닌 여러 가지를 물어보고 답하는 코딩을 해보도록 하겠습니다. 고양이가 오리에게 표에서처럼 '너 이름이 뭐니?', '너 음식 뭐 좋아하니?', '너 무슨 색 좋아하니?'를 오리에게 물어봅니다. 오리는 과연 어떤 대답을 하는지 확인해 봅니다.

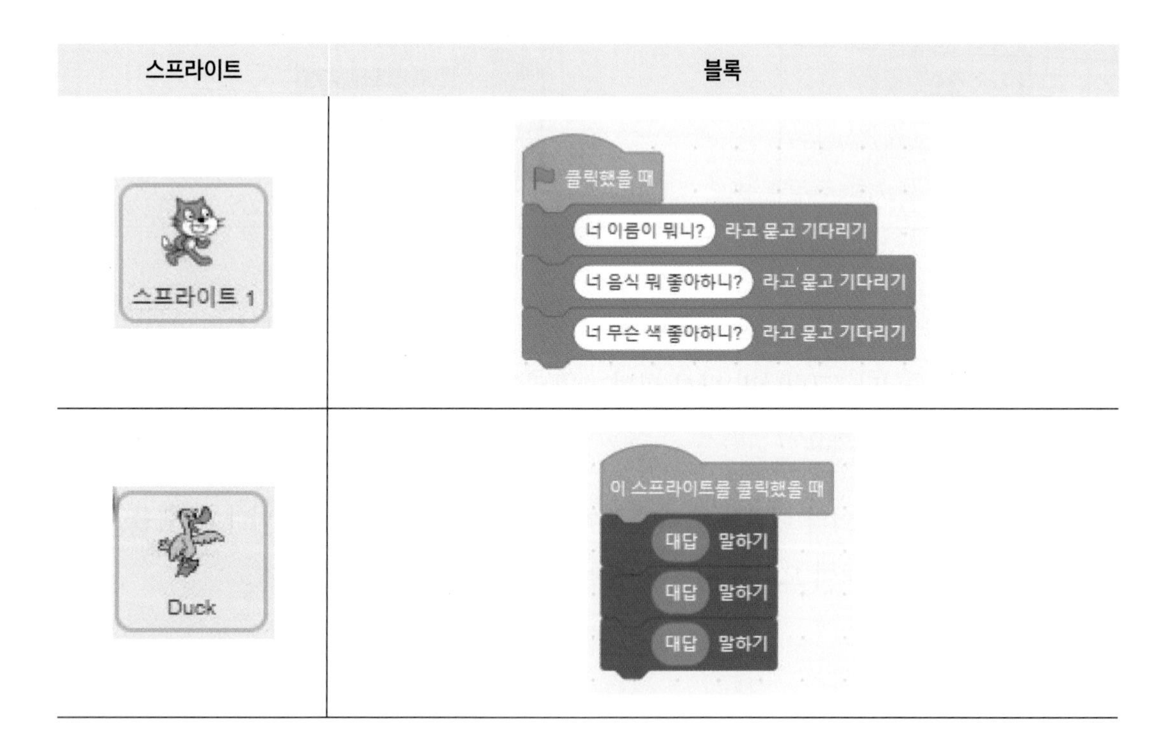

스프라이트	블록
스프라이트 1	클릭했을 때 너 이름이 뭐니? 라고 묻고 기다리기 너 음식 뭐 좋아하니? 라고 묻고 기다리기 너 무슨 색 좋아하니? 라고 묻고 기다리기
Duck	이 스프라이트를 클릭했을 때 대답 말하기 대답 말하기 대답 말하기

고양이가 오리에게 질문한 결과는 어떤 결과를 보여줄까요? 단계별 그림을 통해 확인해 보겠습니다. 처음 보이는 그림에서는 고양이가 '너 이름이 뭐니?'라는 질문에 오리는 '오리야~'라고 답변하게 입력하였습니다.

다음 고양이 질문 '너 음식 뭐 좋아하니?'에 대한 질문에 오리의 답변은 '피자'로 입력합니다.

마지막 고양이 질문 '너 무슨 색 좋아하니?'에 대한 오리의 답변은 '노란색!!'으로 입력합니다.

모든 고양이 질문에 대한 답변을 입력하였습니다. 과연 오리의 답변은 어떻게 나올까요? 확인을 위해 오리 스프라이트를 클릭해보도록 하겠습니다.

분명 고양이의 질문 3개를 입력했는데, 오리를 계속해서 클릭해도 제일 최근의 질문인 '노란색!!!'만 말하고 있습니다. 이러한 결과가 나온 이유가 무엇일까요? 과정을 다시 자세히 알아보도록 하겠습니다. 과정 확인을 위해 ☑ 대답 을 체크하여 대답 노란색!!! 을 활성화하도록 합니다. 그리고 다시 스크립트를 실행해서 아까와 같은 질문에 대한 답을 입력하여 다시 살펴보도록 하겠습니다. 스크립트를 실행하면 왼쪽 위에 대답이 현재 무엇이 저장되어있는지 확인할 수 있습니다.

고양이의 질문 '너 이름이 뭐니?'에 대한 오리의 답변인 '오리!'를 입력할 시 대답에 '오리!'가 입력됐음을 확인할 수 있습니다. 다음 질문인 '너 음식 뭐 좋아하니?'에 '피자'를 입력해 보도록 하겠습니다.

오리의 대답 '피자!'를 입력하니 이전에 입력되었던 '오리!'가 지워지고 '피자!'가 새로 저장되게 되었습니다.

다음 질문인 '너 무슨 색 좋아하니?'의 답에 '노란색!'을 입력하자 대답이 '피자!'에서 '노란색!'으로 또 바뀐 것을 확인할 수 있었습니다.

결론적으로 대답이라는 곳은 제일 최근에 대한 대답만 저장한다는 것을 질문 과정을 통해 알아봤습니다. 즉, 저장할 수 있는 공간이 하나만 존재하기 때문이었습니다. 그렇다면 해결할 수 있는 답이 생각났을 것입니다. 바로 변수를 더 추가하여 저장공간을 질문의 개수에 맞게 추가한다면 모든 것이 해결됩니다. 바로 변수를 추가하여 코딩을 다시 해보도록 하겠습니다.

새로 코딩하기 전에 먼저 변수를 추가하도록 하겠습니다. 변수는 아래 그림에서와같이 '이름', '음식', '색상' 3개를 새로 만들어 줍니다.

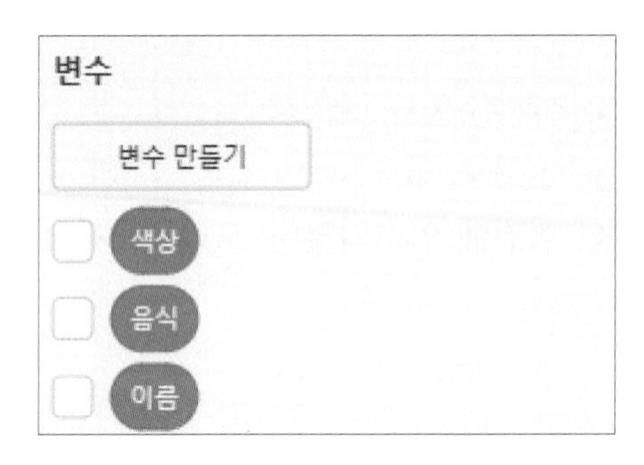

고양이 스프라이트에서 각 질문에 대해 변수에 저장하기 위해선 다음과 같이 블록을 추가하고

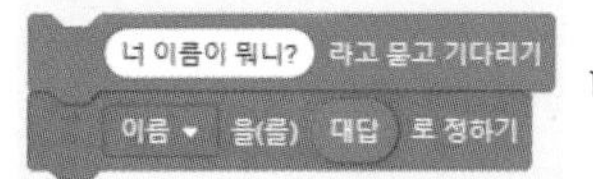

변수 부분의 이름을 해당 항목에 맞게 선택합니다.

오리 스프라이트의 코딩을 살펴보면

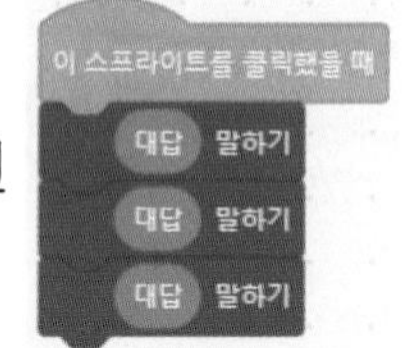

이렇게 되어있습니다. 이 상태에서는 현재 설정한 변수를 불러올 수 없으므로 이 상태에서 실행 시 이전과 같은 결과를 나타내므로 각각의 변수마다 값을 불러올 수 있도록 새로 코딩을 해주도록 하겠습니다.

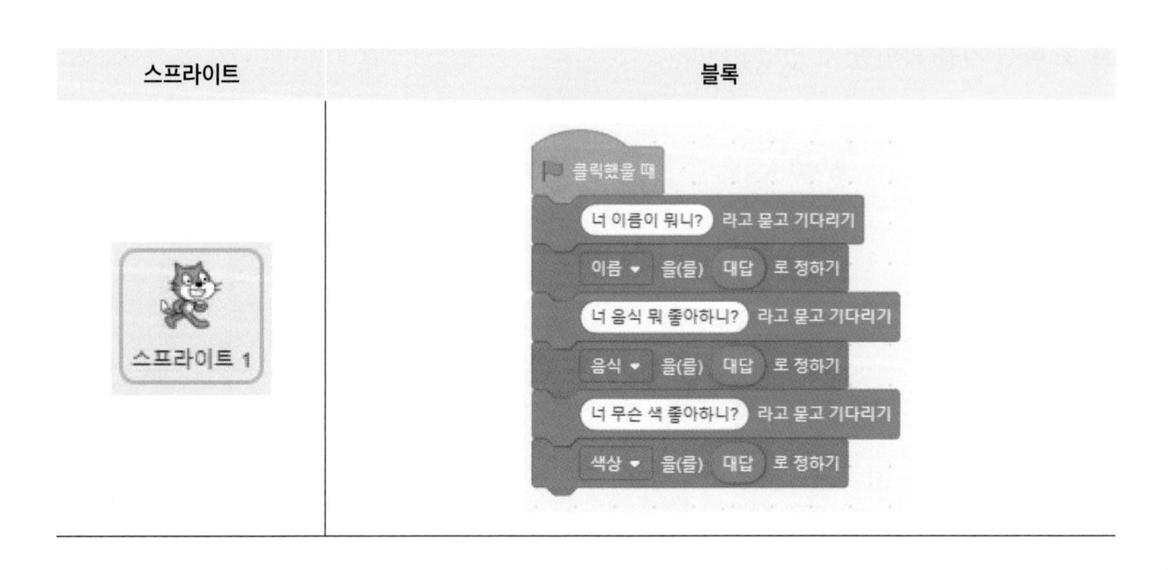

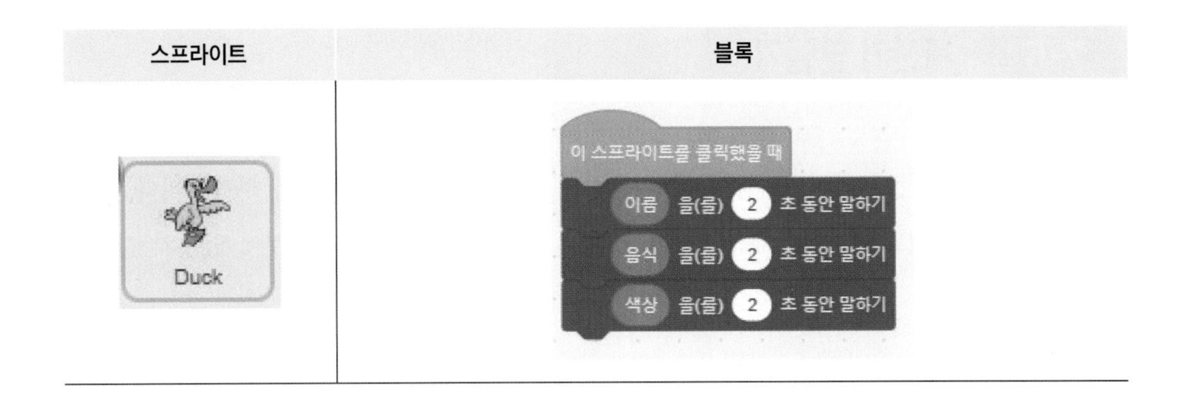

스프라이트	블록
Duck	이 스프라이트를 클릭했을 때 이름 을(를) 2 초 동안 말하기 음식 을(를) 2 초 동안 말하기 색상 을(를) 2 초 동안 말하기

완성된 스크립트를 실행해서 결과를 확인해 보도록 합시다. 실행 결과는 아래 그림과 같이 각각의 변수(이름, 음식, 색상)에 해당 답변이 입력되고, 입력이 완료된 후 오리를 클릭했을 때 오리가 2초 간격으로 '오리!', '피자!', '노란색!'이라고 말을 하면 성공적으로 코딩이 완성된 것입니다. 여기서 조금 더 응용해서 다른 변수를 추가도 해보고 다른 대답을 통해 변수와 말하기 기능을 복습하여 완벽히 이해하고 넘어가시기 바랍니다.

7-6 계산기 만들기

스크래치의 다양한 스프라이트와 블록을 이용하여 계산기를 만들어 보도록 하겠습니다. 계산기를 만들기에 앞서 현재 어떤 계산기들이 있는지 그리고 기능은 어떠한 것이 있는지 간단히 살펴보겠습니다.

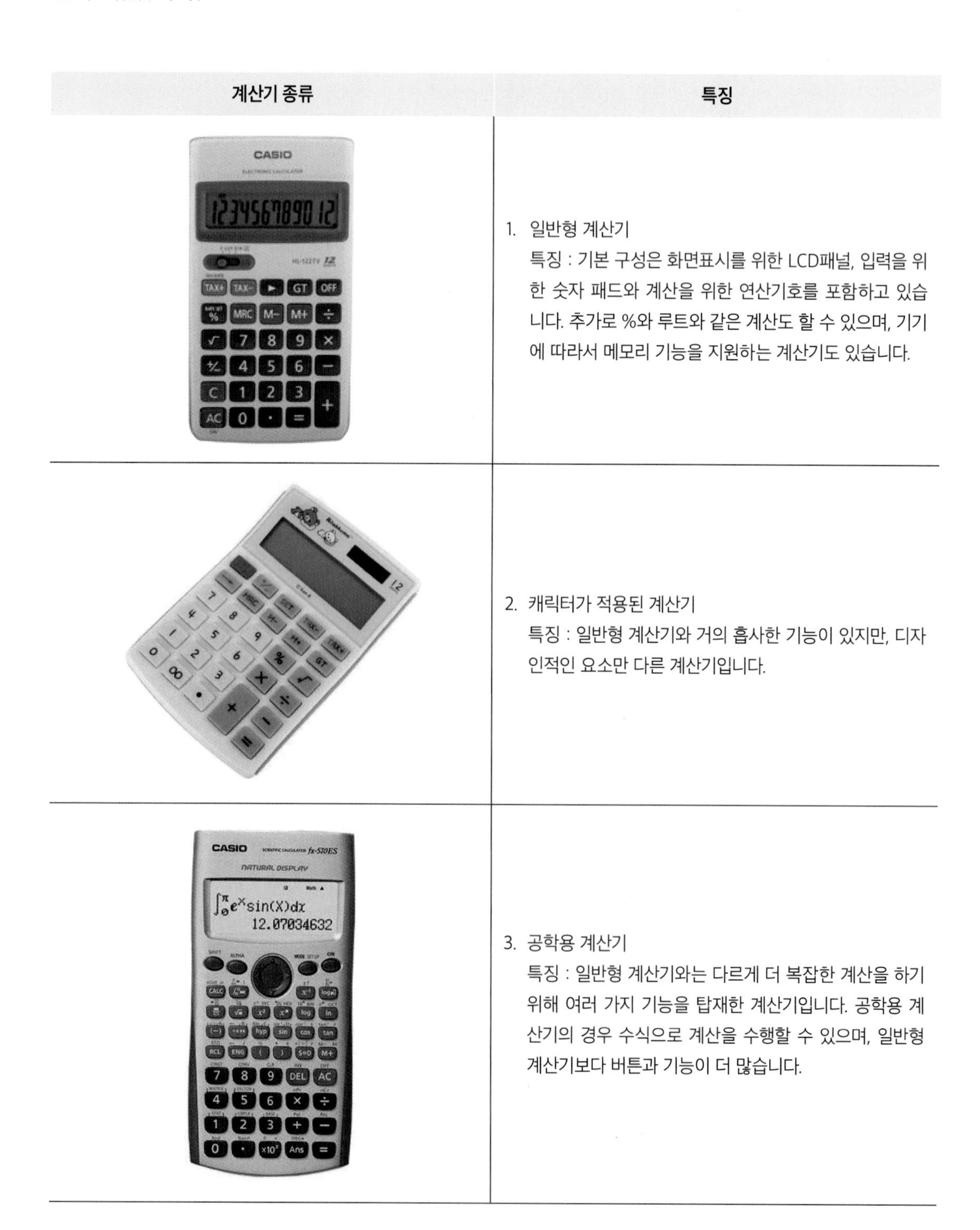

계산기 종류	특징
	1. 일반형 계산기 특징 : 기본 구성은 화면표시를 위한 LCD패널, 입력을 위한 숫자 패드와 계산을 위한 연산기호를 포함하고 있습니다. 추가로 %와 루트와 같은 계산도 할 수 있으며, 기기에 따라서 메모리 기능을 지원하는 계산기도 있습니다.
	2. 캐릭터가 적용된 계산기 특징 : 일반형 계산기와 거의 흡사한 기능이 있지만, 디자인적인 요소만 다른 계산기입니다.
	3. 공학용 계산기 특징 : 일반형 계산기와는 다르게 더 복잡한 계산을 하기 위해 여러 가지 기능을 탑재한 계산기입니다. 공학용 계산기의 경우 수식으로 계산을 수행할 수 있으며, 일반형 계산기보다 버튼과 기능이 더 많습니다.

앞서 알아본 계산기의 모든 기능을 스크래치로 구현하기에는 많은 복잡함과 어려움이 있을 수 있습니다. 그러므로 이번 연습문제에서는 계산기의 기본 기능인 사칙연산의 기능과 동작 원리를 이해하는데 목표를 두도록 하겠습니다.

가장 기본이 되는 계산기는 우리가 많이 사용하고 있는 운영체제인 윈도우에서 쉽게 볼 수 있습니다. 아래 그림은 윈도우에서 기본적으로 설치되어있는 응용프로그램인 계산기이며, 이 계산기에서 사칙연산 부분만 스크래치로 구현해보도록 하겠습니다.

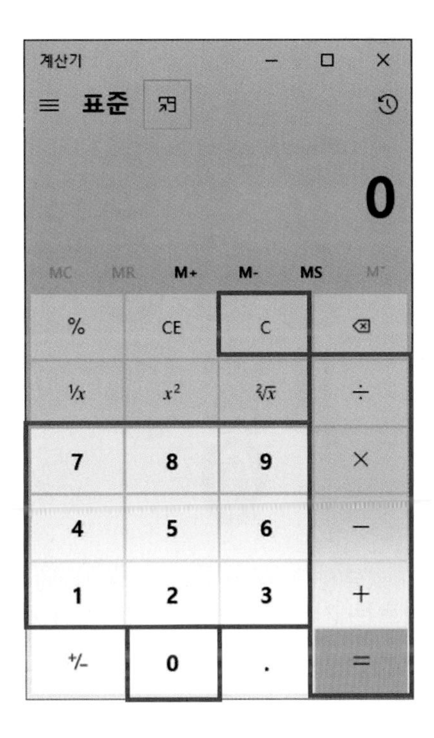

그림에서 표시한 윈도우 응용프로그램 계산기 기능 중 일부분을 스크래치를 통해 구현해보도록 하겠습니다.

스크래치에서 계산기를 만들기 위해서는 입력한 숫자를 기억해줄 변수와 계산을 위한 연산 블록의 조합으로 기본적인 계산기를 만들 수 있습니다. 변수와 연산 블록은 이전에 간단한 연습문제를 통해 어떠한 용도로 쓰이는지 연습문제를 통해 알아보았습니다. 이를 좀 더 활용하여 계산기를 직접 디자인하고 구현해보도록 하겠습니다.

새 프로젝트를 열어서 계산기의 숫자 패드 부분에 해당하는 스프라이트를 먼저 추가해 보도록 하겠습니다. 스크래치에서 제공하는 숫자 스프라이트는 아래 그림과 같이 Glow-0부터 Glow-9까지 있습니다. 총 10개의 스프라이트를 추가합니다.

추가한 스프라이트를 계산기에서 배치된 숫자와 배열이 같도록 스프라이트 숫자를 드래그하여 아래 그림과 같이 배치해봅시다.

사칙연산에 해당하는 스프라이트는 기본적으로 스크래치에서 제공하는 스프라이트가 없으므로 다른 블록을 활용하여 버튼형식으로 만들어 활용하도록 하겠습니다.

Button1 스프라이트를 추가하고 모양 탭에서 T 를 스프라이트에 클릭하여 + +를 입력하여 다음과 같은 블록을 만들어 줍니다. 이와 같은 방법으로 '−', '×', '÷'도 추가해 봅시다.

기호마다 스프라이트를 추가하여 편집하는 방법도 틀린 방법은 아니지만, 스프라이트 복사 기능을 통해 좀 더 편리하게 작업하는 방법을 활용해 보도록 하겠습니다.

아래 그림에서처럼 버튼 1번을 마우스 우클릭하면 나오는 메뉴 중 '복사'를 클릭하면 같은 스프라이트(+ 스프라이트)가 1개 복사됩니다. 총 4개가 필요하므로 2번 더 복사하여 4개의 스프라이트를 만들어 줍니다. 그리고 복사한 스프라이트는 각각의 사직연산 기호만 T 를 이용하여 수정한 후 스프라이트 크기에 맞게 적당한 크기를 조절하여 Button 스프라이트 크기에 따라 보기 좋게 맞춥니다.

다음은 '클리어' 버튼과 '=' 버튼을 추가해 보겠습니다. 클리어 버튼에 사용될 스프라이트는 C Block-C 이며, '='에 사용될 스프라이트는 Button을 하나 더 복사해서 텍스트를 '='으로 바꾸고 색상을 조금 다르게 설정하겠습니다. 여기까지 잘 따라왔다면 아래 그림과 같이 어느 정도 계산기의 모양을 갖추었을 것입니다.

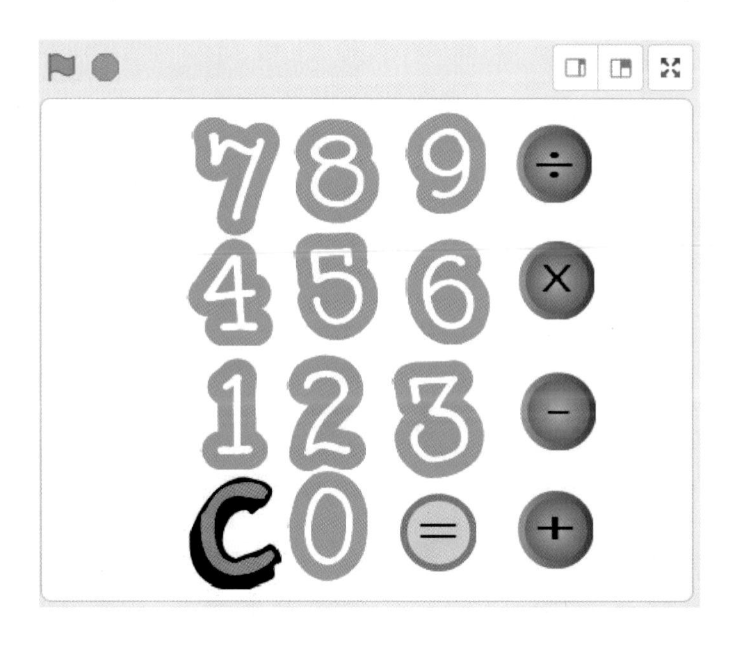

이제 어느 정도 계산기의 느낌이 들기는 하지만 모든 스프라이트를 배치했을 때 스프라이트들의 크기가 커서 조금 난잡한 느낌을 주고 있습니다. 그러므로 모든 스프라이트의 크기를 '100%'에서 '60%'로 조절하여 깔끔하게 스프라이트들을 다시 배치하도록 하겠습니다.

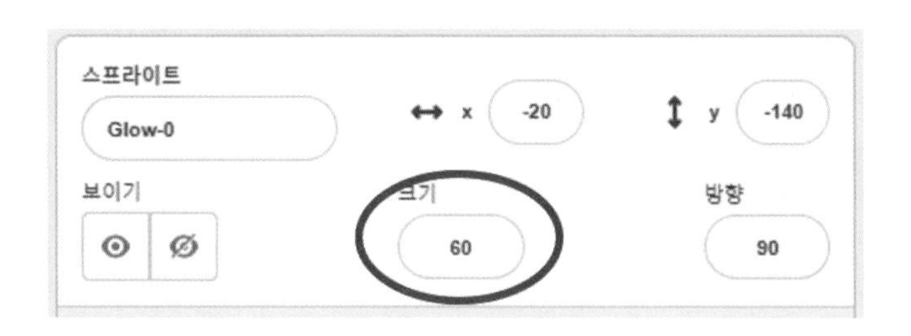

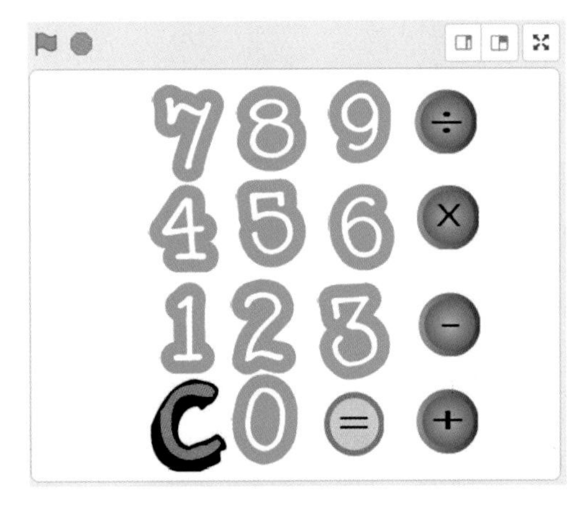

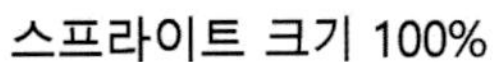

스프라이트 크기 100%

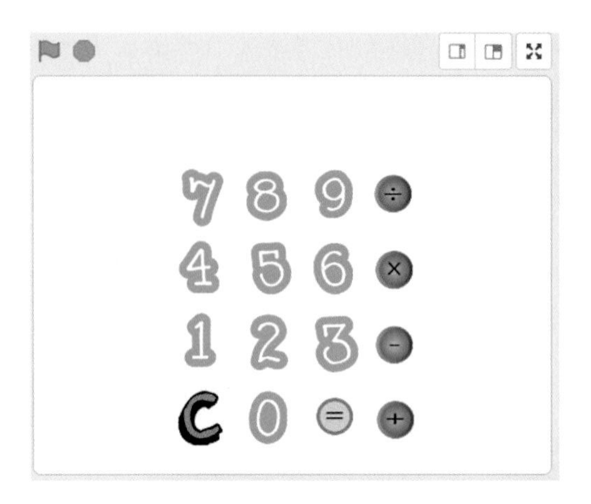

스프라이트 크기 60%

그림에서 보듯이 스프라이트 크기 조정으로 인해 이전 100% 크기보다 훨씬 깔끔한 디자인의 계산기 느낌이 들기 시작합니다. 추가로 배경과 키패드를 구분 짓기 위해 키패드가 있는 곳의 배경을 추가해 봅시다.

아래 그림에서와같이 먼저 ①번 표시에 있는 무대 배경을 클릭하고 왼쪽 위 ②번에 있는 배경 탭을 클릭합니다. 그리고 ③번에 있는 네모상자를 알맞게 그려서 계산기 크기에 맞춥니다. 색상은 원하는 색상 아무거나 지정하도록 합니다.

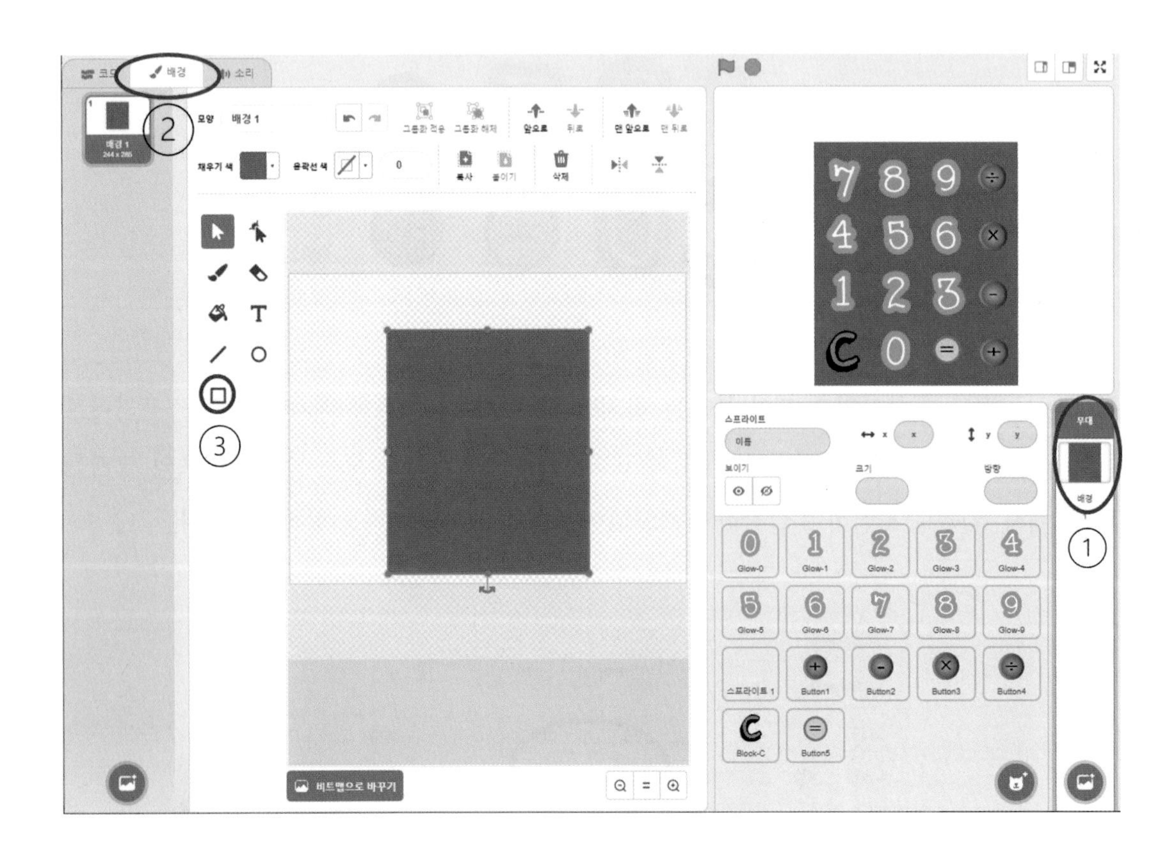

계산기의 숫자 패드에 해당하는 스프라이트부터 코딩을 해보도록 하겠습니다. 아래 표를 참고하여 블록 배치 및 코딩합니다.

0부터 9까지 전체적인 코딩은 현재 좌표(이동하기 블록)를 제외하고는 같습니다. 그리고 각 숫자 패드의 스프라이트는 스크립트 실행 후 숫자 패드를 클릭했을 때 실수로 마우스 드래그로 인해 스프라이트의 원래 좌표에서 이탈하는 것을 방지하기 위해 무한 반복 블록을 추가해 줍니다.

입력한 값을 저장하기 위해 '입력값' 변수를 추가하고 

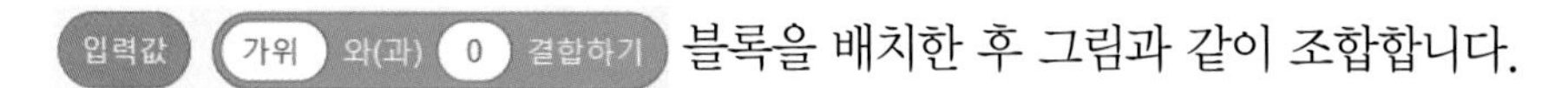

블록을 배치한 후 그림과 같이 조합합니다.

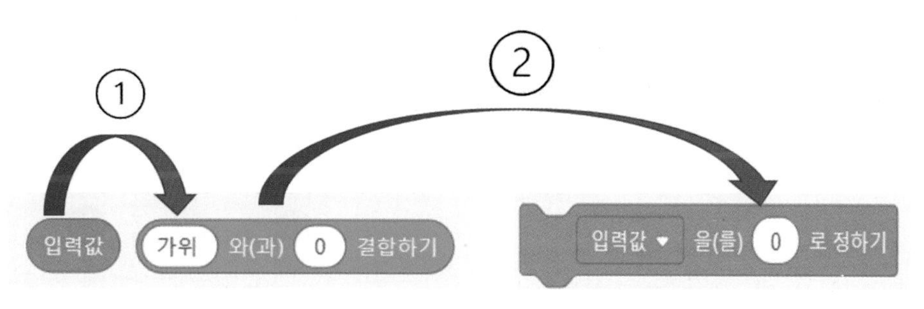

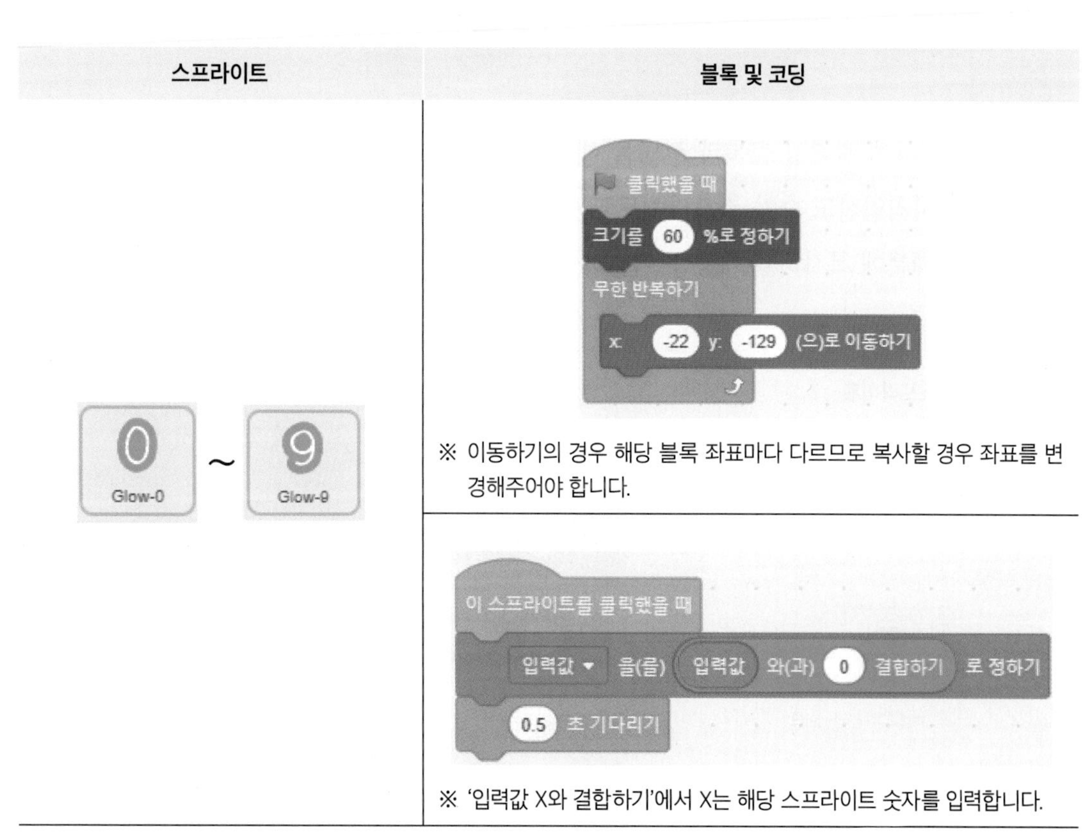

스프라이트	블록 및 코딩
Glow-0 ~ Glow-9	클릭했을 때 크기를 60 %로 정하기 무한 반복하기 x: -22 y: -129 (으)로 이동하기 ※ 이동하기의 경우 해당 블록 좌표마다 다르므로 복사할 경우 좌표를 변경해주어야 합니다.
	이 스프라이트를 클릭했을 때 입력값 ▾ 을(를) 입력값 와(과) 0 결합하기 로 정하기 0.5 초 기다리기 ※ '입력값 X와 결합하기'에서 X는 해당 스프라이트 숫자를 입력합니다.

숫자 패드에 해당하는 부분의 스프라이트는 배치되어있는 좌표를 제외하고 나머지 블록은 일일이 다시 배치하기에는 너무 많고 반복적인 작업을 요구합니다. 복사하기 기능을 통해 조금 더 쉽고 편하게 블록을 배치해봅시다.

예를 들면 아래 그림에서처럼 반복적인 블록을 다른 스프라이트로 복사하고 싶을 때 해당 블록을 마우스로 드래그하여 복사할 스프라이트에 가져다 놓으면 복사가 됩니다.

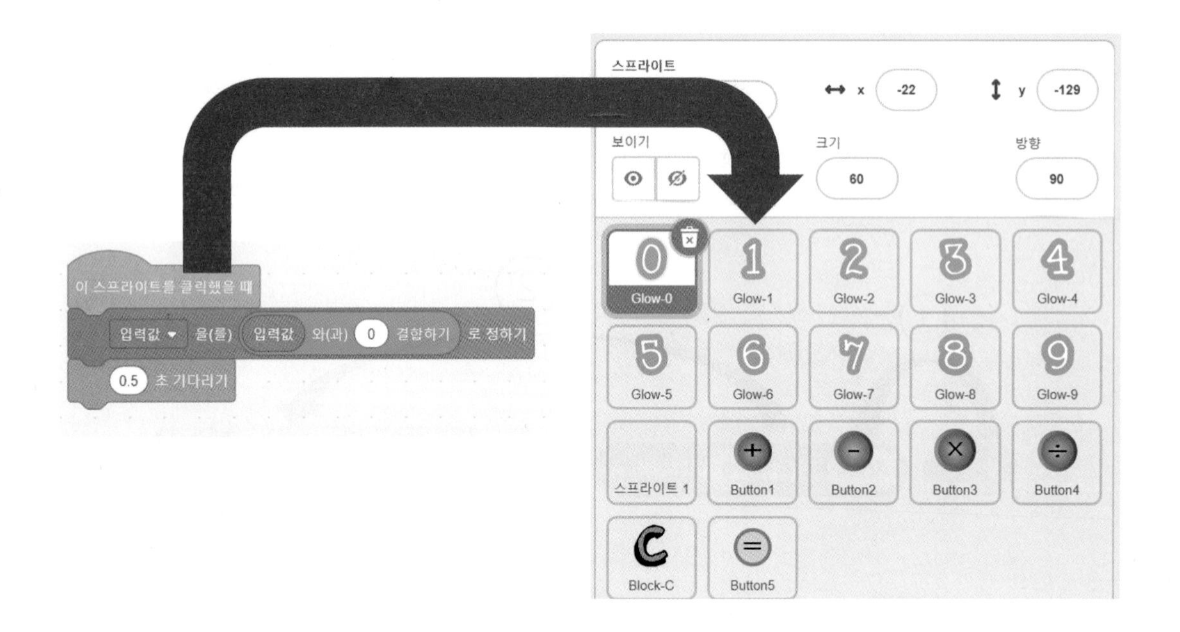

다음은 사칙연산에 관련된 블록과 코딩을 해보겠습니다. 아래 표를 참고하여 블록 배치 및 코딩해봅시다. 사칙연산도 숫자 스프라이트와 비슷하게 현재 위치 블록을 제외하고 비슷한 블록을 사용하기 때문에 복사하기 기능을 이용하여 쉽게 코딩을 완성해 봅니다.

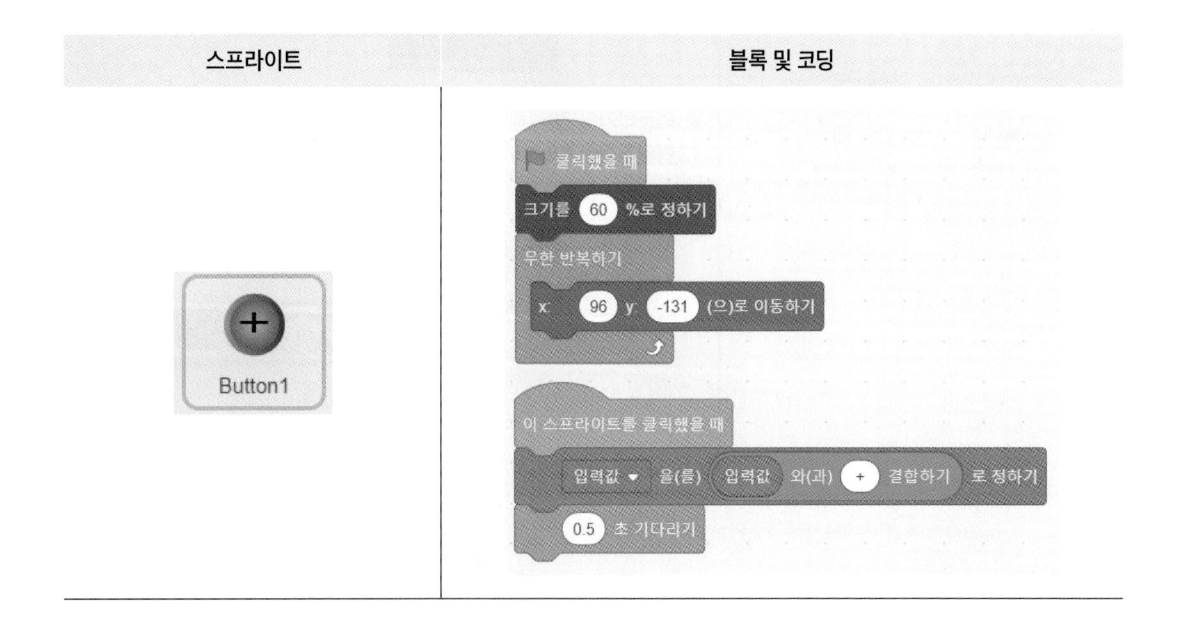

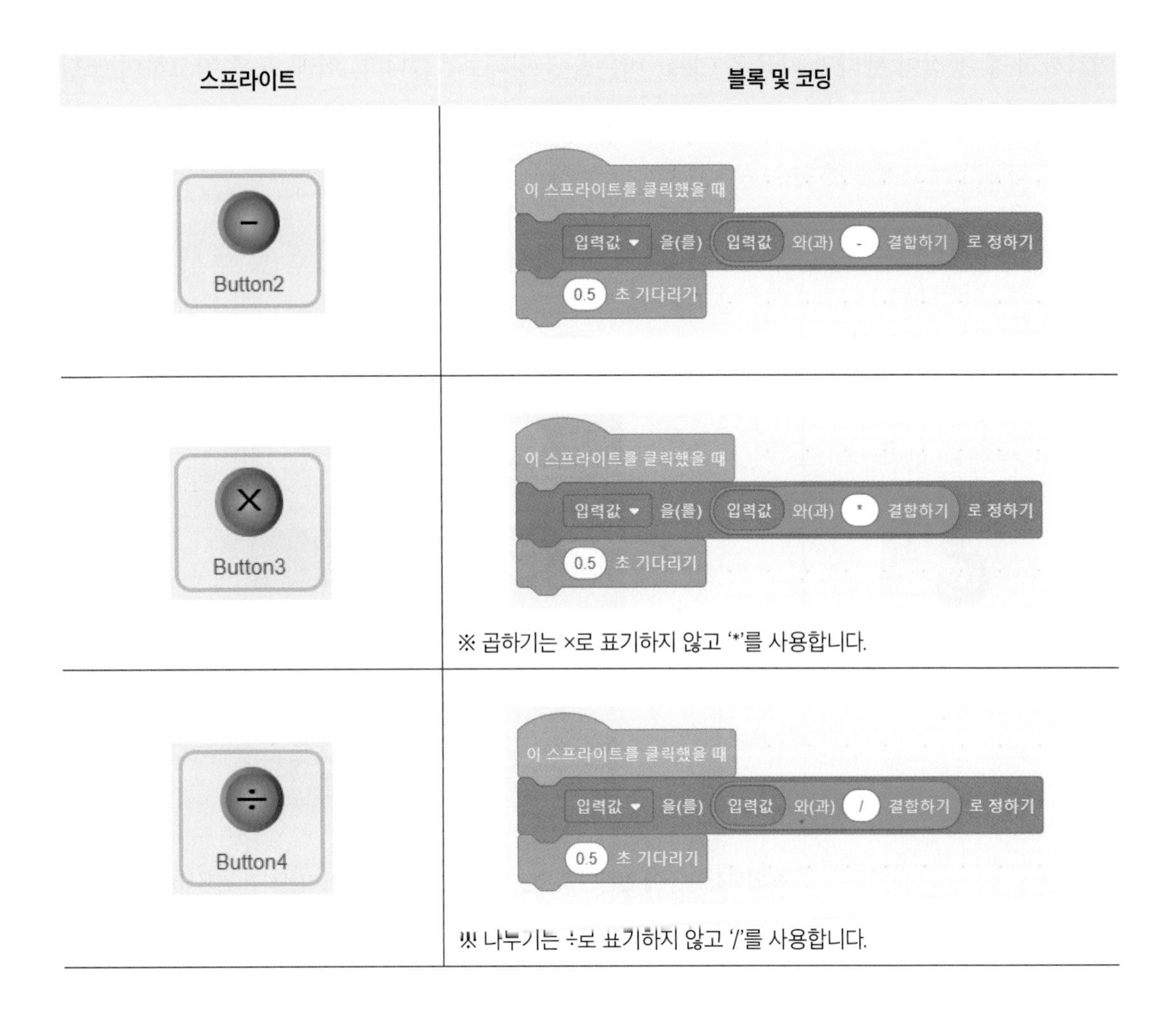

스프라이트	블록 및 코딩
Button2	이 스프라이트를 클릭했을 때 입력값 을(를) 입력값 와(과) - 결합하기 로 정하기 0.5 초 기다리기
Button3	이 스프라이트를 클릭했을 때 입력값 을(를) 입력값 와(과) * 결합하기 로 정하기 0.5 초 기다리기 ※ 곱하기는 ×로 표기하지 않고 '*'를 사용합니다.
Button4	이 스프라이트를 클릭했을 때 입력값 을(를) 입력값 와(과) / 결합하기 로 정하기 0.5 초 기다리기 ※ 나누기는 ÷로 표기하지 않고 '/'를 사용합니다.

여기까지 완성됐으면 코딩한 부분이 잘 작동하는지 확인해 보겠습니다. 스크립트를 실행하여 0~9까지 스프라이트와 사칙연산(+, −, *, /) 스프라이트를 클릭해서 입력값 변수에 잘 입력이 되는지 확인해 봅니다.

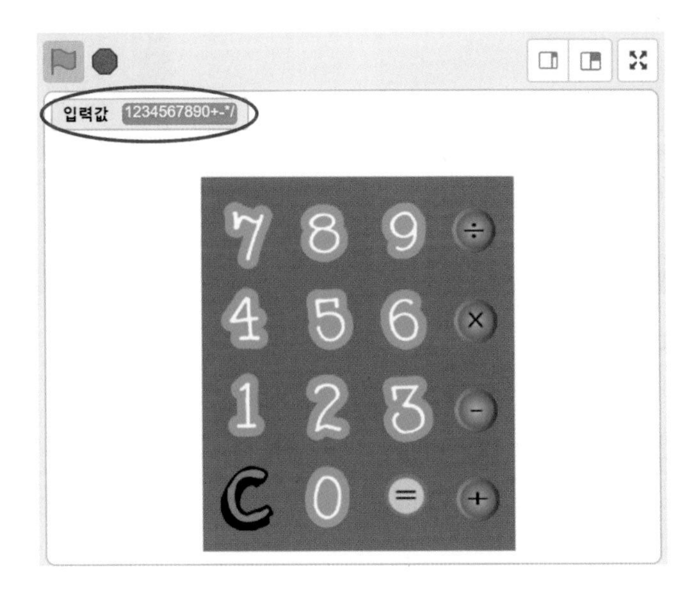

여기까지 잘 동작이 됐다면 다음은 Clear 버튼을 코딩해보겠습니다. 아래 표를 참고하여 코딩합니다.

스프라이트	블록 및 코딩
	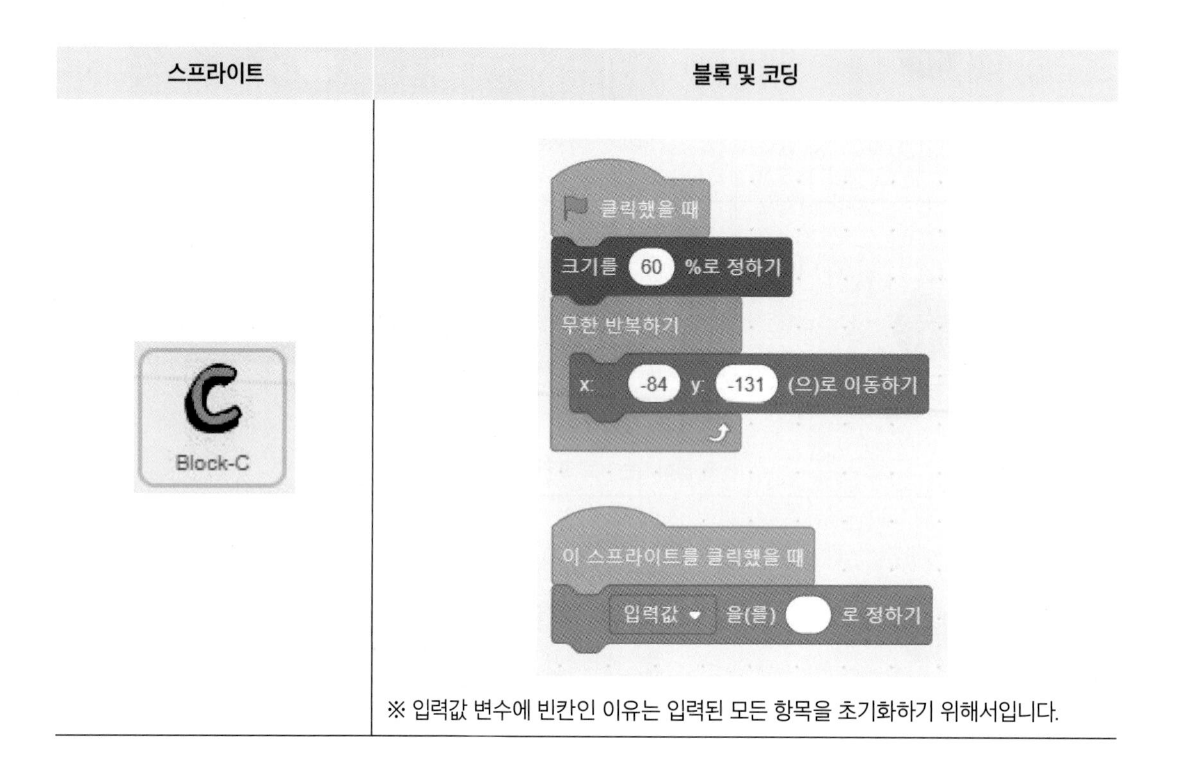
	※ 입력값 변수에 빈칸인 이유는 입력된 모든 항목을 초기화하기 위해서입니다.

Clear 스프라이트의 동작을 확인하기 위해 스크립트를 실행 후 Clear를 클릭해 봅니다. 아래 그림과 같이 입력값 변수가 아무것도 나오지 않으면 정상작동한 것입니다.

Clear 버튼 누르기 전

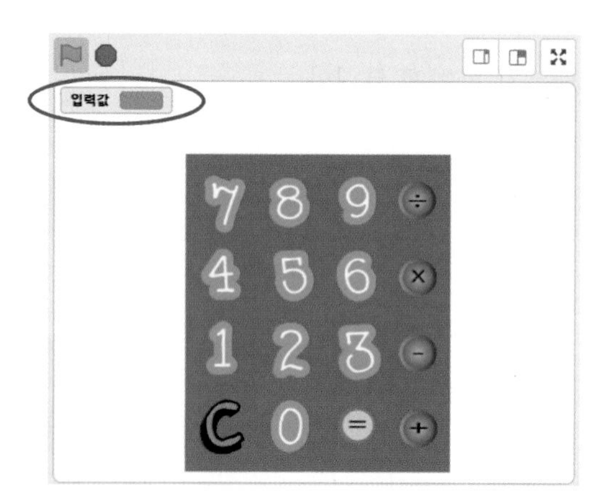

Clear 버튼 누른 후

이번에는 [Button5] 을 코딩해보겠습니다. 이때까지 코딩한 '0~9', '+,−,*,/'와 같은 스프라이트는 각각의 스프라이트에서 입력받는 내용을 해당 변수에 저장하기 위한 용도의 스프라이트 및 코딩이었다면 '=' 스프라이트에서는 이렇게 입력받은 값을 실제 계산하기 위한 핵심적인 스프라이트라고 할 수 있습니다. 다소 복잡할 수 있으나 원리를 이해하면 그렇게 어렵지 않으니 천천히 따라 하면서 이해해보도록 합니다.

계산기를 코딩하기 이전에 스크래치에서 가장 간단하게 계산하기는 방법은 사칙연산 블록만 이용하여 두 수를 계산하는 방법입니다.

( ) + ( ) ( ) - ( ) ( ) × ( ) ( ) ÷ ( )과 같은 블록을 사용하여 첫 번째 수와 두 번째 입력된 수를 계산만 하면 되기 때문입니다. 그러므로 모든 사칙연산을 계산하기 위해서는 단순하게 생각하면 사칙연산 블록 4개를 전부 사용하여 스프라이트에 코딩하면 한 번에 모든 연산을 출력하게끔 만들 수 있습니다(6-6 참고). 그러나 계산기는 사용자가 입력한 연산(사용자가 선택한 연산자)만 계산하고 그 결과를 출력해 주기 때문에 이전에 연습했던 문제와는 다른 경우라고 할 수 있습니다. 그렇다면 연산자를 어떻게 코딩해야 할까요? 정답이 정해진 것은 아니지만 다양한 방법으로 연산자를 선택하여 출력할 수 있습니다. 그렇지만 이번에는 이전과는 다르게 변수 및 수식을 좀 더 활용하여 연산하는 방법으로 계산기를 코딩해보겠습니다.

첫 번째 수와 두 번째 수의 입력값 저장을 위해 추가로 변수 2개와 연산자 표시를 위한 변수 1개, 결과를 출력하기 위한 변수 1개를 추가하도록 하겠습니다

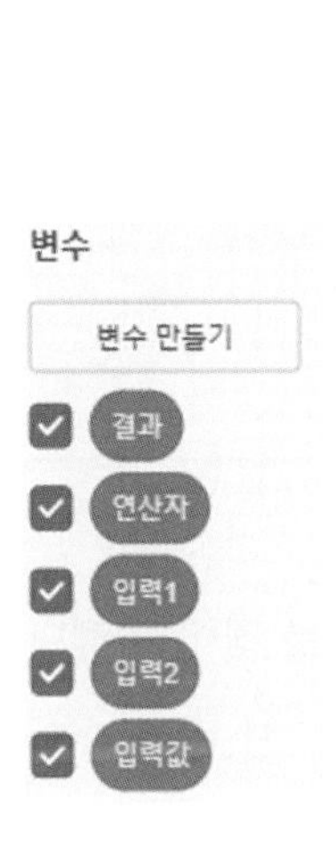

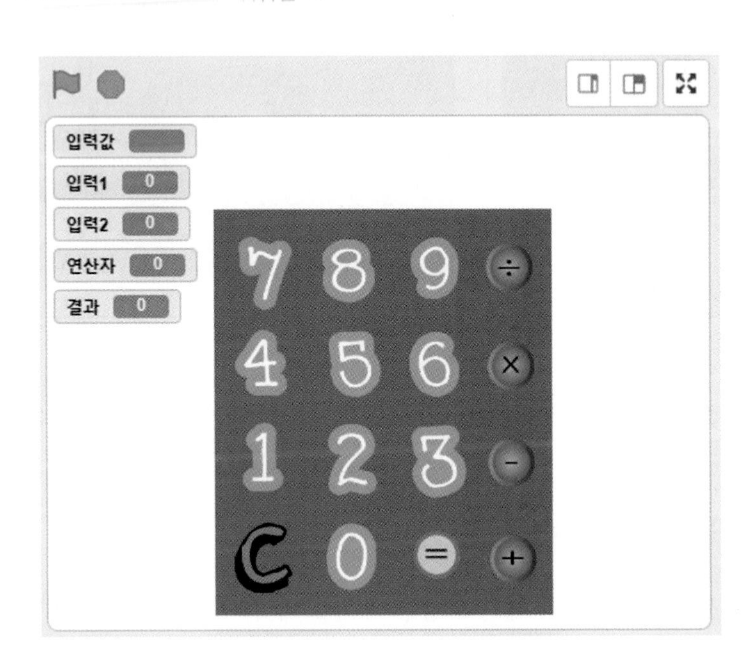

첫 번째 수, 두 번째 수를 입력받고 선택한 연산자를 감지하여 계산하기 위해서는 각각의 변수를 분리하여 비교하게 하면 쉽게 해결할 수 있습니다. 먼저 변수들을 분리하는 블록과 코딩을 해보도록 하겠습니다.

사용자의 의도에 맞게 코딩하기 위해 나만의 블록 을 이용하여 입력값 길이를 이용하여 입력값을 분리하고 연산자도 감지할 수 있게 코딩해보겠습니다.

사칙연산 , 입력 감지 2개의 나만의 블록을 추가하고 변수에서도 입력값 길이 입력값 길이 변수와 사칙연산 위치 사칙연산 위치 변수를 추가합니다.

사칙연산 에서는 입력값의 길이를 이용하여 사칙연산을 감지하고 이를 이용하여 사칙연산이 있는 위치 기준으로 전과 후의 블록으로 나누어 주는 역할을 담당합니다. 아래 표를 참고하여 입력감지 블록 코딩을 만들어 봅시다.

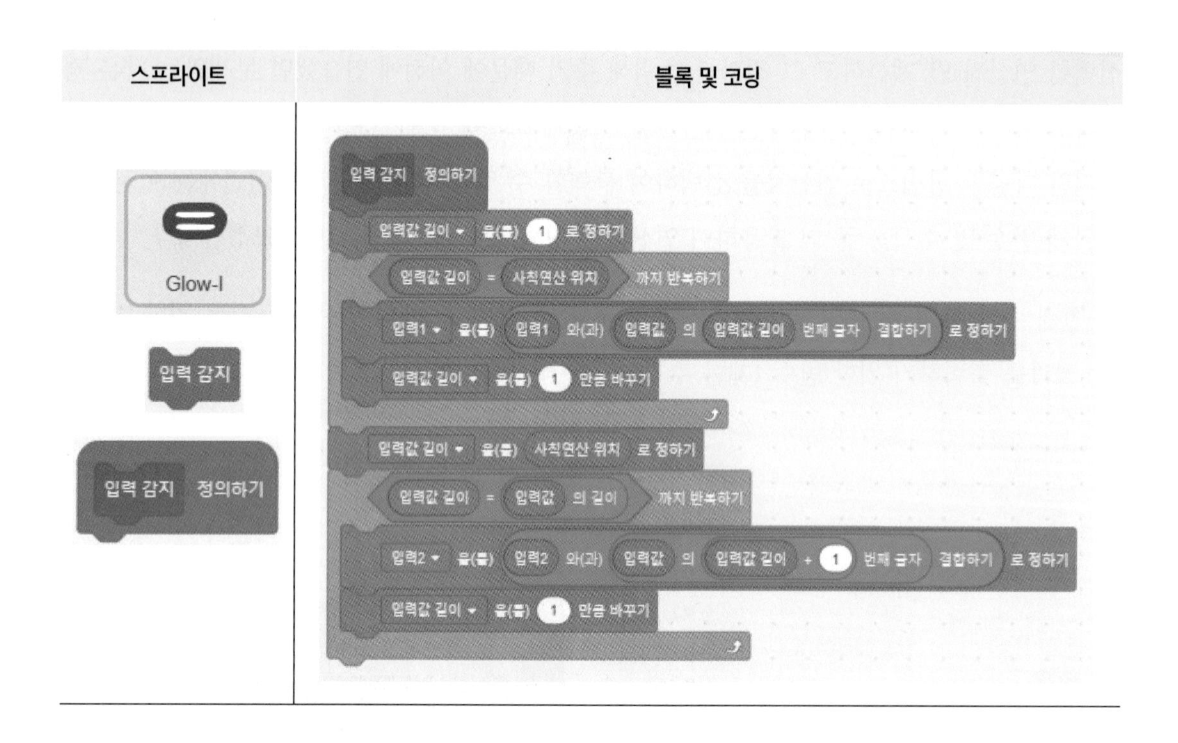

다음은 사칙연산 블록입니다. 사칙연산의 경우는 입력값에 따른 사칙연산 위치를 찾아서 해당 연산기호를 사용하도록 하는 블록입니다. 이에 해당하는 기호를 통해 입력받은 첫 번째 수와 두 번째 수를 계산합니다.

사칙연산 블록에 대한 코딩은 아래 표와 같으며 참고하여 코딩을 완성해 보도록 하겠습니다.

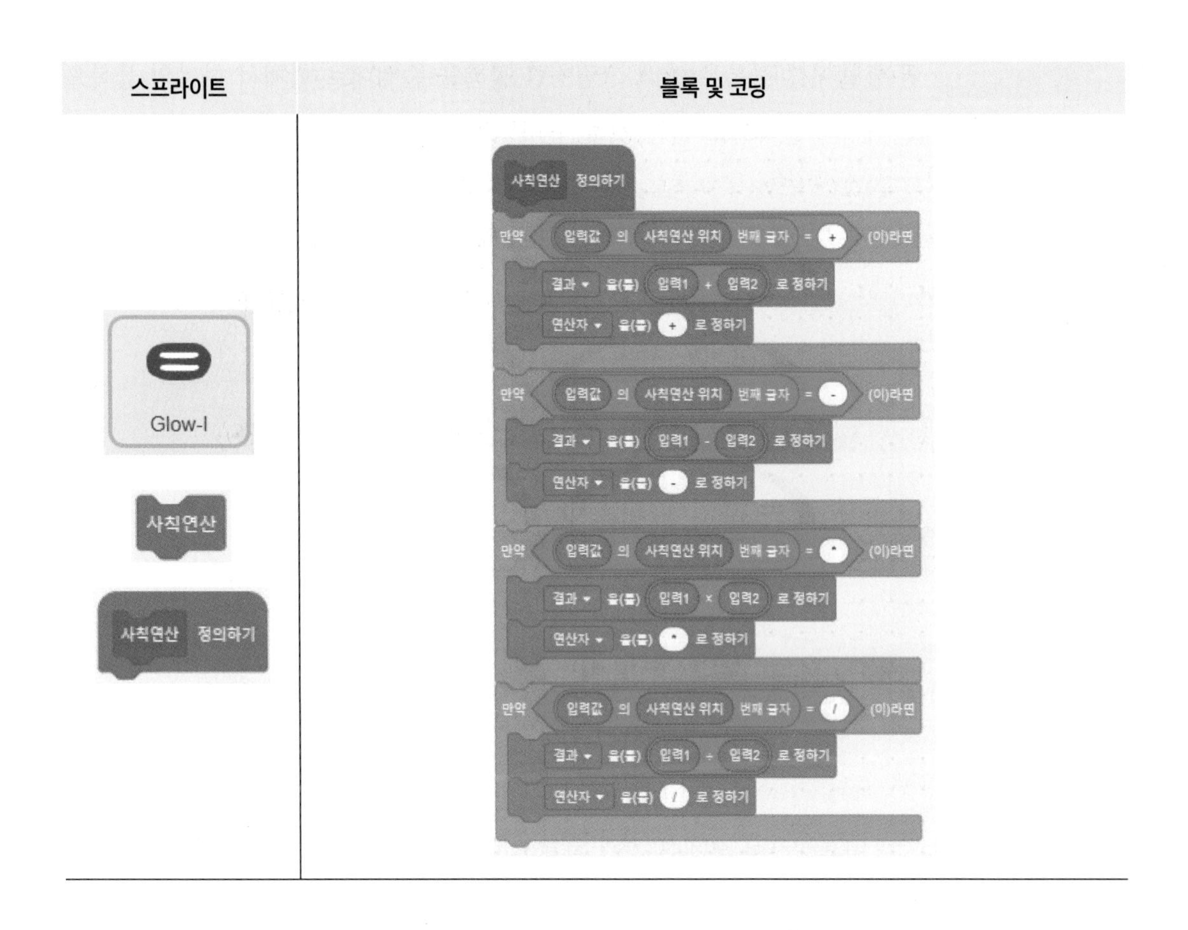

다음은 나머지 블록을 배치하여 [Glow-I] 의 코딩을 완성 시켜보겠습니다.

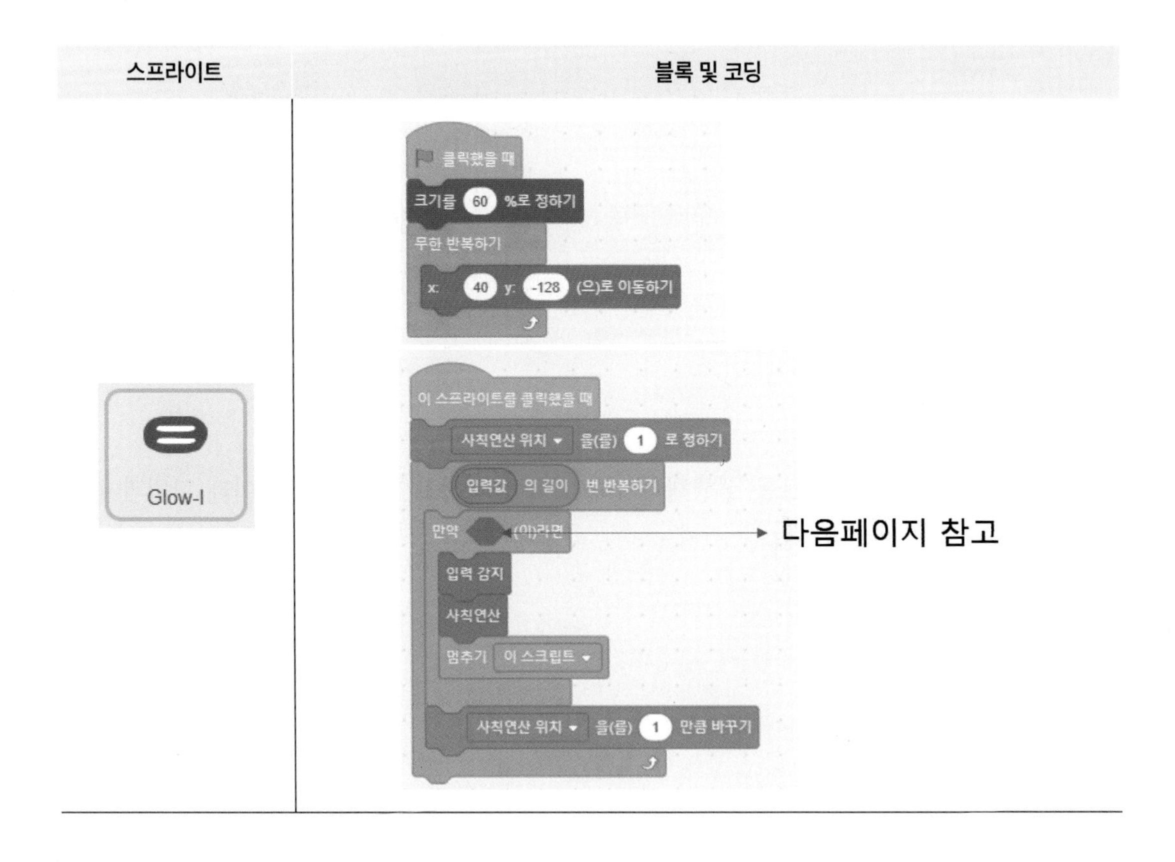

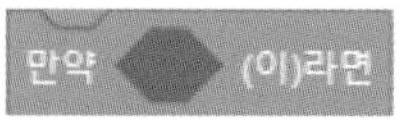

만약 (이)라면 안에 들어갈 블록은 아래 그림처럼 블록을 순서대로 합쳐서 하나의 블록으로 만듭니다. 그리고 하나의 블록으로 만든 것을 '만약 X(이)라면' 안쪽으로 넣어줍니다.

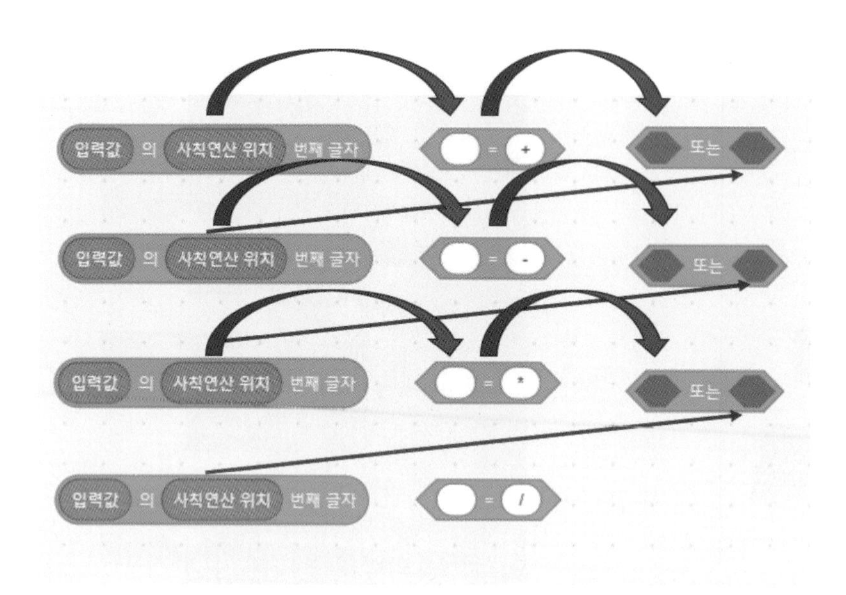

위의 그림 순서대로 잘 적용했다면 아래와 같은 블록을 만들 수 있습니다.

입력값 의 사칙연산 위치 번째 글자 = + 또는 입력값 의 사칙연산 위치 번째 글자 = - 또는 입력값 의 사칙연산 위치 번째 글자 = * 또는 입력값 의 사칙연산 위치 번째 글자 = /

클릭했을 때
크기를 60 %로 정하기
무한 반복하기
x: 40 y: -128 (으)로 이동하기

이 스프라이트를 클릭했을 때
사칙연산 위치 ▾ 을(를) 1 로 정하기
입력값 의 길이 번 반복하기
만약 입력값 의 사칙연산 위치 번째 글자 = + 또는 입력값 의 사칙연산 위치 번째 글자 = - 또는 입력값 의 사칙연산 위치 번째 글자 = * 또는 입력값 의 사칙연산 위치 번째 글자 = / (이)라면
입력 감지
사칙연산
멈추기 이 스크립트 ▾
사칙연산 위치 ▾ 을(를) 1 만큼 바꾸기

여기까지 완성됐으면 스크립트를 실행해서 '10+10'을 클릭하고 '='을 눌려서 아래 그림과 같은 결과가 나오는지 확인해 봅시다.

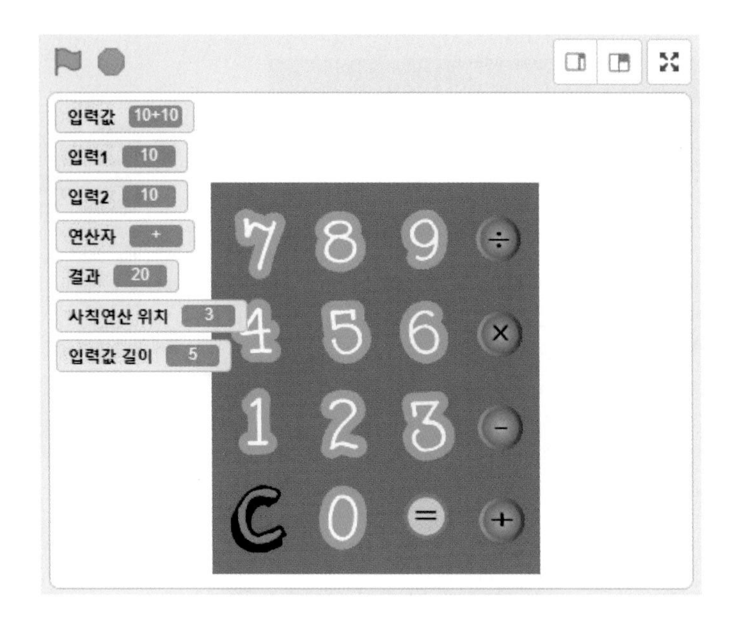

그림에서처럼 '입력값'은 실제 마우스로 입력한 스프라이트에 대한 숫자를 표시해주며, '입력1'은 첫 번째 수, '입력 2'는 두 번째 수, '연산자'는 선택한 연산자를 표시, '결과'는 계산 결과를 나타내줍니다. 그리고 사칙연산 위치는 입력값 기준 좌측에서부터 3번째에 있음을 나타내며, 입력값 길이는 선택한 스프라이트의 수와 같습니다.

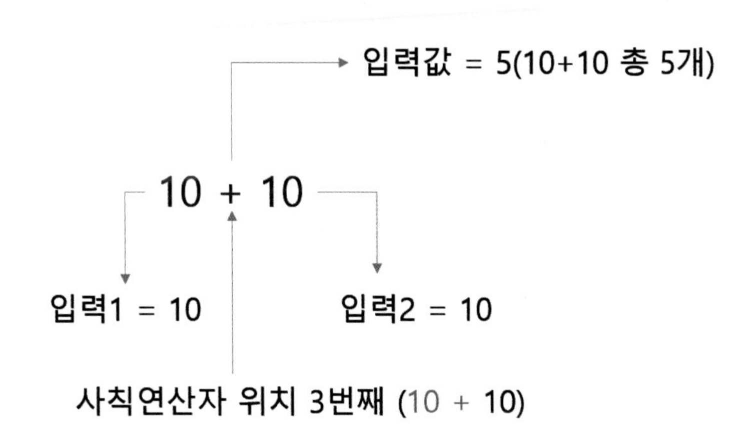

여기까지 정상적인 동작이 되었다면 변수들을 정렬하여 보기 좋게 배치하고 계산기 만들기를 마무리하도록 하겠습니다.

마우스 포인터를 변수에 두고 우클릭하면 아래 그림과 같은 메뉴가 나타납니다. 그 중 '변수값 크게 보기'를 눌러서 숫자만 표시되도록 설정합니다. 그리고 변수 중 사칙연산 위치와 입력값 길이 변수는 표시되지 않도록 체크 버튼을 눌러서 비활성화시킵니다.

적용이 완료되었으면 아래와 같은 결과를 확인할 수 있습니다.

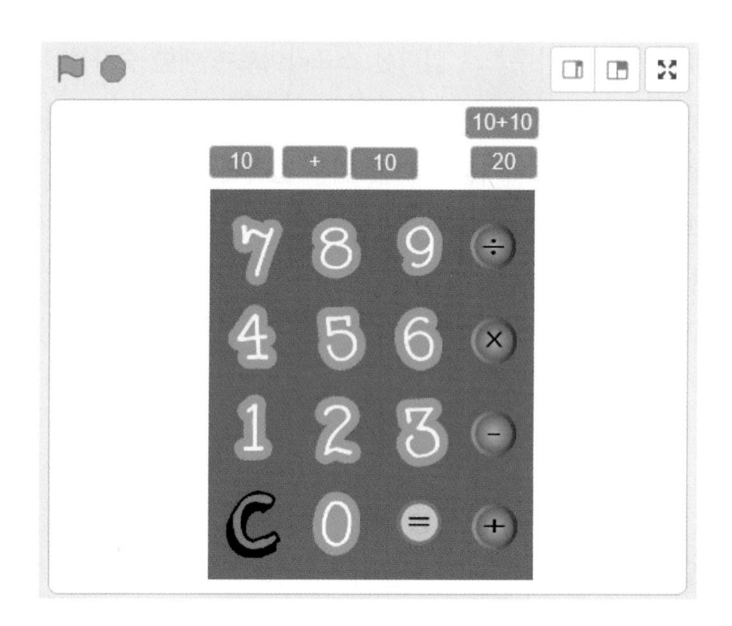

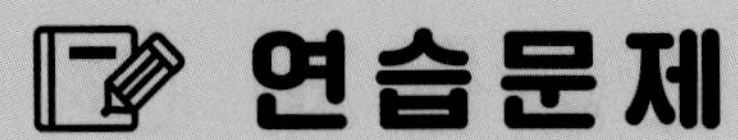

1. 개구리 스프라이트(Wizard-toad)와 숲 배경(Forest)을 추가하고 개구리 스프라이트가 키보드 방향키에 따라 상, 하, 좌, 우로 움직이도록 코딩합니다.

연습문제

2. Magic Wand 스프라이트와 Party 배경을 추가하고 그리기 블록을 이용하여 낙서장을 만들어 봅니다.

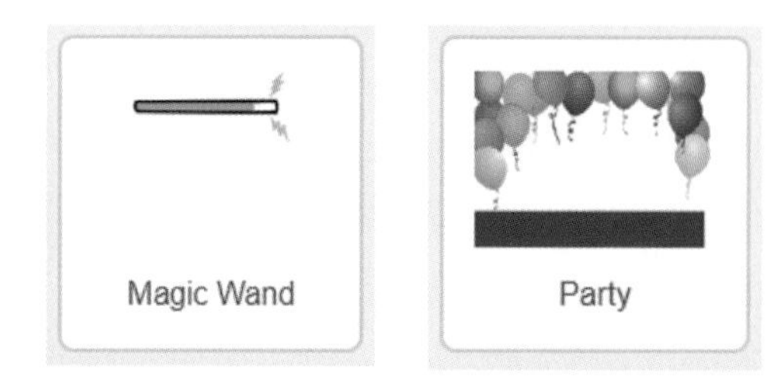

3. 아래 그림에서와같이 2개의 스프라이트(Cat, Tera)와 배경(Bedroom 3)을 이용하여 Tera에게 자유로운 질문 3개 정도를 묻고 답하는 문제를 만들어 봅니다.

CHAPTER 8

게임으로 즐기면서 배우는 스크래치

CONTENTS

8장에서는 스크래치를 통해 간단한 게임을 만들면서 여러 가지 블록을 이용한 코딩을 통해 코딩의 재미를 느끼고 코딩에 대한 두려움을 이겨내는데 목표가 있습니다.

간단한 게임을 만들면서 이전에 연습문제를 통해 다루었던 블록들 기억을 살려서 '어떻게 조합되면 이런 동작을 만들 수 있을까?'하고 고민해보면서 진행해보시기 바랍니다.

8-1 물고기를 따라다니는 상어 게임 만들기

첫 번째로 만들어 볼 게임은 물고기를 따라다니는 상어 게임입니다. 코딩하기 전에 전체적인 게임 규칙 및 동작에 대해 간단하게 설명하고 시작하겠습니다.

이 게임은 상어가 물고기를 잡을때까지 따라다니는 게임입니다. 이에 따라 코딩도 상어는 계속해서 물고기를 따라가게 해야하며, 물고기는 계속해서 도망가도록 해야할 것입니다. 상어의 경우 사용자가 별도로 조작하지 않고 자동으로 물고기를 따라다니며, 물고기는 마우스 포인터를 따라 계속해서 이동할 것입니다. 게임을 진행하다가 물고기가 상어에게 잡힌다면 물고기가 사라지도록 할 것이며 이 상태는 'Game Over' 입니다.

처음 게임 이미지를 볼 때 어떤 스프라이트가 필요하고 어떤 블록과 코딩을 해야 할지 생각이 나고 있나요? 그렇습니다. 우리는 이미 이 게임에 필요한 요소들을 연습문제를 통해 많이 반복해서 쓰고 있는 블록들과 코딩으로 구성되어 있다는 것을 조금이라도 느껴질 것입니다. 혹시 아직 감이 안 와도 실망하지 않아도 됩니다. 지금부터도 잘 따라오면 충분합니다. 앞으로의 게임들도 비슷한 구성의 블록과 코딩이 많이 사용될 것입니다. 포기하지 말고 이해가 다소 안 되더라도 한 번 더 보고 전천히 진행해주세요.

이 게임의 Fish 스프라이트에서는 '크기 블록 크기를 50 %로 정하기', '마우스 포인터로 따라가는 블록

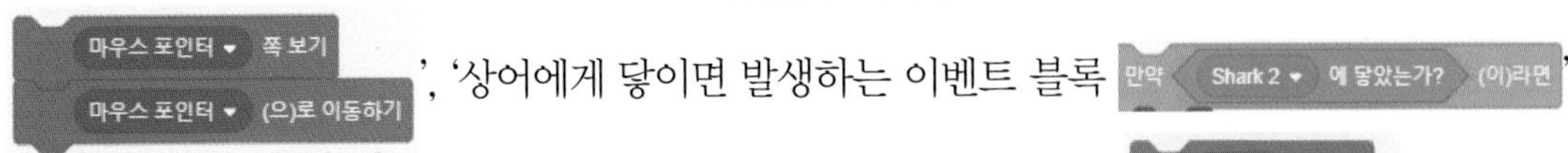

', '상어에게 닿이면 발생하는 이벤트 블록 만약 Shark 2 에 닿았는가? (이)라면' 이 핵심입니다. 그렇다면 상어의 핵심 블록은 무엇일까요? 바로

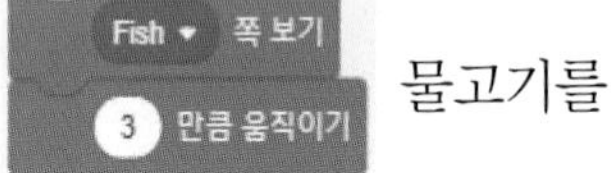

물고기를 보고, 그만큼 움직여서 따라가게 해주는 블록이 핵심입니다. 이러한 핵심 블록을 이용하여 스크립트 실행 시 게임이 진행될 수 있도록 본격적으로 게임을 만들어 보겠습니다.

먼저 게임의 배경을 추가해서 보는 재미를 더하도록 하겠습니다. 게임 배경에 사용될 배경 이름은

입니다. 그리고 상어와 물고기 스프라이트도 추가해 주도록 하겠습니다. 배경과 스프라이트가 추가됐으면 아래 표를 참고하여 코딩을 완성해 보도록 합시다.

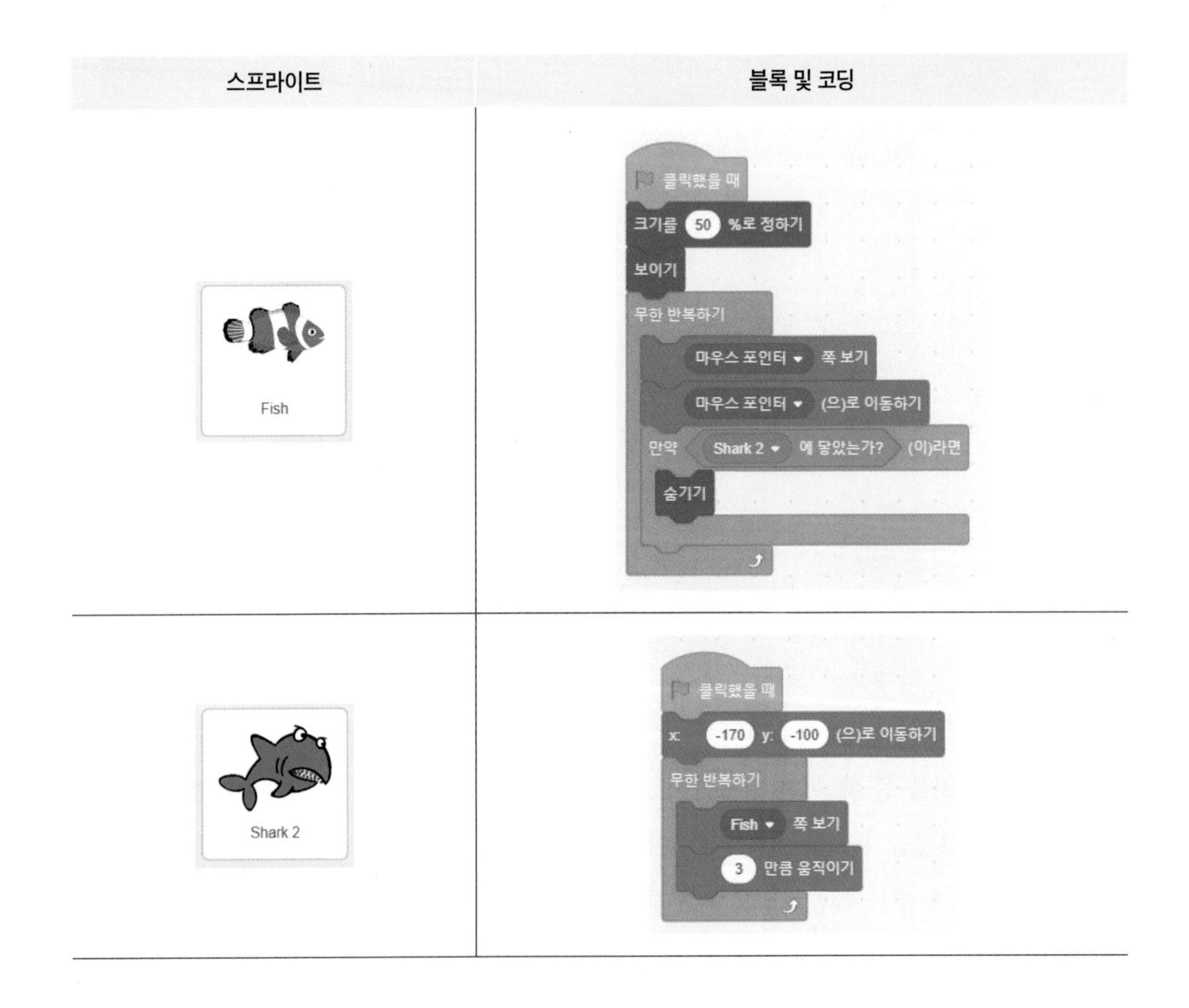

스프라이트	블록 및 코딩
Fish	클릭했을 때 크기를 50 %로 정하기 보이기 무한 반복하기 마우스 포인터 ▾ 쪽 보기 마우스 포인터 ▾ (으)로 이동하기 만약 Shark 2 ▾ 에 닿았는가? (이)라면 숨기기
Shark 2	클릭했을 때 x: -170 y: -100 (으)로 이동하기 무한 반복하기 Fish ▾ 쪽 보기 3 만큼 움직이기

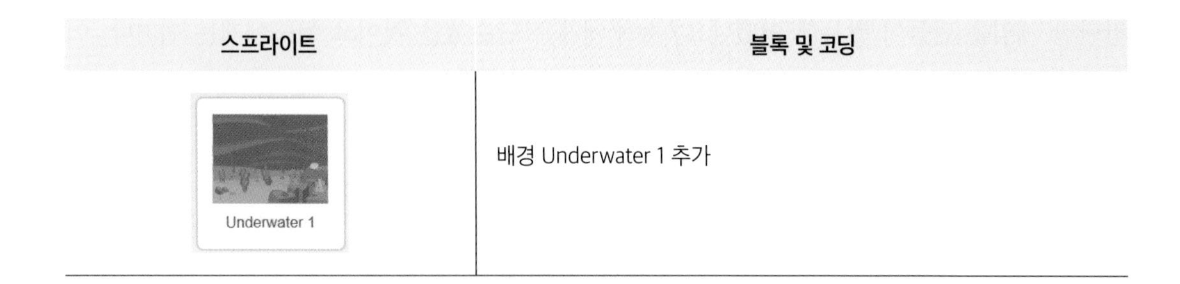

스프라이트	블록 및 코딩
Underwater 1	배경 Underwater 1 추가

모든 코딩이 완료됐다면 스크립트를 실행하여 게임을 해보도록 하겠습니다. 처음 스크립트를 실행하면 상어가 물고기를 계속해서 따라옵니다. 이때 물고기는 마우스를 이용해서 상어에게 잡히지 않기 위해 계속해서 피해야 합니다.

게임 중에 혹시 상어의 움직임에 피할 수가 없어서 잡혔을 경우 어떤 현상을 확인할 수 있었나요? 아마 아래 그림과 같이 상어는 계속해서 움직이지만, 물고기가 사라진 것을 확인할 수 있었을 것입니다.

간단한 게임을 만들어 봤는데 어땠나요? 누구에게는 단순했을 것이고 누구에게는 쉽거나, 어쩌면 조금 어려웠을 수도 있었을 것입니다.이처럼 게임은 사용자마다 느끼는 난이도가 다를 것이며 이번에는 게임 난이도에 대해 같이 생각해보도록 하겠습니다.

게임 난이도를 결정 짓는 부분이 무엇이 있을까요? 우리가 지금 만든 게임에서 볼 때 난이도를 어렵게 만들기 위해서는 어떤 부분을 조정해야 하며, 혹은 난이도를 쉽게 하기 위해서는 어떤 부분을 조정해야 할지 생각해보도록 하겠습니다.

게임 난이도를 어렵게 하기

게임 난이도를 높이기 위해서는 게임을 만드는 사람마다 차이가 있을 수 있지만, 현재 게임에는 어떤 스프라이트 시점에서 게임을 하는가에 따라 난이도를 좌우할 수 있습니다.

상어 스프라이트를 조정하여 난이도를 어렵게 만들기 위해서는 스프라이트 크기를 크게 만들거나, 상어의 이동속도를 빠르게 하거나, 상어의 수를 더 늘리면 물고기가 이전보다 피하기가 더 힘들어지게 됩니다. 아래 그림과 같이 이전보다 2배 커진 상어를 배치하거나 혹은 상어 스프라이트를 1개 더 추가하여 물고기가 움직일 수 있는 범위를 줄인다면 게임 난이도는 배로 늘어날 수 있습니다.

물고기 스프라이트를 조정하여 난이도를 높이기 위해서는 어떻게 해야 할까요? 아주 쉽게 생각하면 상어 스프라이트에서 적용했던 것을 반대로 적용한다고 생각하면 됩니다. 물고기의 크기를 크게 하거나 혹은 상어와 물고기 크기를 같이 크게 하면 아무래도 닿이는 부분이 많이 노출되기 때문에 이전보다는 좀 더 어려운 난이도를 만들 수 있습니다.

위의 그림처럼 물고기의 크기를 키우거나 혹은 상어와 물고기 동시에 크기를 키우면 닿이는 면적이 이전보다 더 많으므로 게임이 어려워지게 됩니다.

게임 난이도를 쉽게 하기

이번에는 반대로 난이도를 쉽게 하려면 어떤 부분을 조정해야 할지 같이 생각해보겠습니다.

상어 스프라이트 시점에서 볼 때 난이도를 쉽게 하려면 아무래도 크기를 작게 하거나 따라오는 속도를 느리게 조정하는 방법이 있습니다. 아래 그림에서 나타나듯 물고기가 피할 수 있는 곳이 많으므로 아무래도 이전보다는 게임 난도가 많이 낮아졌다고 할 수 있습니다. 물고기 시점에서 볼 때는 더 작은 크기로 게임을 할 시 이전보다 난이도를 낮출 수 있습니다.

한 게임에 여러 가지 변화를 주어 다시 게임 해보니 어땠나요? 같은 게임이라도 난이도에 따라 재미 요소가 변화한다는 것을 확인할 수 있었나요? 그런데 지금까지의 코딩으로 게임을 하는 데 문제없이 재미는 있었지만 뭔가 빠진 부분이 있습니다. 어떤 부분이 어색하지 않았나요? 바로 상어가 물고기를 잡았을 때 물고기는 사라지고 상어는 계속 움직이고 있다는 것입니다. 여기서 이벤트를 추가하여 'Game Over'의 화면과 함께 게임이 종료되는 장면을 추가해 보겠습니다.

아래 그림에서와같이 새로운 스프라이트를 추가하기 위해 스프라이트 추가 메뉴에서 그리기를 선택합니다.

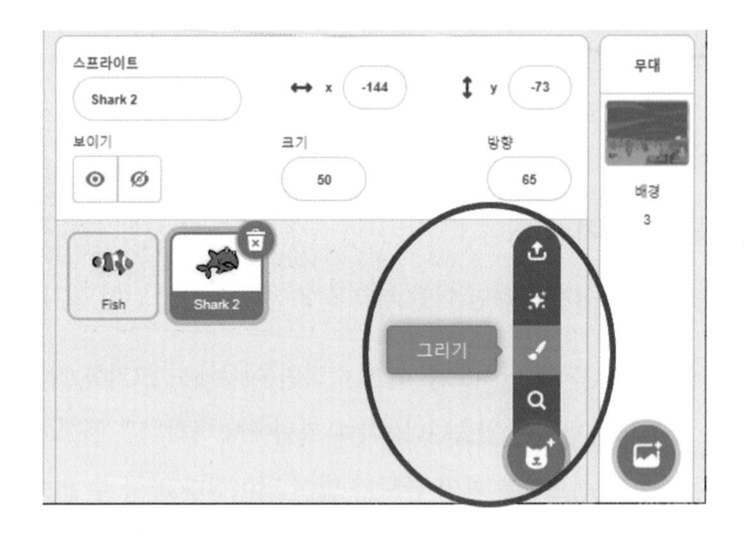

텍스트 상자를 이용하여 'Game Over' 문구를 추가하고 글자색은 빨간색으로 설정합니다.

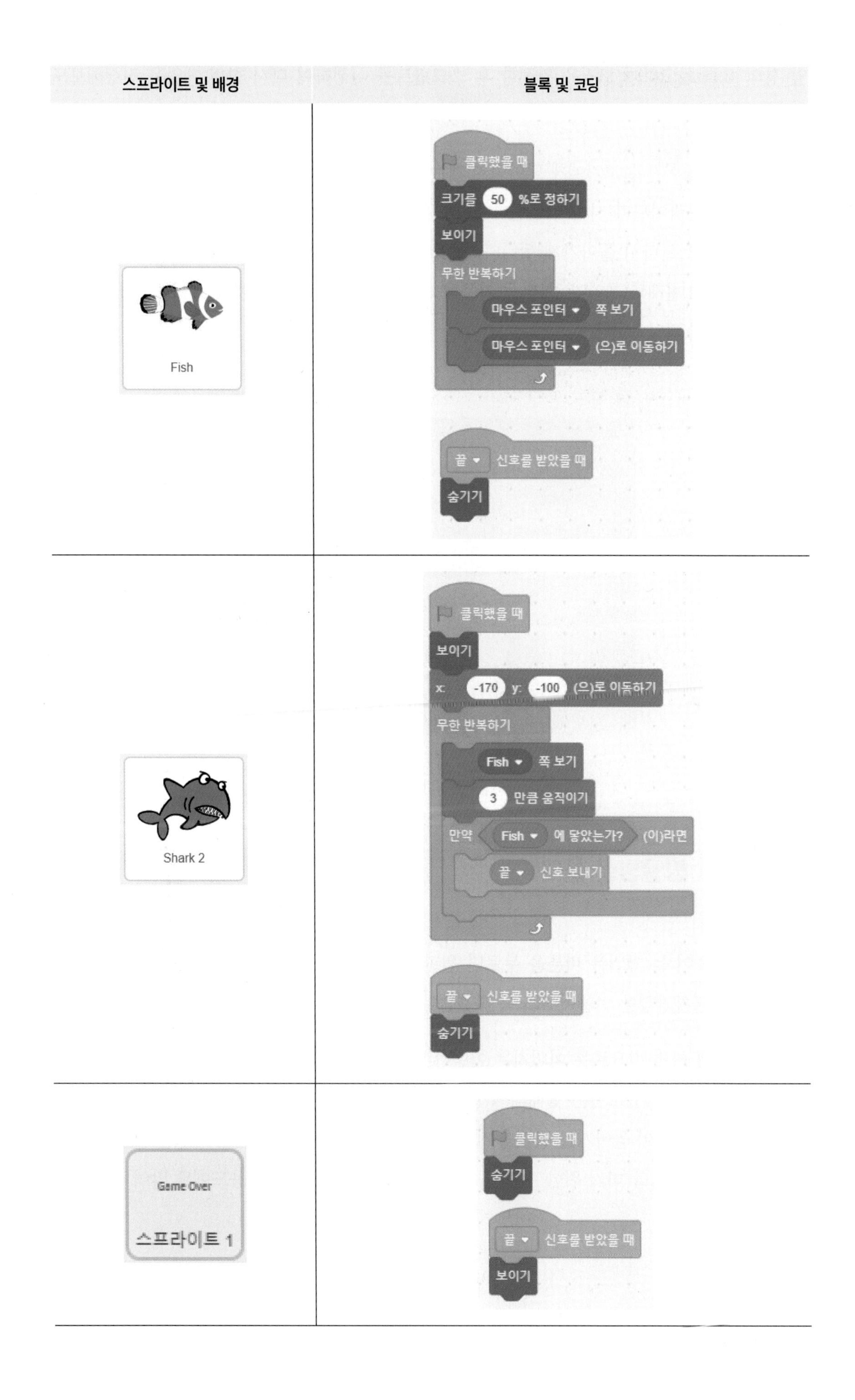

스프라이트 및 배경	블록 및 코딩
Fish	클릭했을 때 크기를 50 %로 정하기 보이기 무한 반복하기 마우스 포인터 쪽 보기 마우스 포인터 (으)로 이동하기 끝 신호를 받았을 때 숨기기
Shark 2	클릭했을 때 보이기 x: -170 y: -100 (으)로 이동하기 무한 반복하기 Fish 쪽 보기 3 만큼 움직이기 만약 Fish 에 닿았는가? (이)라면 끝 신호 보내기 끝 신호를 받았을 때 숨기기
Game Over 스프라이트 1	클릭했을 때 숨기기 끝 신호를 받았을 때 보이기

앞 장의 표를 참고하여 코딩을 완성한 후 스크립트를 실행하여 다시 한번 게임을 진행해보도록 하겠습니다.

게임 진행 중 상어가 물고기에게 닿이면 이제는 아래 그림처럼 'Game Over' 문구와 함께 상어와 물고기 스프라이트가 사라지게 됩니다. 여기서 다시 게임을 시작하게 되면 처음 게임 시작할 때의 화면으로 다시 돌아가게 됩니다. 이렇게 이벤트 효과를 적용함으로써 이전에 만들었던 게임에 비해 현재의 게임이 좀 더 즐거움을 줄 수 있는 요소가 추가됨으로써 게임을 하는데 더 재미를 주게 되었습니다.

8-2 빙글빙글 룰렛

다음으로 만들어 볼 게임은 버튼을 누르면 원판이 빙글빙글 돌고 일정 시간이 지나면 무작위로 선택되는 룰렛게임을 만들어 보도록 하겠습니다.

여러분은 룰렛 하면 떠오르는 이미지는 어떤 것인가요? 아마 대부분 사람은 아래 그림에서와 같이 카지노에서 많이 보이는 형태의 구슬이 돌아가는 룰렛이나 손으로 돌리거나 혹은 앱을 통해 무작위로 원판이 돌아가는 룰렛을 생각하고 있을 것입니다. 이 중 원판형 룰렛의 주로 사용 용도는 현재 결정을 하기 위한 수단 또는 추첨 같은 이벤트를 위한 용도에도 많이 사용되고 있습니다.

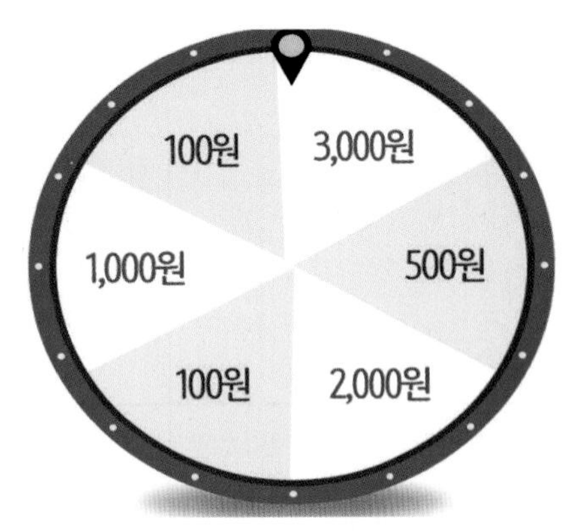

이번에 만들어 볼 게임은 아래 그림에서와같이 스크래치에서 간단하게 룰렛을 디자인하고 룰렛 안에 들어갈 내용은 사용자에 따라 원하는 내용을 입력하여 룰렛을 만들면서 이와 동시에 사용되는 블록 및 코딩을 이해해보는 시간을 가져보겠습니다.

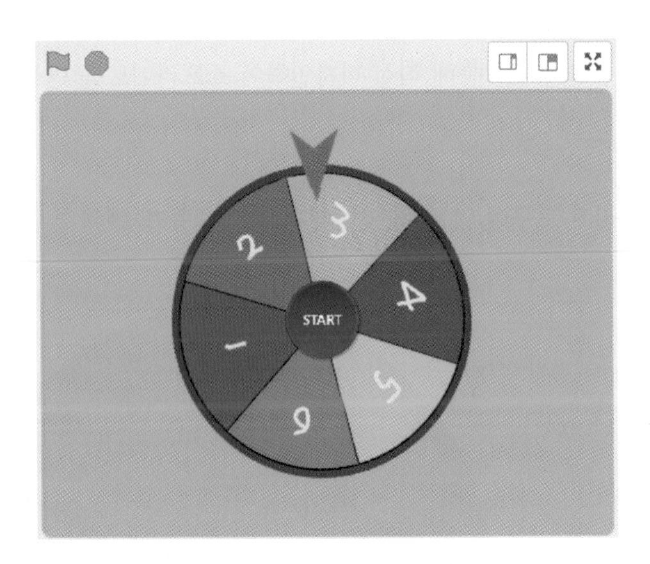

룰렛에 사용할 스프라이트는 무엇이 있어야 할까요? 기본적으로 돌림판 스프라이트와 화살표(바늘) 스프라이트, 돌리는 명령을 전달해줄 시작 스프라이트가 필요합니다. 그런데 화살표에 쓸 스프라이트와 시작을 위한 버튼 스프라이트는 기본 제공되는 스프라이트를 이용하면 되지만 돌림판은 따로 제공되는 스프라이트 중 마땅한 스프라이트가 없기 때문에 직접 디자인하여 만들어 사용하도록 하겠습니다.

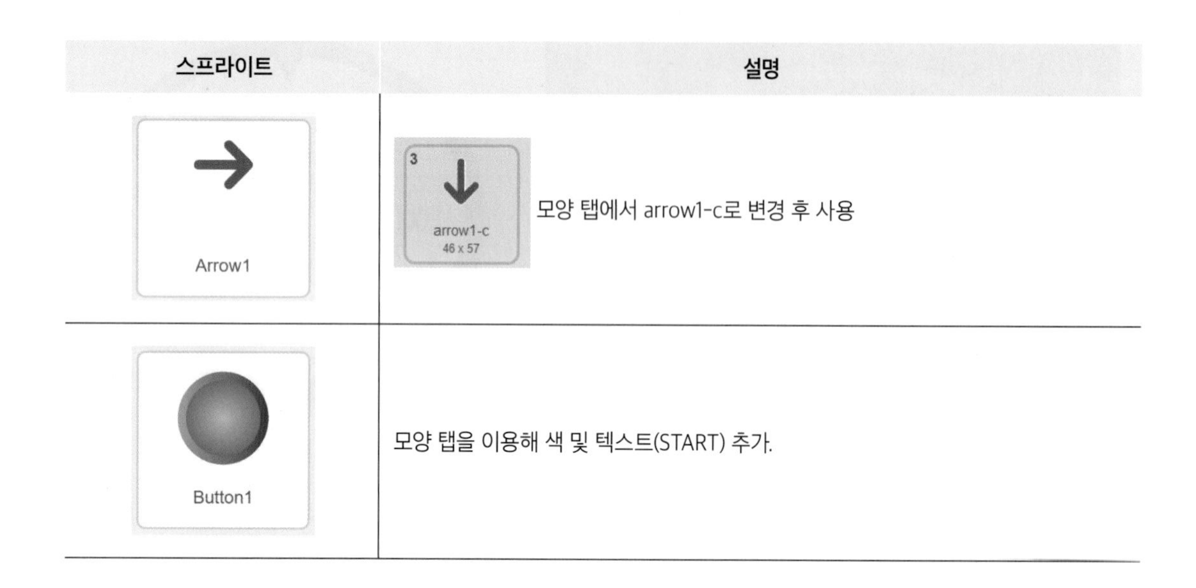

스프라이트	설명
Arrow1	arrow1-c 46 x 57 모양 탭에서 arrow1-c로 변경 후 사용
Button1	모양 탭을 이용해 색 및 텍스트(START) 추가.

돌림판은 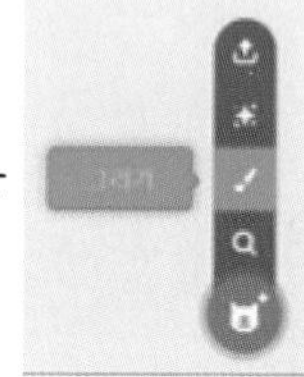 그리기를 통해 직접 디자인하여 스프라이트를 만들어 사용하도록 합니다. 아래 그림처럼 그리기 도구에 있는 원, 선, 채우기 기능 등을 통해 돌림판을 그려봅시다.

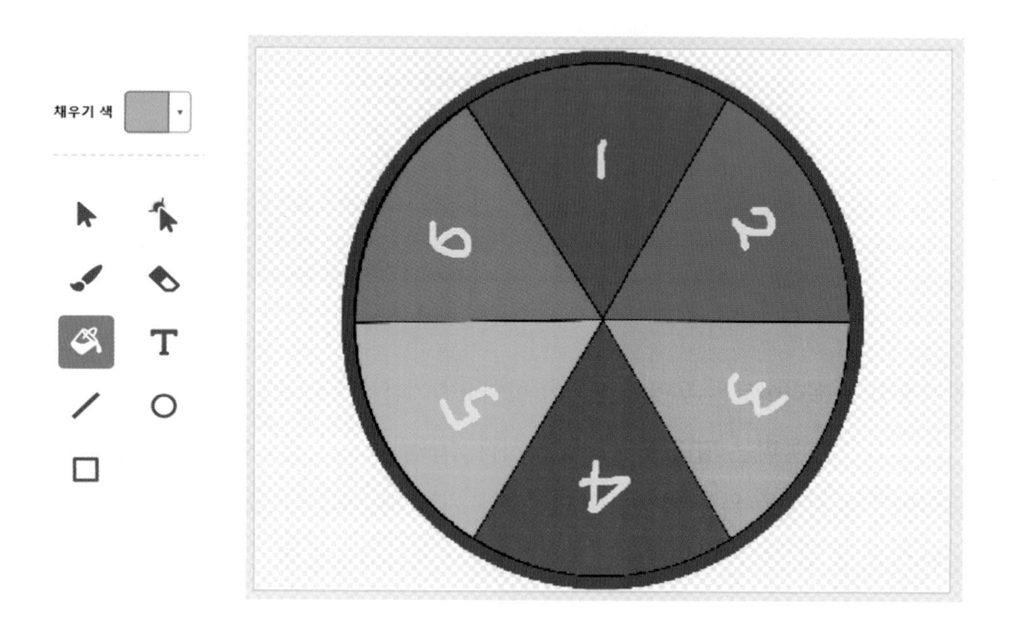

추가로  배경도 삽입해 보겠습니다.

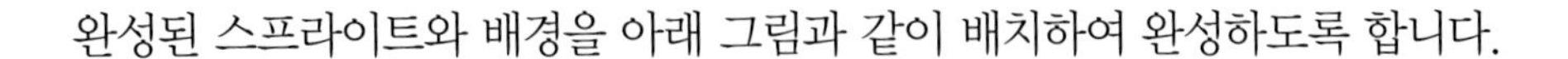
완성된 스프라이트와 배경을 아래 그림과 같이 배치하여 완성하도록 합니다.

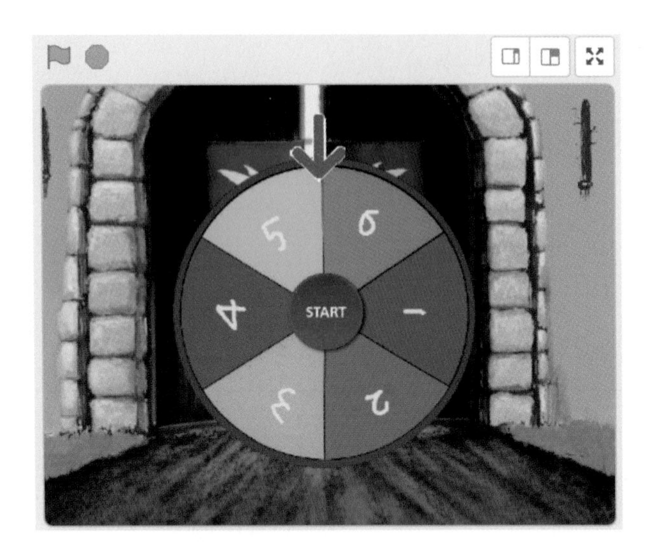

먼저 돌림판의 기준점, 회전각도, 현재 위치를 설정하는 블록을 배치하여 초기 세팅을 코딩해 보겠습니다. 먼저 아래 그림에서처럼 룰렛에서 사용할 변수 3개를 만들어 줍니다.

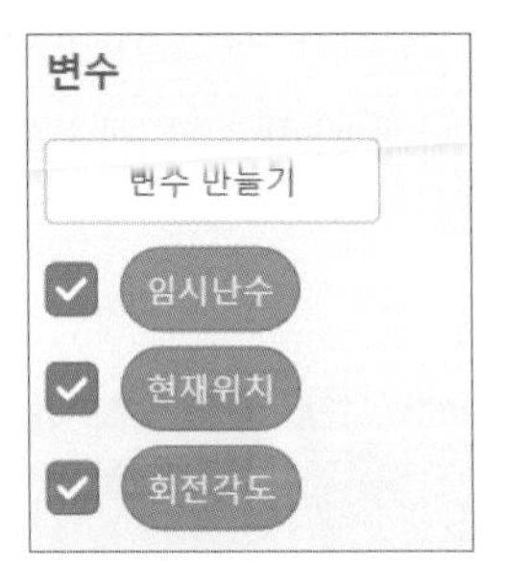

스프라이트	설명
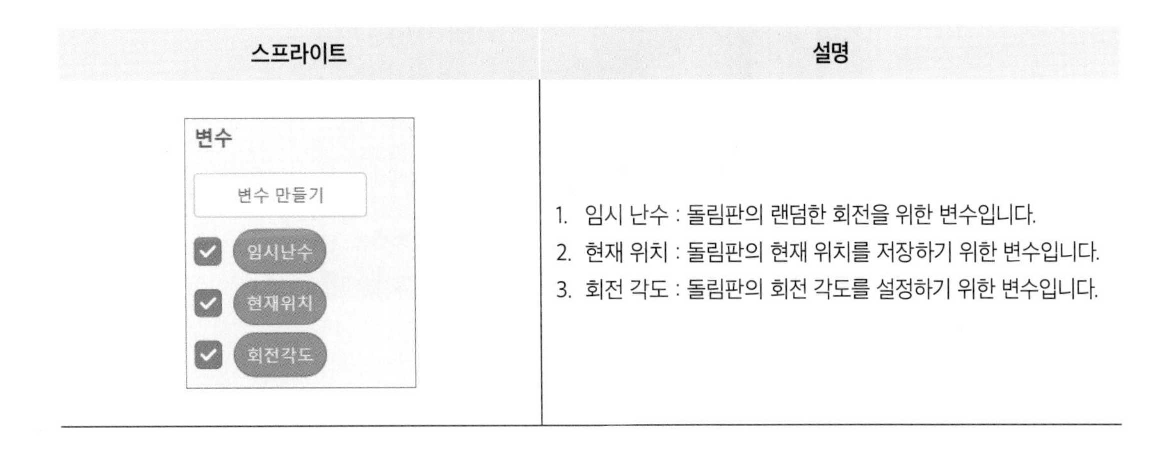	1. 임시 난수 : 돌림판의 랜덤한 회전을 위한 변수입니다. 2. 현재 위치 : 돌림판의 현재 위치를 저장하기 위한 변수입니다. 3. 회전 각도 : 돌림판의 회전 각도를 설정하기 위한 변수입니다.

우선 간단한 코딩을 통해 돌림판이 자연스럽게 잘 돌아가는지 테스트를 해보겠습니다. 아래 표에서처럼 블록을 배치하여 완성 시켜봅시다.

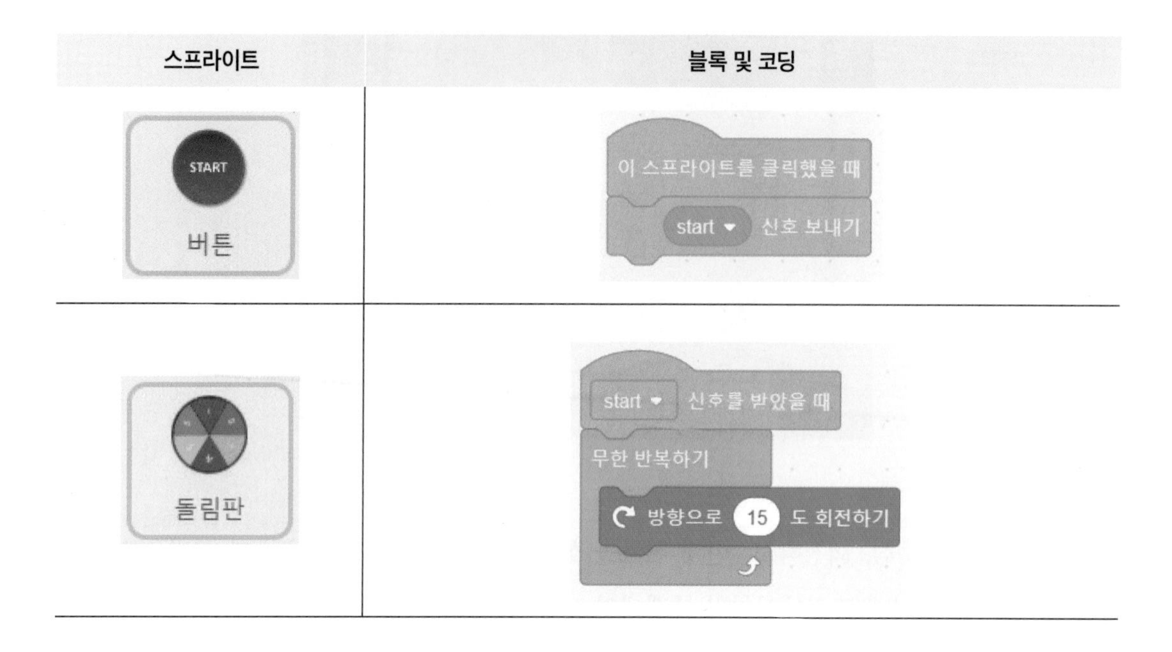

스프라이트	블록 및 코딩
START 버튼	이 스프라이트를 클릭했을 때 start ▾ 신호 보내기
돌림판	start ▾ 신호를 받았을 때 무한 반복하기 방향으로 15 도 회전하기

- **설명** : 스크립트 실행 후 START 버튼 누르게 되면 START 버튼 스프라이트가 신호를 보냅니다. 이때 돌림판이 신호를 받게 되고 반 시계 반향으로 계속해서 15도씩 회전하는 코딩입니다.

스크립트를 실행하니 돌림판이 계속해서 반 시계방향으로 돌아가고 있음을 확인할 수 있었나요? 여기에서 스크립트를 중지하고 돌림판 스프라이트에 있는 회전하기 블록에서 설정 각도를 '15도'가 아닌 '60도'로도 변경하여 다시 스크립트를 실행해 이전과 어떤 차이점이 있는지 확인해 봅시다.

결과적으로 '15도'에서 돌아가는 돌림판은 눈으로도 지금 화살표가 어느 숫자를 가리키고 있는지 확인될 정도의 속도로 돌아가지만, '60도'의 경우 너무 빨리 돌아가서 현재 화살표가 어느 숫자를 지나가는지 보기 어려울 정도로 빠르게 돌아가고 있음을 확인할 수 있었을 것입니다. 각도 설정하는 숫자에서 확인할 수 있듯이 '15도'에서 '60도'를 변경한다는 것은 즉 4배로 빨리 돌림판을 돌리겠다는 것과 같은 말입니다.

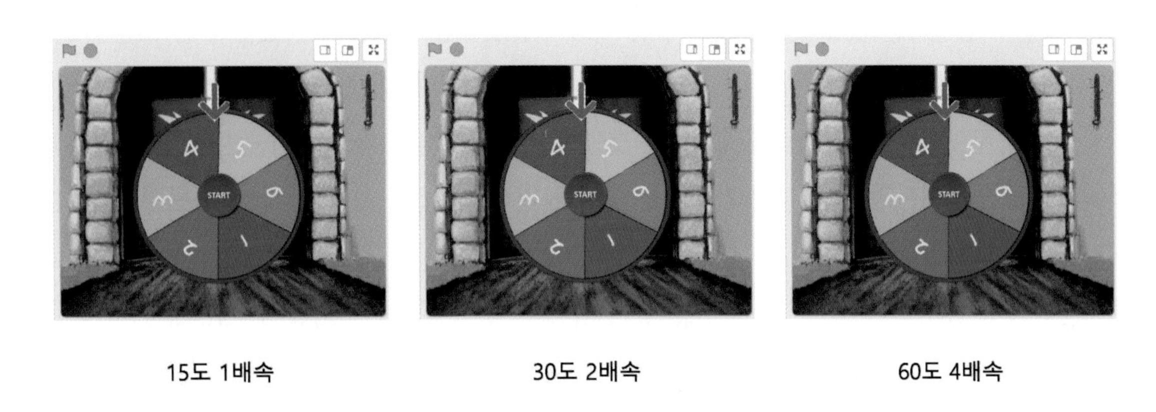

15도 1배속 30도 2배속 60도 4배속

이번에는 앞에서 추가한 3개 변수를 활용하여 룰렛의 돌아가는 횟수도 무작위로 설정하고 이와 동시에 돌아가는 속도도 처음에는 빠른 속도로 돌다가 점점 느린 속도로 돌 수 있도록 코딩하고 그 결과를 확인해 보도록 하겠습니다. 아래 표를 참고하여 돌림판 스프라이트의 코딩을 완성하도록 합니다.

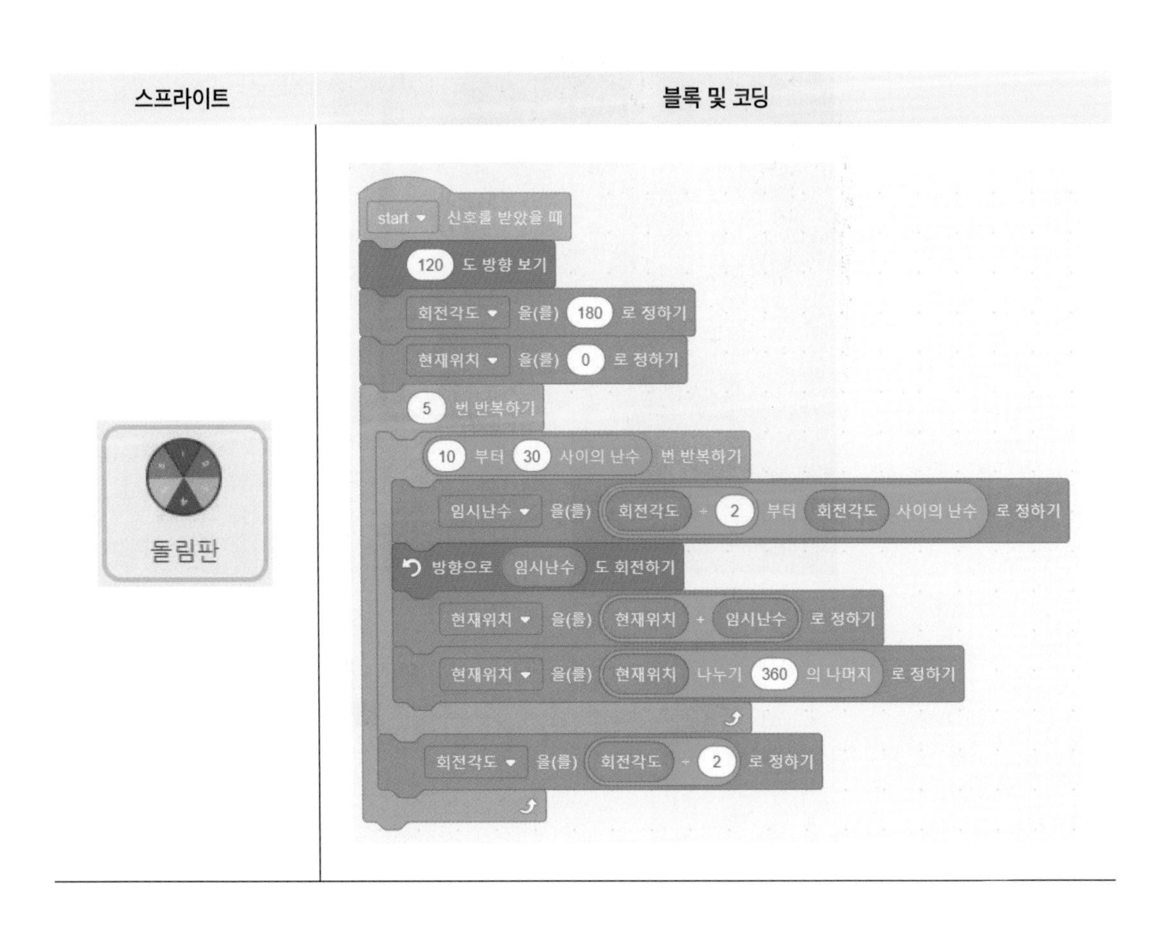

코딩이 완성됐으면 스크립트를 실행하여 돌림판을 돌려보도록 합니다. 돌림판이 어떻게 움직이는지 잘 관찰해보세요.

결과적으로 돌림판은 마치 사람이 수동으로 돌림판을 돌리는 것과 비슷하게 처음에는 빠르게 회전하고 점점 느리게 회전하다가 멈추는 현상을 확인할 수 있었을 것입니다. 코딩한 내용에서 확인할 수 있듯이 돌림판은 5단계의 속도를 가지고 있고 돌아가는 횟수는 난수를 통해 10~30번 회전한다는 것을 알 수 있습니다. 이로써 룰렛게임 코딩을 완성했습니다. 그런데 단순하게 돌아만 가는 돌림판을 보니 조금 아쉬운 점이 있습니다. 바로 현재 바늘이 가리키고 있는 숫자가 무엇인지 알려주면 더 재미있는 룰렛게임이 되지 않을까 생각이 듭니다. 이러한 결과를 만들기 위해서 현재 바늘이 가리키는 숫자는 알려주는 코드를 추가해서 더 완성된 룰렛을 만들어 보도록 하겠습니다.

바늘이 현재 숫자를 알려줄 수 있는 코딩은 생각에 따라 다양하게 표현할 수 있지만 여기서는 각 숫자에 해당하는 각도를 수동으로 설정하여 말하기 블록을 통해 표현될 수 있도록 구현해보도록 하겠습니다. 아래 표를 참고하여 각 숫자에 해당하는 각도를 수동 입력해주도록 합니다. 숫자마다 각도는 돌림판 각도는 아래 그림처럼 빨간색 부분을 확인하여 숫자를 입력하면 됩니다.

완성된 블록은 하나로 합쳐서 이전의 블록 맨 아래쪽과 연결하면 완성입니다.

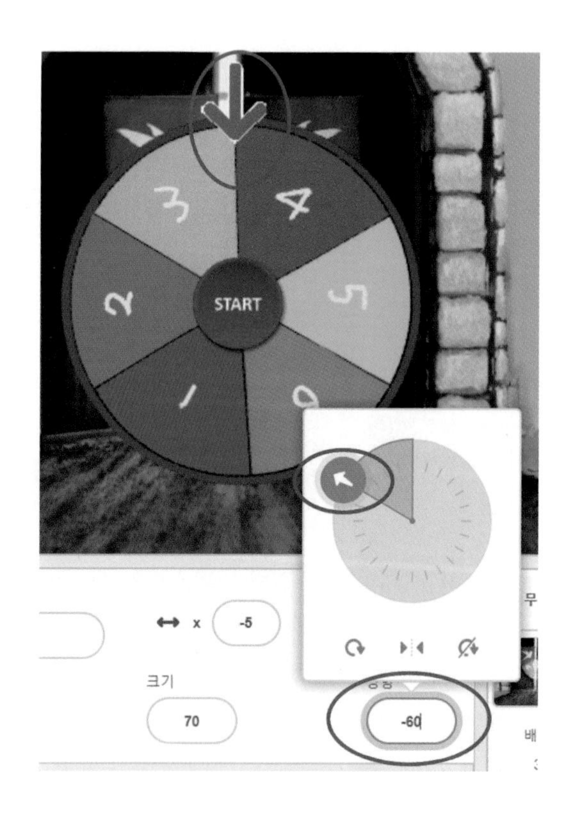

해당 숫자	블록 및 코딩
1	만약 현재위치 < 61 (이)라면 1 말하기 아니면
2	만약 현재위치 < 121 (이)라면 2 말하기 아니면
3	만약 현재위치 < 241 (이)라면 4 말하기 아니면
4	만약 현재위치 < 301 (이)라면 5 말하기 아니면 6 말하기
5, 6	만약 현재위치 < 181 (이)라면 3 말하기 아니면

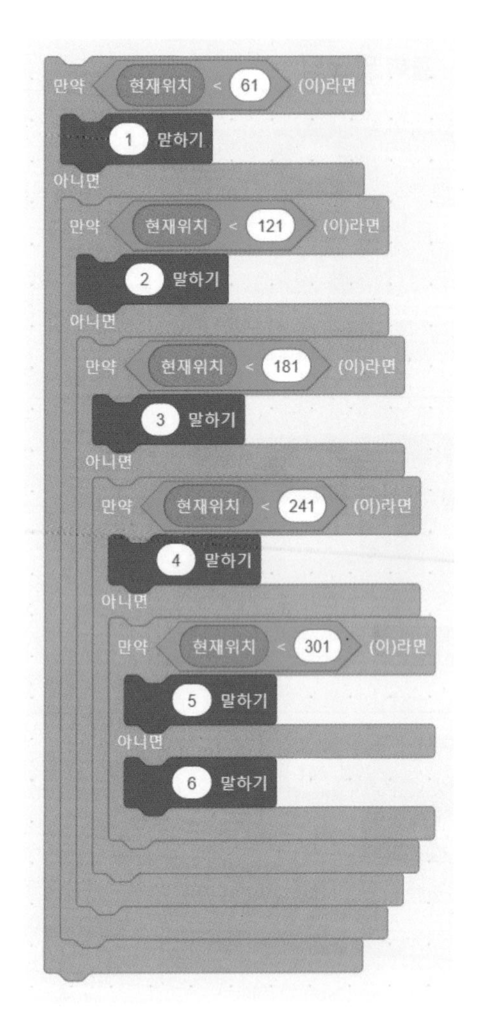

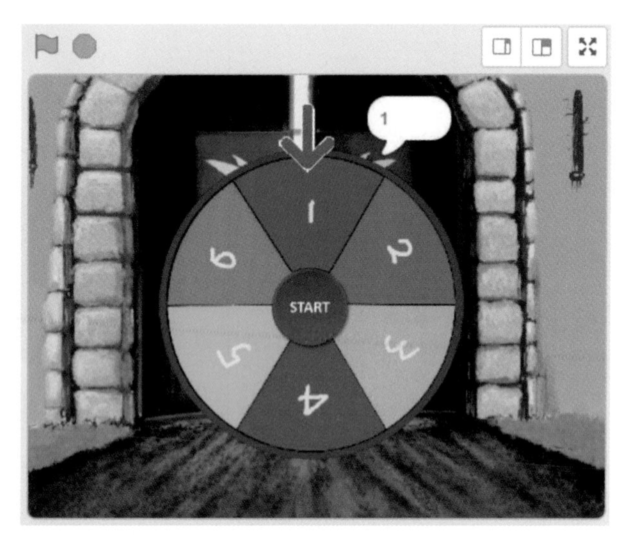

스크립트를 실행하여 룰렛을 돌려봅시다. 그림처럼 이제는 룰렛을 돌릴 때마다 룰렛이 멈출 때 화살표가 가리키는 곳의 숫자가 표시됨을 확인할 수 있습니다. 이 상태에서 다시 START 버튼을 통해 룰렛을 다시 돌리면 결과는 역시 멈춘 곳에 해당하는 숫자를 말해줍니다.

8-3 꽝이냐? 당첨이냐? 무작위 숫자 뽑기 게임

0부터 10까지 중 9개의 숫자는 '꽝' 1개의 숫자는 '당첨' 이 되는 확률게임을 한번 만들어 보도록 하겠습니다.

8-2에서 만든 룰렛도 사실 확률게임 중 하나입니다. 6개의 숫자 중 1개가 당첨되는 시스템이기 때문이죠. 그러나 룰렛과 이번 뽑기 게임과 다른 점은 룰렛은 클릭 후 돌아가는 긴장감을 주는 게임이라면 숫자 뽑기 게임은 어떤 숫자를 선택할지 생각하는 긴장감이 게임의 재미 요

소가 될 것입니다.

전체적인 화면과 게임 소개를 간단히 해보겠습니다. 무대 위에 0부터 9까지 10개의 숫자와 Start 버튼이 나열되어 있습니다. 게임을 진행하기 위해 Start 버튼을 누르고 무작위로 숫자 하나를 클릭합니다. 당첨이라는 메시지면 10% 확률게임에서 '승!' 꽝이라면 '패!'입니다.

먼저 무대의 배경과 숫자, Start 버튼을 추가 해보겠습니다.

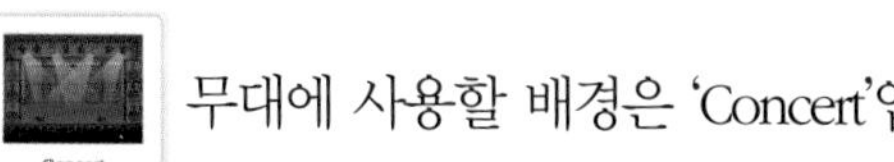

무대에 사용할 배경은 'Concert'입니다. 해당 배경을 찾아서 적용하도록 합니다. 그리고 숫자는 이전 계산기 연습문제에서 사용했던 숫자 스프라이트 

'Glow-0'부터 

'Glow-9'까지 배경 속에 있는 네모난 칸에 맞추어 배치하여 무대를 꾸미겠습니다.

Start 버튼의 경우 버튼 스프라이트를 사용해도 상관없지만 여기에서는 직접 그려서 배치하도록 하겠습니다.

모든 스프라이트가 배치되었다면 각자 환경에 맞게 크기를 조절하여 보기 좋은 크기로 적용하고 각각의 스프라이트가 스크립트 실행 시 자리 이탈을 방지하기 위해 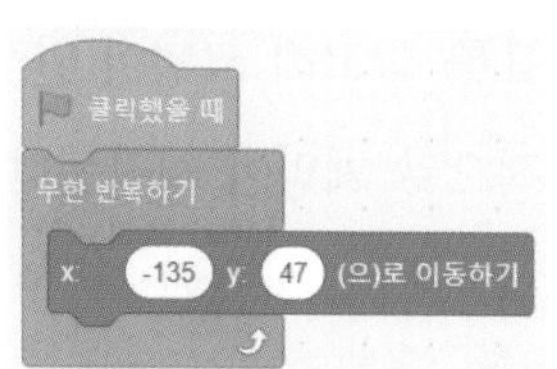

다음과 같은 블록을 먼저 추가해 주도록 하겠습니다. 이 블록을 적용해야 할 스프라이트는 Glow-0부터 Glow-9 까지 모든 숫자 스프라이트와 Start 버튼입니다(x, y 좌표만 다름).

0~9의 숫자 중 무작위로 선택되는 정답의 숫자를 저장하기 위한 정답 변수도 하나 추가하도록 하겠습니다.

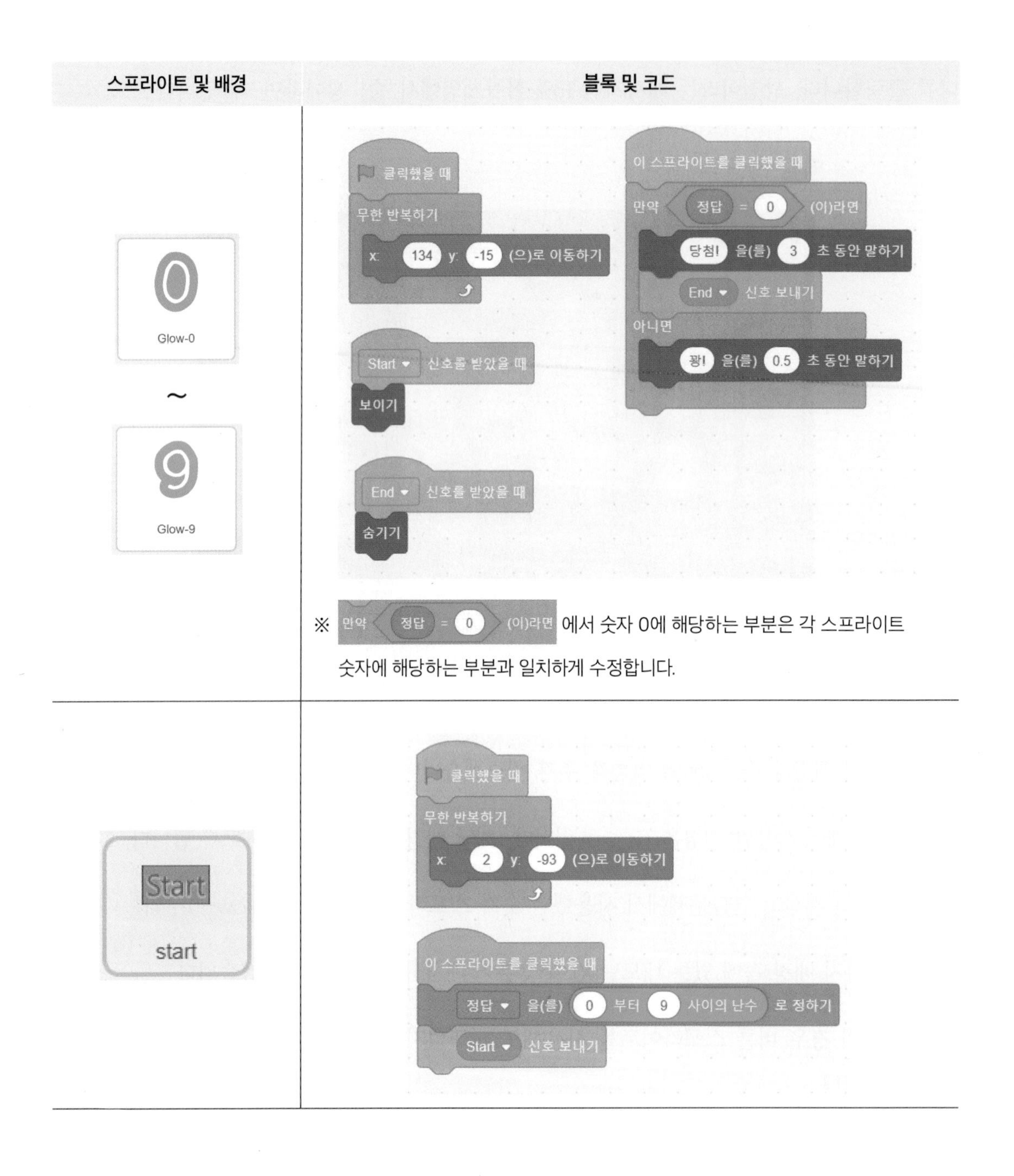

표를 참고해 코딩이 완성됐으면 스크립트를 실행해봅시다. 실행 후 Start 버튼을 누르면 본격적으로 게임이 시작됩니다. 숫자 스프라이트가 등장하게 되고 이 중 아무거나 하나를 찍었을 때 뽑기에 성공했으면 아래 그림과 같이 '당첨!'이라는 말풍선이 등장하게 되고 잠시 후 숫자들이 사라지게 되는 모습을 확인할 수 있습니다.

이에 반해 꽝을 눌렀다면 아래 그림에서 나타나듯 꽝이라는 말풍선이 0.5초간 등장하게 됩니다. 계속해서 뽑기를 성공할 때까지 게임은 진행됩니다.

다들 뽑기에 성공했나요? 간단한 연습문제였지만 당첨을 뽑기 위해 한 번 클릭할 때의 긴장감이 있었을 것이라 생각이 듭니다. 그렇지만 여기서 조금 더 재미 요소를 추가하여 더 긴장감 있는 클릭을 할 수 있도록 업그레이드를 시켜보겠습니다. 바로 변수 하나를 더 이용하여 현재 확률에 대해 표시하는 것입니다.

이 게임은 0부터 9까지 10번의 기회가 있으며, 한 번에 당첨될 시 10%의 확률 도전에 성공한 것이며, 실패할 경우 20%, 30% … 100%로 당첨될 확률이 10%씩 계속 증가하게 됩니다. 이러한 확률을 사용자가 눈으로 확인할 수 있도록 표시해보겠습니다.

다시 변수로 돌아가서 [정답 / 현재 확률(%)] 현재 확률(%)라는 변수를 만들고 이 변수는 화면에 표시될 수 있도록 활성화합니다. 활성화된 변수가 무대에 표시가 되었는지 확인할 수 있습니다.

확률표시 및 현재 확률 계산을 위해 블록 및 코드를 수정하도록 하겠습니다. 아래 표를 참고하여 코드를 수정합니다.

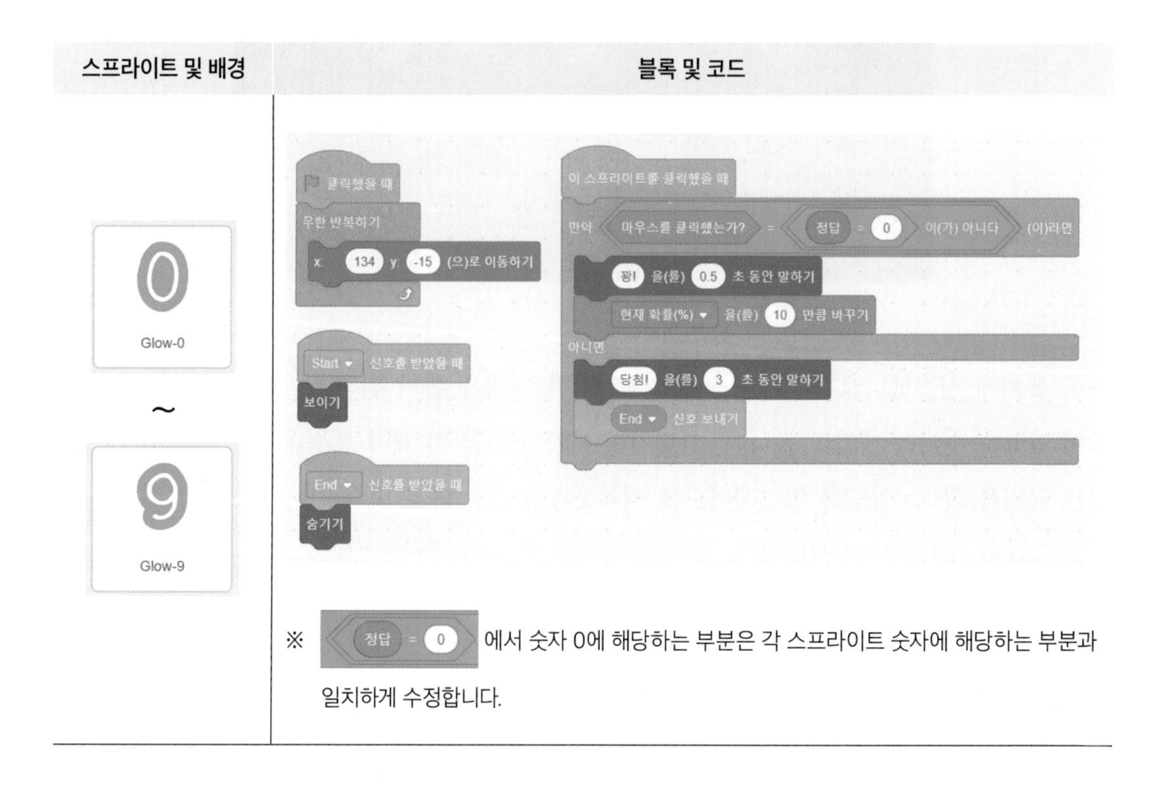

스프라이트 및 배경	블록 및 코드
Glow-0 ~ Glow-9	클릭했을 때 무한 반복하기 x: 134 y: -15 (으)로 이동하기 Start 신호를 받았을 때 보이기 End 신호를 받았을 때 숨기기 이 스프라이트를 클릭했을 때 만약 마우스를 클릭했는가? = 정답 = 0 이(가) 아니다 (이)라면 꽝! 을(를) 0.5 초 동안 말하기 현재 확률(%) 을(를) 10 만큼 바꾸기 아니면 당첨! 을(를) 3 초 동안 말하기 End 신호 보내기 ※ [정답 = 0] 에서 숫자 0에 해당하는 부분은 각 스프라이트 숫자에 해당하는 부분과 일치하게 수정합니다.

스프라이트 및 배경	블록 및 코드
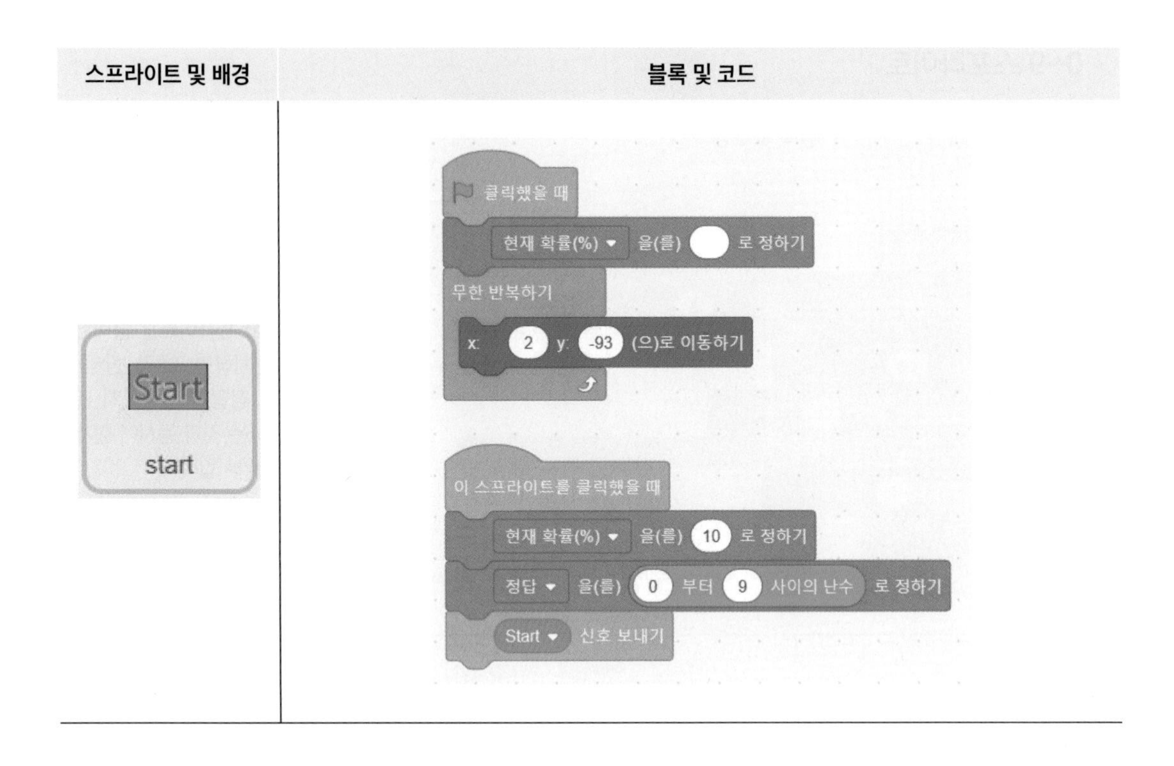	

간단하게 동작 원리를 설명하도록 하겠습니다.

START

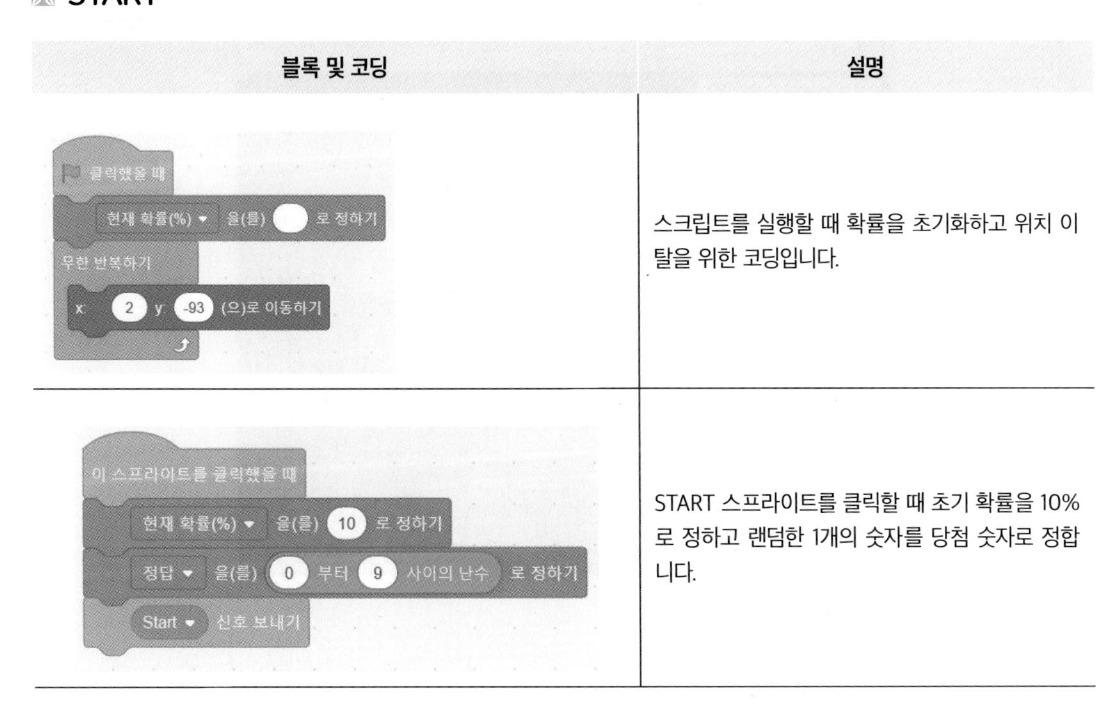

블록 및 코딩	설명
클릭했을 때 / 현재 확률(%) 을(를) 로 정하기 / 무한 반복하기 / x: 2 y: -93 (으)로 이동하기	스크립트를 실행할 때 확률을 초기화하고 위치 이탈을 위한 코딩입니다.
이 스프라이트를 클릭했을 때 / 현재 확률(%) 을(를) 10 로 정하기 / 정답 을(를) 0 부터 9 사이의 난수 로 정하기 / Start 신호 보내기	START 스프라이트를 클릭할 때 초기 확률을 10%로 정하고 랜덤한 1개의 숫자를 당첨 숫자로 정합니다.

0~9 스프라이트

블록 및 코딩	설명
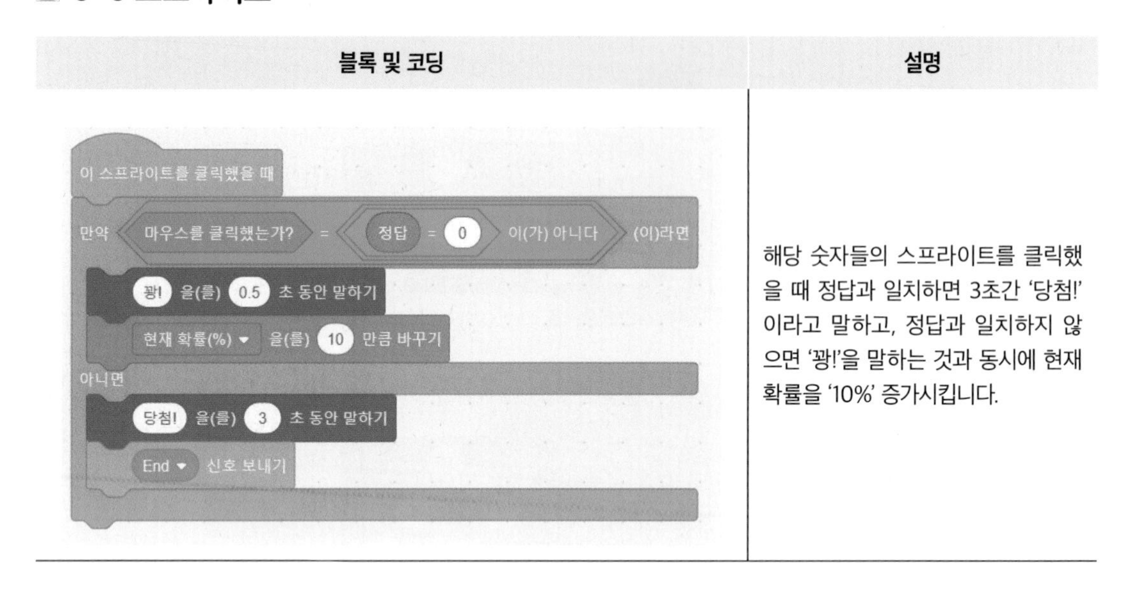	해당 숫자들의 스프라이트를 클릭했을 때 정답과 일치하면 3초간 '당첨!'이라고 말하고, 정답과 일치하지 않으면 '꽝!'을 말하는 것과 동시에 현재 확률을 '10%' 증가시킵니다.

게임 진행

현재 확률이 '40%'이므로 3번 연속 뽑기를 실패한 상황입니다. 계속해서 '40%' 확률에 도전하는 상황입니다.

아래 그림 상황은 '20%' 확률 도전에 성공하여 게임이 종료된 상태입니다.

8-4 피하기 게임 만들기 : 떨어지는 공 피하기

이번에는 피하기 게임을 만들어 보도록 하겠습니다. 피하기 게임이란? 말 그대로 하나의 조정 가능한 스프라이트를 사용자가 조정하여 다른 스프라이트를 피하는 게임입니다. 이미 많이 알려진 피하기 게임은 총알 피하기(좌), 미사일 피하기(우) 등이 있으며, 간단히 즐길 수 있으면서 중독성 있는 재미로 인해 많은 사람에게 사랑받았던 게임입니다.

피하기 게임 소개

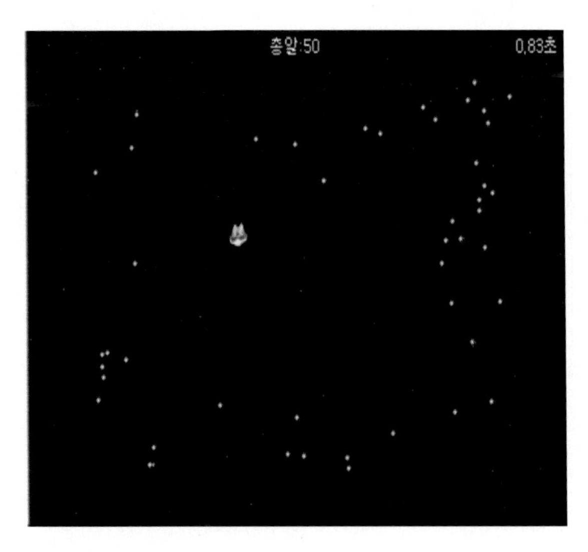

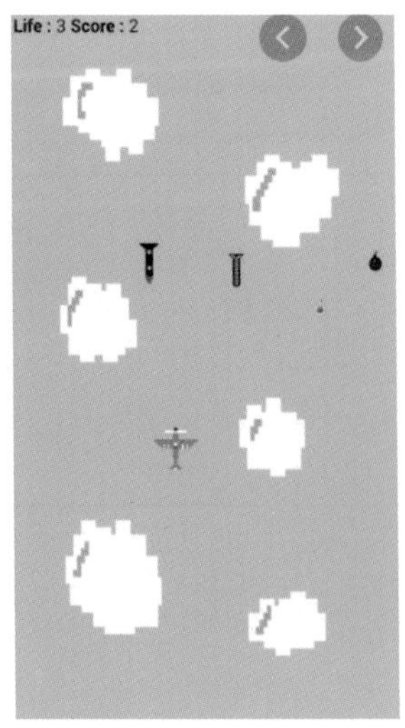

피하기 게임은 목표가 따로 정해지지 않는 것이 다른 게임들과는 다르게 특이한 점이라고 볼 수 있습니다. 위의 그림에서 왼쪽에 해당하는 게임은 총알 피하기 게임이며, 계속해서 움직이는 총알을 피해가며 얼마나 시간을 버티는가에 대한 목표가 있습니다. 이때 따로 게임 종료를 위해 정해진 시간은 없으며, 사용자가 총알을 피하기만 한다면 계속해서 시간은 올라갑니다. 이와 비슷한 규칙을 가진 오른쪽 그림 미사일 피하기 게임도 계속해서 떨어지는 미사일을 피하는 게임이며, 게임 종료를 위해 정해진 점수가 없습니다. 그래서 계속해서 미사일을 피한다면 점수는 계속해서 올라가는 게임입니다. 이러한 기록을 이용하여 1인 플레이가 아닌 2인 이상 플레이를 진행하는 경우 가장 오래 버티는 사람이 이기는 게임이 되거나 혹은 가장 높은 점수를 획득한 사람이 승리하는 게임이 되는 것입니다.

앞장에서 소개했던 피하기 게임을 스크래치를 통해 만들어 보도록 하겠습니다. 먼저 피하기 게임에 사용될 스프라이트를 배치해보도록 하겠습니다.

게임에 사용되는 스프라이트는 총 4개, 배경 1개로 구성되며, 1개의 조정 가능한 스프라이트와 무작위로 계속해서 떨어지는 3개의 장애물 스프라이트로 구성됩니다. 아래 표를 참고하여 스프라이트를 추가해 보도록 하겠습니다.

스프라이트 및 배경	설명
Gobo	1. 사용자가 조정하는 스프라이트입니다. (크기 = 60) 2. 상, 하, 좌, 우 조정 가능합니다.
Basketball	1. 장애물 스프라이트입니다. (크기 (대)) = 150) 2. 무작위 위치에서 위에서 아래로 떨어집니다.
Baseball	1. 장애물 스프라이트입니다. (크기 (중))= 100) 2. 무작위 위치에서 위에서 아래로 떨어집니다.

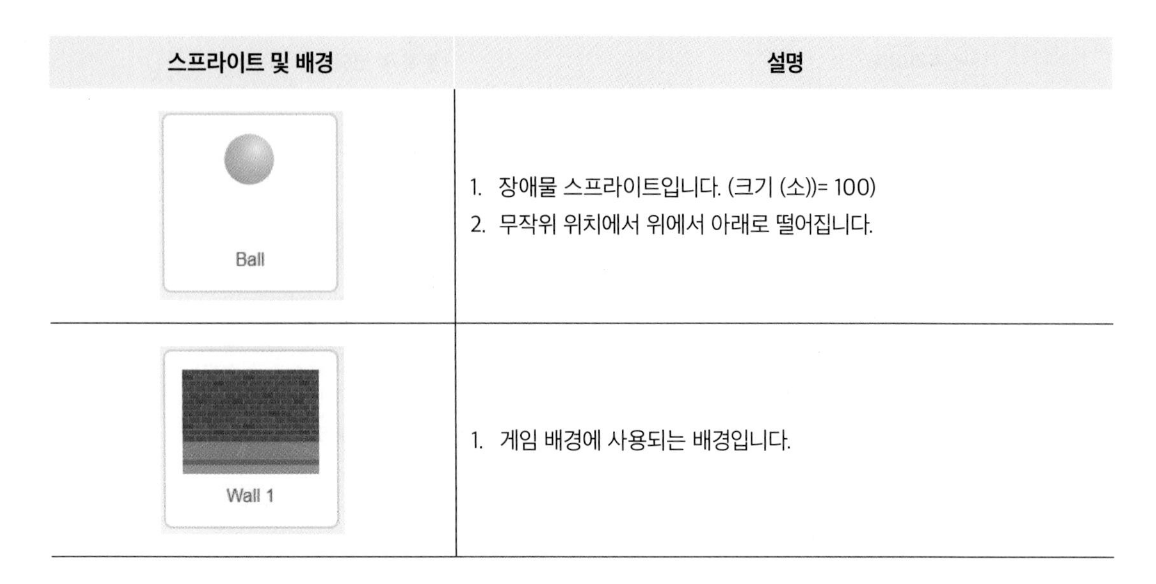

스프라이트 및 배경	설명
Ball	1. 장애물 스프라이트입니다. (크기 (소))= 100) 2. 무작위 위치에서 위에서 아래로 떨어집니다.
Wall 1	1. 게임 배경에 사용되는 배경입니다.

스프라이트와 배경을 추가하였으면 위의 그림과 같이 정렬해 주도록 합니다. Gobo 스프라이트부터 키보드로 조정하기 위해 하나씩 코딩해가며 진행해보겠습니다.

Gobo 스프라이트는 위에서 떨어지는 공을 피하기 위해 왼쪽 또는 오른쪽으로 움직임을 계속해야 합니다. 아래 표를 참고하여 Gobo가 키보드 왼쪽, 오른쪽 버튼에 움직일 수 있도록 코딩합니다.

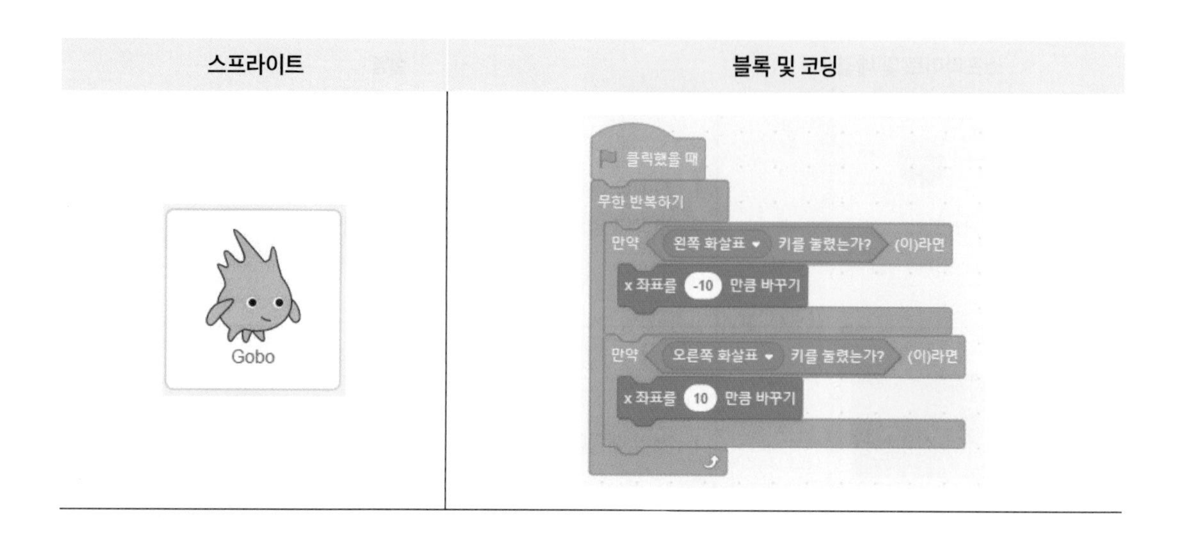

Gobo 코딩을 완료했으면 스크립트를 실행하여 키보드 방향키 왼쪽, 오른쪽 키를 눌려서 Gobo가 위의 그림과 같이 잘 움직이는지 확인합니다.

다음은 3개의 공 스프라이트를 무작위로 위에서 아래로 떨어지도록 코딩을 해보겠습니다.

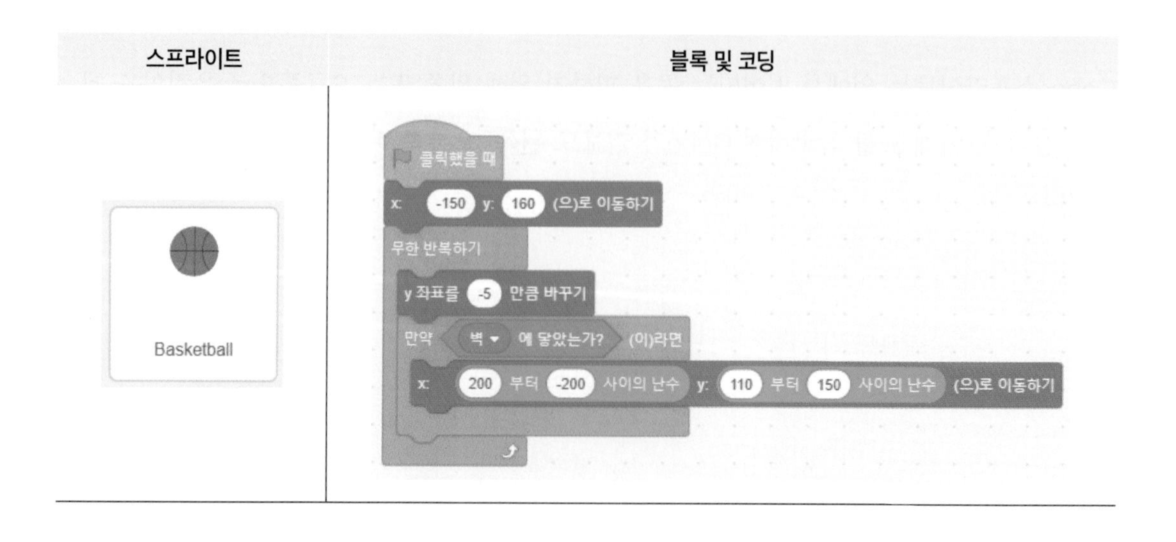

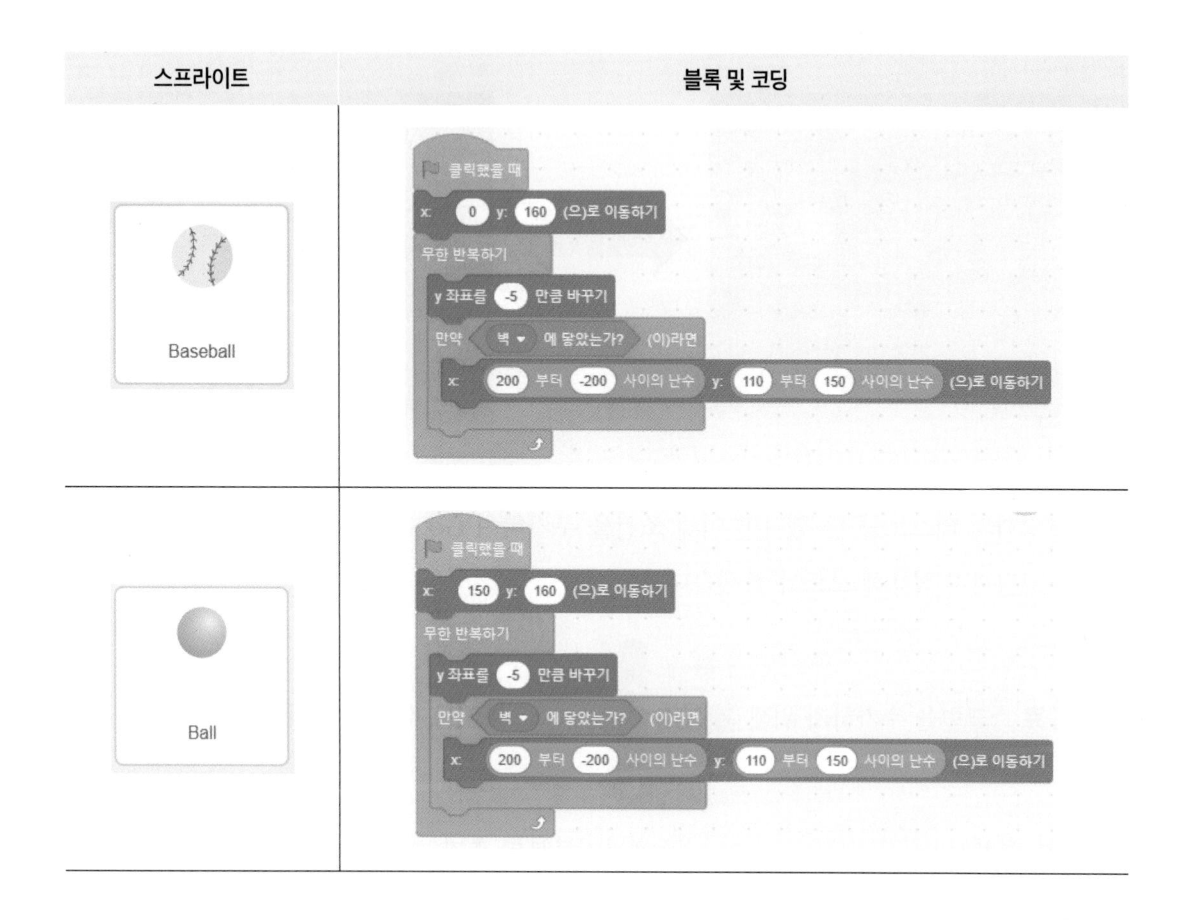

스프라이트	블록 및 코딩
Baseball	클릭했을 때 x: 0 y: 160 (으)로 이동하기 무한 반복하기 y 좌표를 -5 만큼 바꾸기 만약 벽 ▾ 에 닿았는가? (이)라면 x: 200 부터 -200 사이의 난수 y: 110 부터 150 사이의 난수 (으)로 이동하기
Ball	클릭했을 때 x: 150 y: 160 (으)로 이동하기 무한 반복하기 y 좌표를 -5 만큼 바꾸기 만약 벽 ▾ 에 닿았는가? (이)라면 x: 200 부터 -200 사이의 난수 y: 110 부터 150 사이의 난수 (으)로 이동하기

표를 통해 코딩을 완성했으면 스크립트를 실행해서 어떻게 동작하는지 확인해 보도록 하겠습니다.

아래 그림과 같이 3개의 공 스프라이트들이 무작위로 내려오는 동작과 키보드 왼쪽, 오른쪽 화살표를 눌려서 Gobo를 조정이 되고 있다면 잘 따라오고 있는 상황입니다. 아직 모든 코딩이 완벽하게 적용하지 않았기 때문에 현재는 Gobo를 왼쪽, 오른쪽으로 이동해서 공의 움직임이나 Gobo의 움직임에 대해 파악해 보고 이후에 코딩이 완성되면 난이도가 적당한지에 대해 생각해봅니다.

예를 들어 게임을 플레이했을 때 현재 난이도가 쉽다고 생각되면 Gobo의 크기나 공의 크기 및 속도를 조절해서 어렵게 만드는 방법을 생각해보고 난이도가 어렵다면 반대로 Gobo의 크기를 조금 더 작게 만들거나 공의 움직임을 천천히 적용할 생각을 미리 해둡니다.

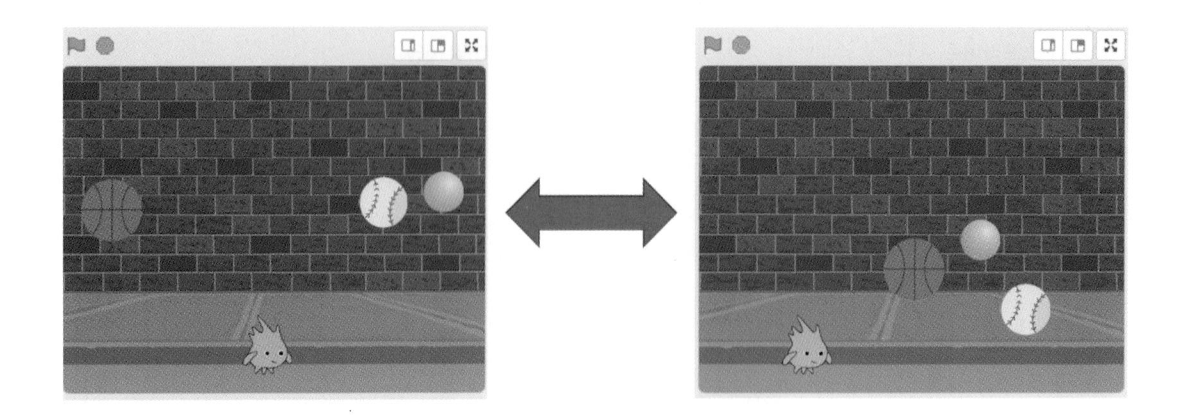

위의 코딩까지 테스트를 다 했다면 이제 조건을 추가하여 Gobo가 공에 닿았을 때 게임이 종료되는 코딩까지 적용해 보도록 하겠습니다.

게임 종료 스크린을 추가하기 위해 

새 스프라이트 추가 - 아래 그림에서처럼 그리 그리기를 통해서 

'Game Over' 스프라이트부터 추가 해주도록 하겠습니다.

위의 그림과 같이 Game Over 스프라이트가 화면 중앙에 올 수 있도록 적당한 곳에 배치합니다. 그리고 스프라이트마다 새로운 코딩을 아래와 같이 적용하도록 합니다.

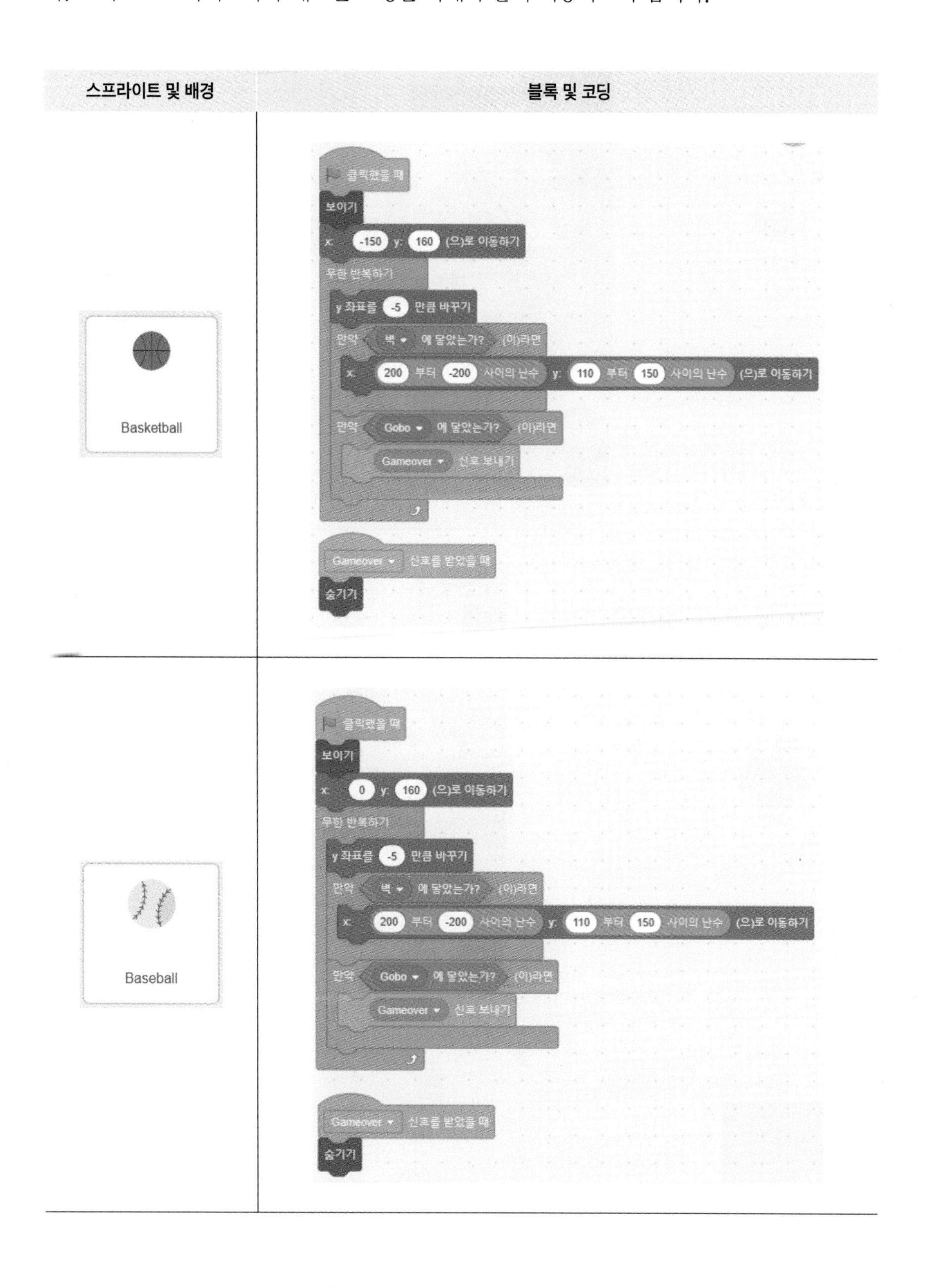

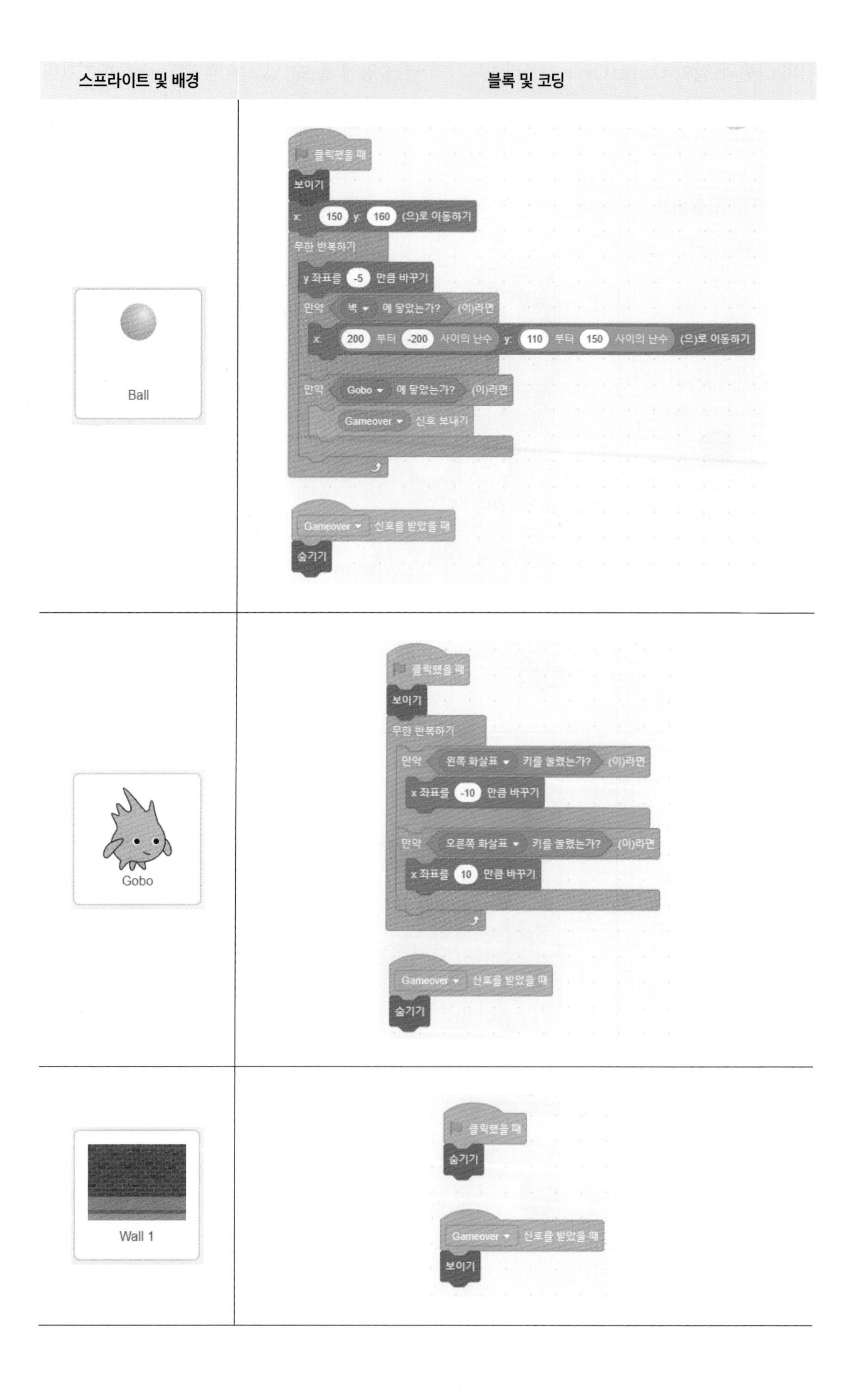
스프라이트 및 배경
블록 및 코딩
Ball
클릭했을 때
보이기
x: 150 y: 160 (으)로 이동하기
무한 반복하기
y 좌표를 -5 만큼 바꾸기
만약 벽 에 닿았는가? (이)라면
x: 200 부터 -200 사이의 난수 y: 110 부터 150 사이의 난수 (으)로 이동하기
만약 Gobo 에 닿았는가? (이)라면
Gameover 신호 보내기
Gameover 신호를 받았을 때
숨기기
Gobo
클릭했을 때
보이기
무한 반복하기
만약 왼쪽 화살표 키를 눌렀는가? (이)라면
x 좌표를 -10 만큼 바꾸기
만약 오른쪽 화살표 키를 눌렀는가? (이)라면
x 좌표를 10 만큼 바꾸기
Gameover 신호를 받았을 때
숨기기
Wall 1
클릭했을 때
숨기기
Gameover 신호를 받았을 때
보이기

코딩이 완성됐으면 스크립트를 실행해서 실제 게임을 진행해보도록 하겠습니다. 게임을 진행하면서 Gobo 스프라이트가 공에 닿을 때 모든 스프라이트가 사라지고 'Game Over' 스프라이트만 나오는 것을 확인할 수 있습니다.

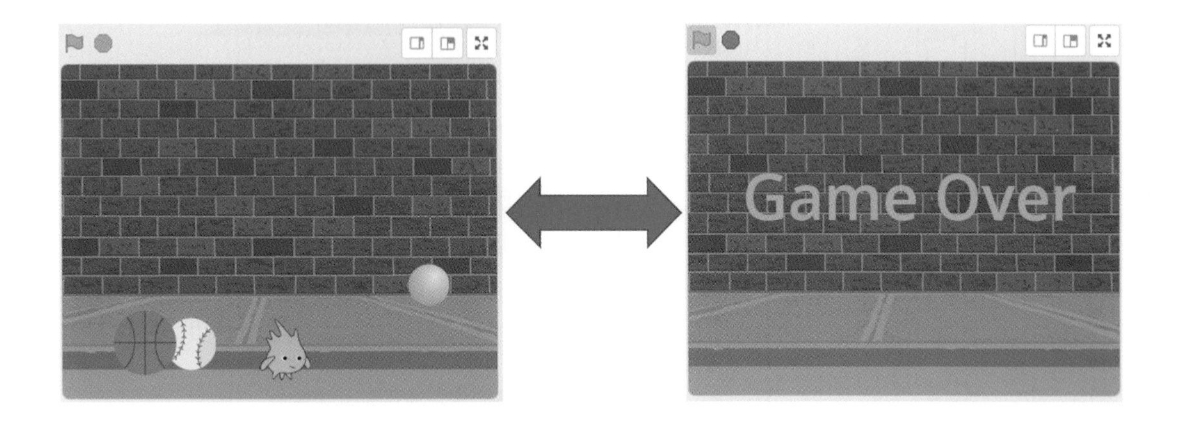

피하기 게임은 완성했지만, 목적달성이나 점수와 같은 옵션이 없으니 사실상 재미가 좀 떨어집니다. 그래서 추가로 현재 점수와 최고 점수를 추가하여 게임의 재미 요소를 주도록 하겠습니다. 추가 및 수정할 부분은 공 스프라이트마다 각각 점수를 부여하고, Gobo가 공에 닿으면 현재 점수와 최고 점수를 비교하여 최고 점수를 갱신하는 것입니다.

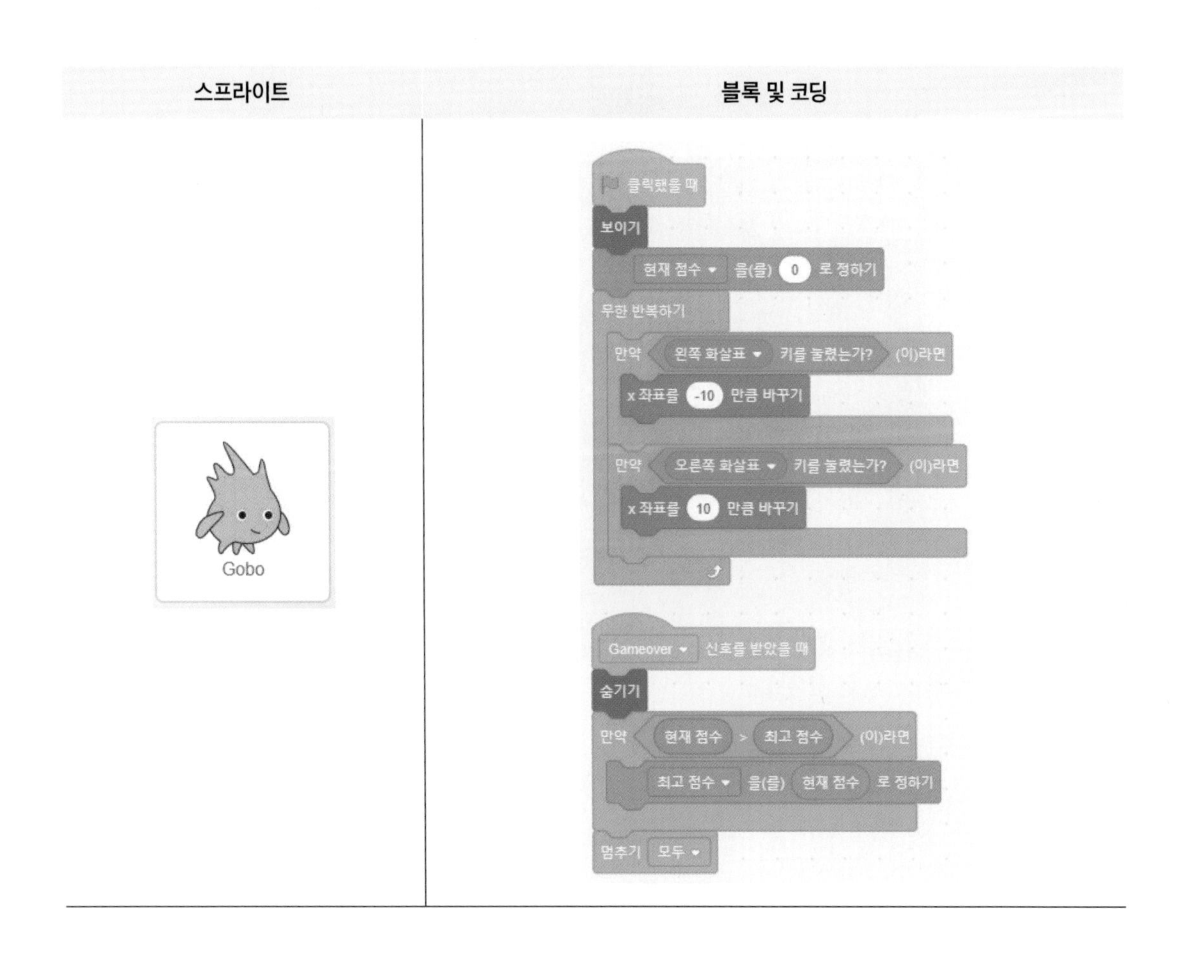

스프라이트	블록 및 코딩
Gobo	클릭했을 때 보이기 현재 점수 을(를) 0 로 정하기 무한 반복하기 만약 왼쪽 화살표 키를 눌렀는가? (이)라면 x 좌표를 -10 만큼 바꾸기 만약 오른쪽 화살표 키를 눌렀는가? (이)라면 x 좌표를 10 만큼 바꾸기 Gameover 신호를 받았을 때 숨기기 만약 현재 점수 > 최고 점수 (이)라면 최고 점수 을(를) 현재 점수 로 정하기 멈추기 모두

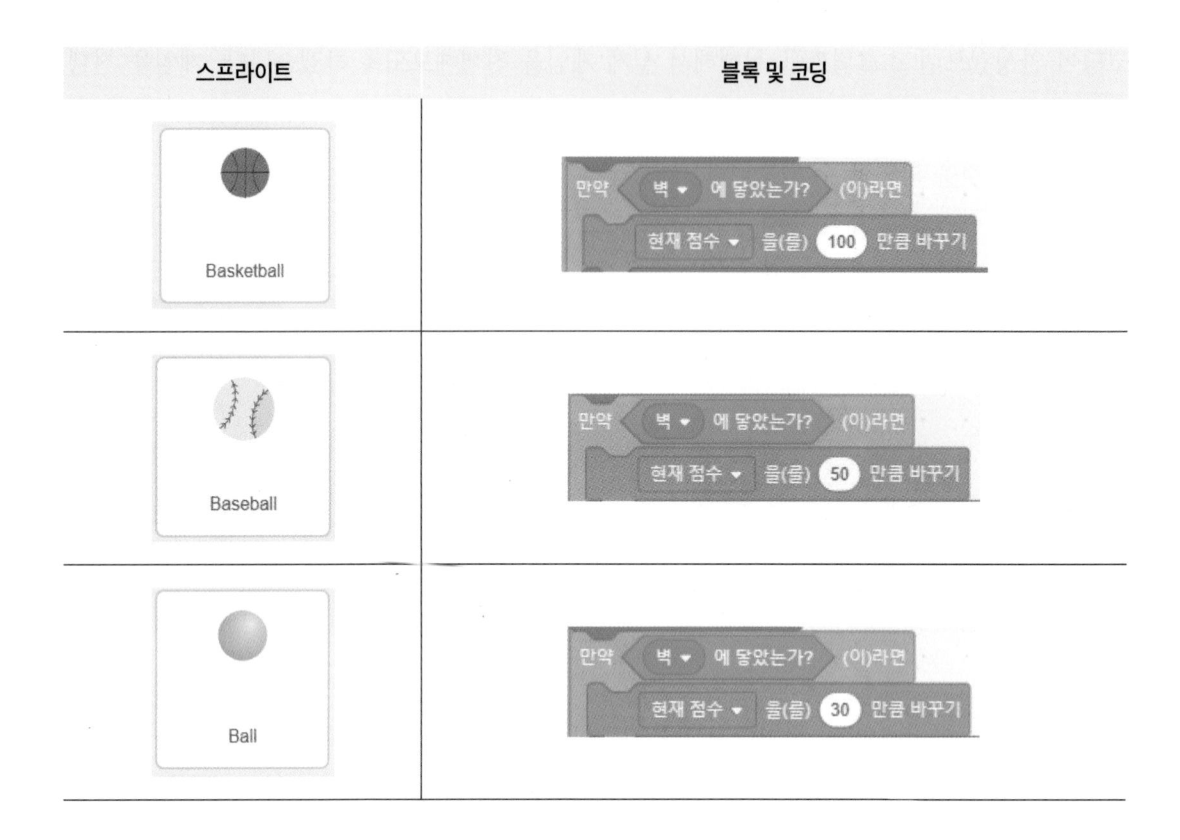

스프라이트	블록 및 코딩
Basketball	만약 벽 ▾ 에 닿았는가? (이)라면 현재 점수 ▾ 을(를) 100 만큼 바꾸기
Baseball	만약 벽 ▾ 에 닿았는가? (이)라면 현재 점수 ▾ 을(를) 50 만큼 바꾸기
Ball	만약 벽 ▾ 에 닿았는가? (이)라면 현재 점수 ▾ 을(를) 30 만큼 바꾸기

코드를 완성했으면 스크립트를 시작하여 현재 점수가 잘 표시되는지 확인하고, 이와 동시에 Game Over일 때 최고 점수도 갱신이 잘 되는지도 확인해 봅시다.

8-5 슈팅 게임 만들기

이번 게임은 키보드를 좀 더 활용하는 게임을 만들어 보도록 하겠습니다. 이전의 게임과는 다르게 스프라이트의 움직임을 조정하고 동시에 미사일을 발사하여 적을 처치하는 슈팅 게임을 만들어 보겠습니다.

코딩하기 전에 이번 게임에서 사용하는 스프라이트와 배경을 살펴보고 각각의 스프라이트마다 코딩을 진행하도록 하겠습니다. 그리고 이번 게임을 통해 각각의 스프라이트의 동작 과정을 이해하는데 목표가 있습니다.

스프라이트 및 배경	블록 및 코딩
Cat Flying, Snowflake	1. 게임에 진행할 주인공은 Cat Flying 스프라이트를 사용합니다. 2. 스페이스 키를 누를 때마다 Snowflake가 미사일처럼 나갑니다.
Griffin, Starfish, Beetle, Parrot	1. 게임에서 적으로 등장하는 스프라이트입니다. 2. 종류는 4개로 구성하며, Beetle, Griffin, Parrot, Starfish입니다.
GAME OVER Game Over, Clear Clear	1. 게임 끝이나 임무 성공 시 나타나게 하는 이벤트 Game Over, Clear 스프라이트입니다.
Space City 1, Space City 2, Party	1. 스테이지 1, 스테이지 2, 클리어에 해당하는 각각의 배경을 추가합니다. 2. 사용되는 배경은 Space City 1, Space City 2, Party 입니다.

게임의 주인공인 Cat Flying 스프라이트부터 코딩해보도록 하겠습니다. 코딩에 들어가기 전에 고양이 스프라이트에서 코딩해야 할 부분을 먼저 생각해보도록 하겠습니다. 우선 기본적으로 키보드 움직임에 따라 고양이가 움직일 수 있도록 조정 가능한 코딩을 해야 합니다. 그리고 고양이 스프라이트에서 스페이스 키를 누를 때마다 미사일인 Snowflake가 나타나도록 해주어야 하며, 적이 고양이에게 닿거나 혹은 적이 고양이 쪽에 도달했다면 게임오버 신호를 보내서 Game Over 스프라이트가 호출될 수 있도록 해야 합니다. 이러한 생각을 기반으로 하나씩 구현해보면서 스프라이트를 완성 시켜보도록 하겠습니다.

Cat Flying 블록 및 코딩	설명
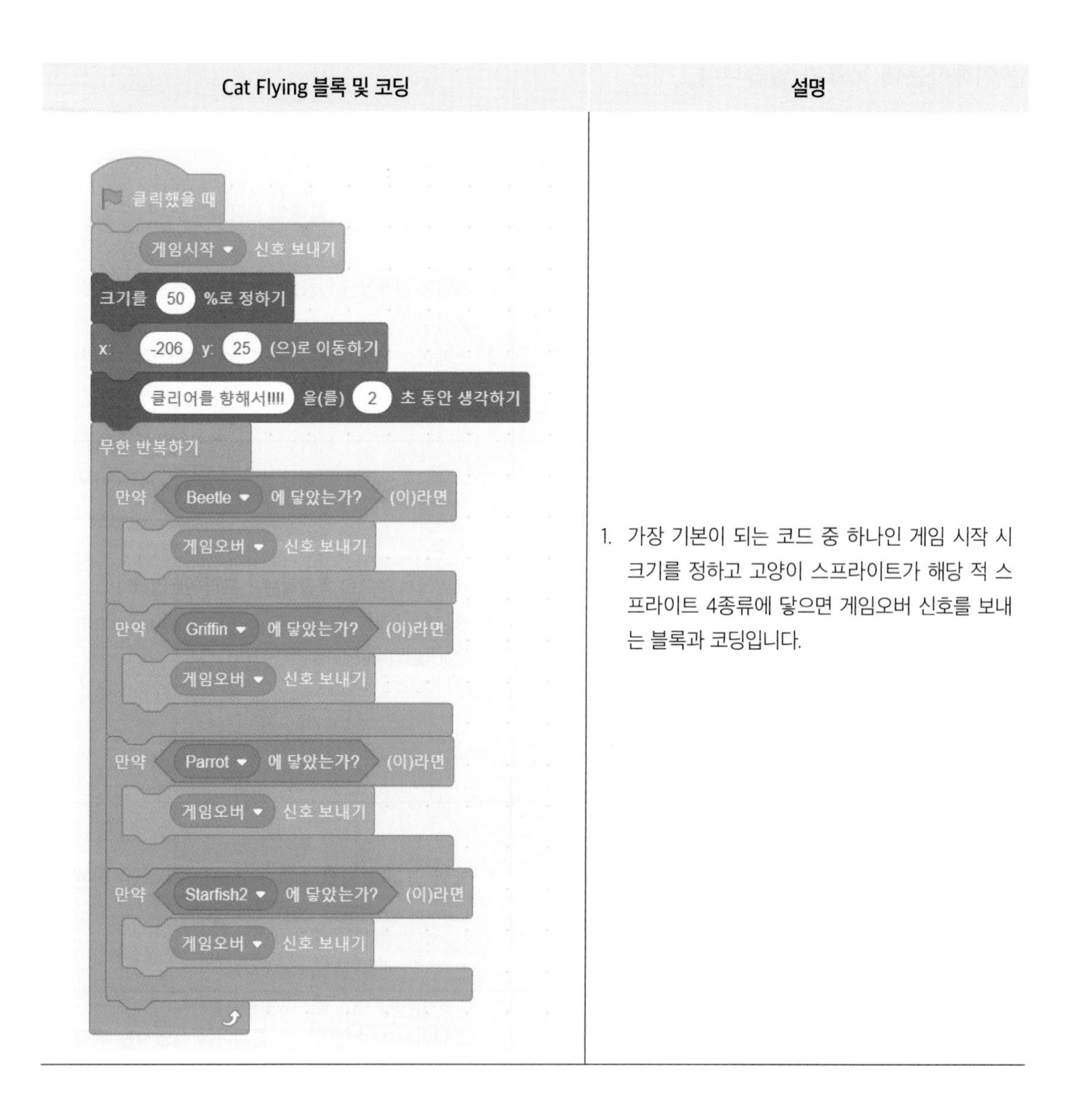	1. 가장 기본이 되는 코드 중 하나인 게임 시작 시 크기를 정하고 고양이 스프라이트가 해당 적 스프라이트 4종류에 닿으면 게임오버 신호를 보내는 블록과 코딩입니다.

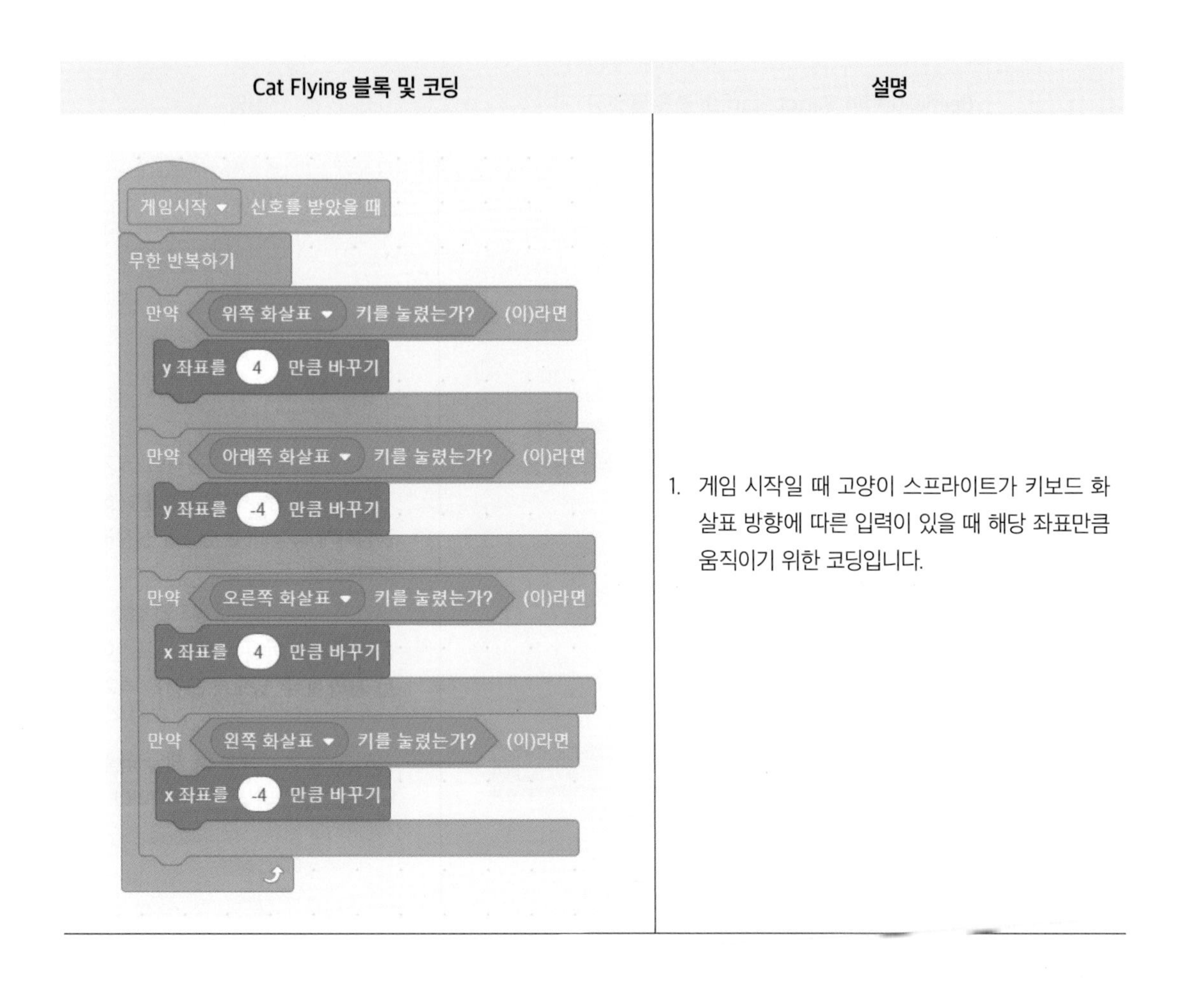

Cat Flying 블록 및 코딩	설명
게임시작 ▾ 신호를 받았을 때 무한 반복하기 만약 위쪽 화살표 ▾ 키를 눌렀는가? (이)라면 y 좌표를 4 만큼 바꾸기 만약 아래쪽 화살표 ▾ 키를 눌렀는가? (이)라면 y 좌표를 -4 만큼 바꾸기 만약 오른쪽 화살표 ▾ 키를 눌렀는가? (이)라면 x 좌표를 4 만큼 바꾸기 만약 왼쪽 화살표 ▾ 키를 눌렀는가? (이)라면 x 좌표를 -4 만큼 바꾸기	1. 게임 시작일 때 고양이 스프라이트가 키보드 화살표 방향에 따른 입력이 있을 때 해당 좌표만큼 움직이기 위한 코딩입니다.

여기까지 완성된 고양이 스프라이트를 실행해봅니다. 실행 시 아래 그림과 같이 '클리어를 향해서!!!'라는 메시지와 키보드 키 상, 하, 좌, 우로 움직임을 확인합니다.

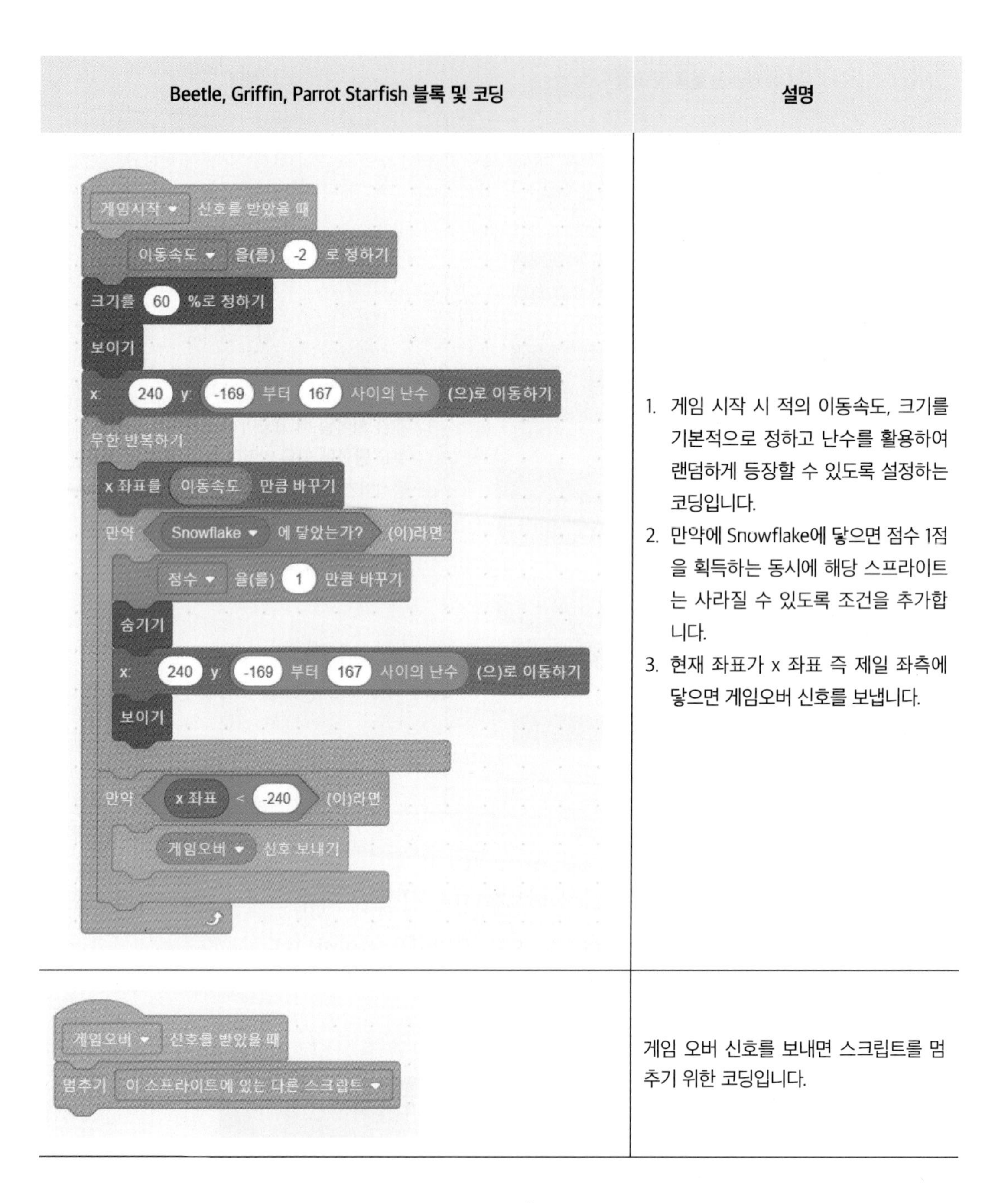

Beetle, Griffin, Parrot Starfish 블록 및 코딩	설명
게임시작 ▾ 신호를 받았을 때 이동속도 ▾ 을(를) -2 로 정하기 크기를 60 %로 정하기 보이기 x: 240 y: -169 부터 167 사이의 난수 (으)로 이동하기 무한 반복하기 x 좌표를 이동속도 만큼 바꾸기 만약 Snowflake ▾ 에 닿았는가? (이)라면 점수 ▾ 을(를) 1 만큼 바꾸기 숨기기 x: 240 y: -169 부터 167 사이의 난수 (으)로 이동하기 보이기 만약 x 좌표 < -240 (이)라면 게임오버 ▾ 신호 보내기	1. 게임 시작 시 적의 이동속도, 크기를 기본적으로 정하고 난수를 활용하여 랜덤하게 등장할 수 있도록 설정하는 코딩입니다. 2. 만약에 Snowflake에 닿으면 점수 1점을 획득하는 동시에 해당 스프라이트는 사라질 수 있도록 조건을 추가합니다. 3. 현재 좌표가 x 좌표 즉 제일 좌측에 닿으면 게임오버 신호를 보냅니다.
게임오버 ▾ 신호를 받았을 때 멈추기 이 스프라이트에 있는 다른 스크립트 ▾	게임 오버 신호를 보내면 스크립트를 멈추기 위한 코딩입니다.

적 스프라이트 코딩을 완성하였으면 스크립트를 실행해서 아래 그림과 같이 동작하는지 확인합니다.

적 스프라이트는 위치가 무작위 위치에서 생성되는 동시에 고양이 스프라이트 쪽으로 계속해서 이동합니다.

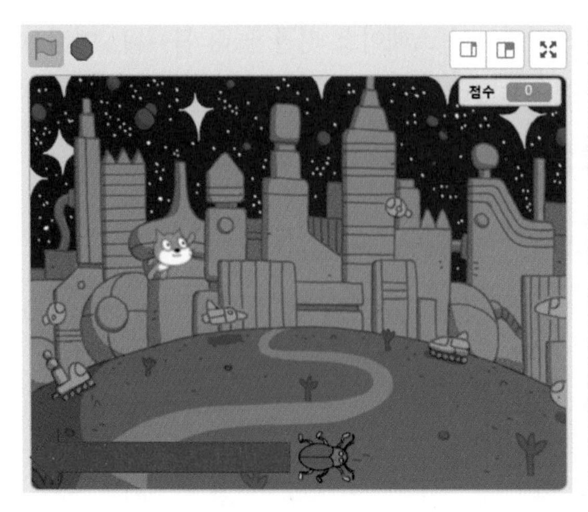

Snowflake 블록 및 코딩	설명
게임시작 ▾ 신호를 받았을 때 숨기기 크기를 (10) %로 정하기 게임오버 ▾ 신호를 받았을 때 멈추기 이 스프라이트에 있는 다른 스크립트 ▾ 스페이스 ▾ 키를 눌렀을 때 만약 <스페이스 ▾ 키를 눌렸는가?> (이)라면 나 자신 ▾ 복제하기	1. 게임 시작, 게임 오버, 스페이스 키를 누를 때 각 상황에 맞는 동작을 추가하기 위한 코딩입니다.
공격버튼 ▾ 신호를 받았을 때 나 자신 ▾ 복제하기 복제되었을 때 보이기 x: (-206) y: (25) (으)로 이동하기 <(x 좌표) > (239)> 까지 반복하기 (7) 만큼 움직이기 숨기기 이 복제본 삭제하기	1. 공격버튼(스페이스)를 누를 때 계속해서 Snowflake를 복제합니다. 2. 복제된 스프라이트 x 축 끝까지 움직이게 하는 코딩입니다.

Snowflake 스프라이트를 완성한 후 스크립트를 실행하여 스페이스 키를 눌러 봅니다. 여기서 확인해야 할 부분은 스페이스 키를 눌러서 해당 스프라이트가 적에게 적중했을 때 적이 사라지는지에 대해 확인합니다. 그리고 적에게 적중했다면 점수가 1점 추가되는지 확인합니다.

Game Over, Clear 블록 및 코딩	설명
게임시작 ▾ 신호를 받았을 때 숨기기 게임오버 ▾ 신호를 받았을 때 보이기	1. Game Over에 대한 코딩이며, 게임 시작, 게임 오버면 각 상황에 맞는 동작을 나타내기 위한 코딩입니다.
게임시작 ▾ 신호를 받았을 때 숨기기 클리어 ▾ 신호를 받았을 때 보이기	1. Clear에 대한 코딩이며, 게임 시작, 클리어면 각 상황에 맞는 동작을 나타내기 위한 코딩입니다.

Game Over 스프라이트의 경우 나타나는 조건이 2가지가 있습니다. 고양이 스프라이트가 적 스프라이트에 닿거나, 적 스프라이트가 왼쪽 벽면에 닿으면 나타납니다. 이를 확인하기 위해 고양이 스프라이트가 적에게 닿거나, 혹은 적 스프라이트가 벽으로 이동하도록하여 Game Over 스프라이트가 나타나는지 확인합니다.

Clear 스프라이트를 확인하기 위해서는 Clear의 조건을 추가하여 확인해야 합니다. 확인을 위해 해 Clear 스프라이트에 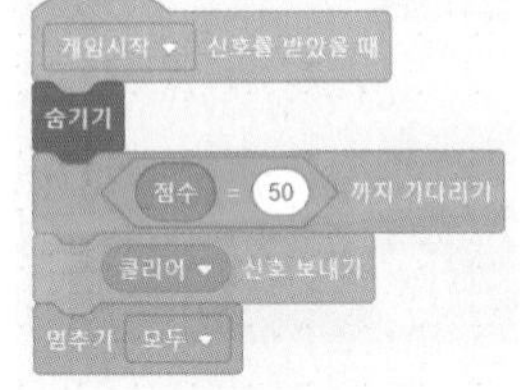

다음과 같은 코딩을 하여 다시 게임을 통해 스프라이트가 잘 나타나는지 확인해 봅니다.

여기까지 각각의 스프라이트마다 기본적인 동작 및 신호를 주거나 받았을 때 동작이 정상적으로 연동되어 나타나는지에 대해 확인해 보았습니다. 이제는 게임의 재미와 난이도를 각각 세밀하게 설정하여 게임의 완성도를 더 높여보도록 하겠습니다.

고양이 스프라이트부터 추가해야 할 부분과 수정할 부분을 같이 따라 해보도록 하겠습니다.

Cat 스프라이트

기본적으로 구현한 고양이 스프라이트의 경우 움직임과 게임오버 신호까지는 정상적인 동작이라고 볼 수 있습니다. 그러나 Snowflake가 고양이의 움직임을 감지하지 못하는 문제와 게임을 재시작할 경우 점수 초기화 옵션을 추가해야 할 필요가 있습니다. 이를 위하여 다음과 같이 이전의 코딩에서 일부를 추가 및 수정해 보도록 하겠습니다.

먼저 점수 초기화 부분입니다. 점수를 초기화하기 위해 '점수를 0으로 정하기' 블록을 아래 그림을 참고하여 블록을 추가하도록 합니다.

다음은 Snowflake가 고양이 스프라이트에서 계속해서 나올 수 있도록 코드를 추가해 보도록 하겠습니다. 아래 그림에서와같이 새로운 변수 Cat X, Cat Y를 추가하고 게임시작 신호를 받을 때 동작할 수 있도록 합니다.

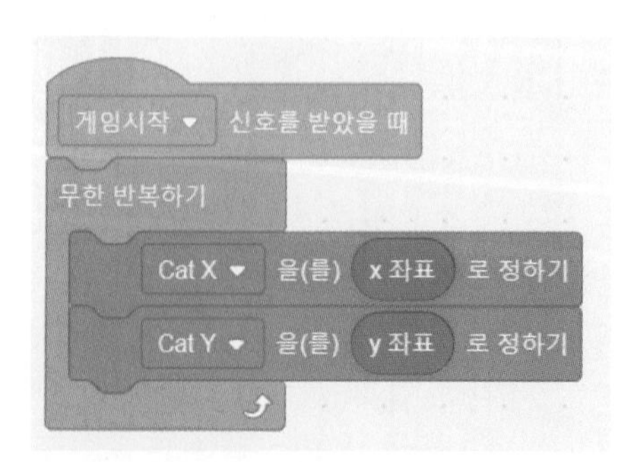

Beetle, Griffin, Parrot, Starfish 스프라이트

적 스프라이트 4개의 경우 따로 수정할 블록은 없으나 게임의 난이도와 재미 요소를 주기 위해 일정 점수에 도달했을 경우 움직이는 속도를 조금 빠르게 변화시키는 부분을 추가해 주도록 하겠습니다.

아래 그림에서처럼 게임시작 신호를 받았을 때 해당 점수까지 기다리기 블록을 이용해 30점까지의 속도 50점까지의 속도 2단계로 나누어서 난이도가 변화하는 느낌을 줄 수 있는 코딩을 추가합니다.

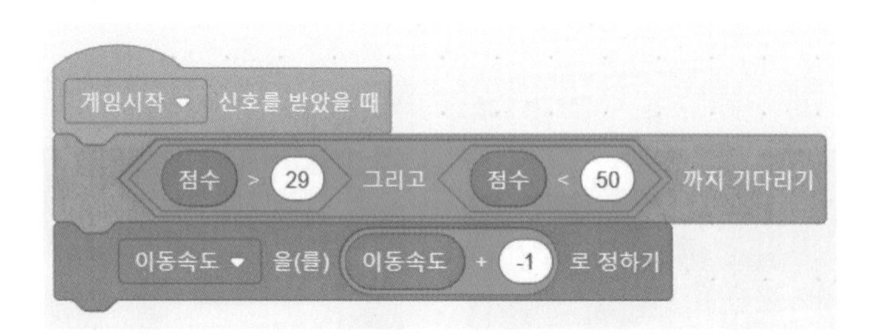

그리고 게임오버 신호를 받을 때 스크립트를 중지하는 블록도 추가고 이 블록의 옵션선택은 '이 스프라이트에 있는 다른 스크립트'를 선택합니다. 이로 인해 게임오버 신호를 받으면 적 스프라이트가 움직이지 않고 멈추는 모습을 확인할 수 있습니다.

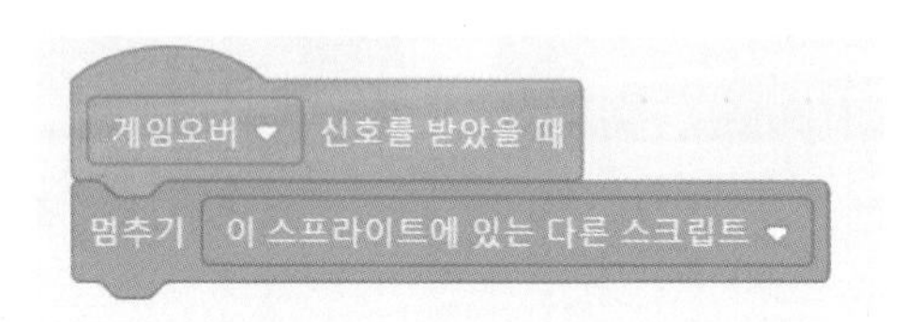

Snowflake 스프라이트

Snowflake는 고양이 스프라이트가 움직이는 곳에서 계속해서 나타날 수 있도록 설정되어야 하고, 적 스프라이트에 닿으면 적 스프라이트를 숨기게 하는 코딩이 필요합니다.

현재 이전 코딩에서 Snowflake 스프라이트의 기능은 다 구현되었으나, 고양이 스프라이트에서 생성되는 부분의 코딩이 필요했습니다. 아래 그림에서처럼 좌표 블록을 추가하여 항상 고양이 스프라이트에서 시작할 수 있도록 적용해 주겠습니다.

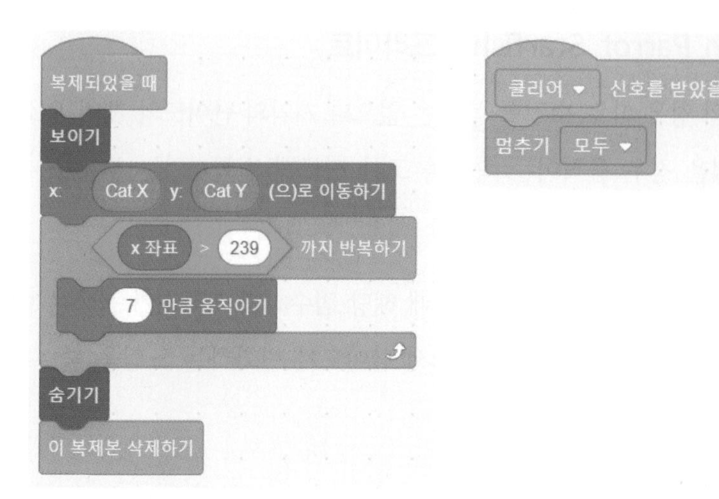

좌표 적용 전

좌표 적용 후

배경 수정하기

각 스테이지 문구를 추가하고 스테이지에 따라 배경이 변하도록 코딩해보겠습니다.

스테이지 표시를 위해 새 스프라이트 2개를 추가합니다. Stage 1을 위한 스프라이트 , Stage 2를 위한 스프라이트 를 알맞은 글자 크기 및 위치에 배치합니다. 그리고 아래 표를 참고하여 블록을 추가하여 코딩을 완성해 보도록 합니다.

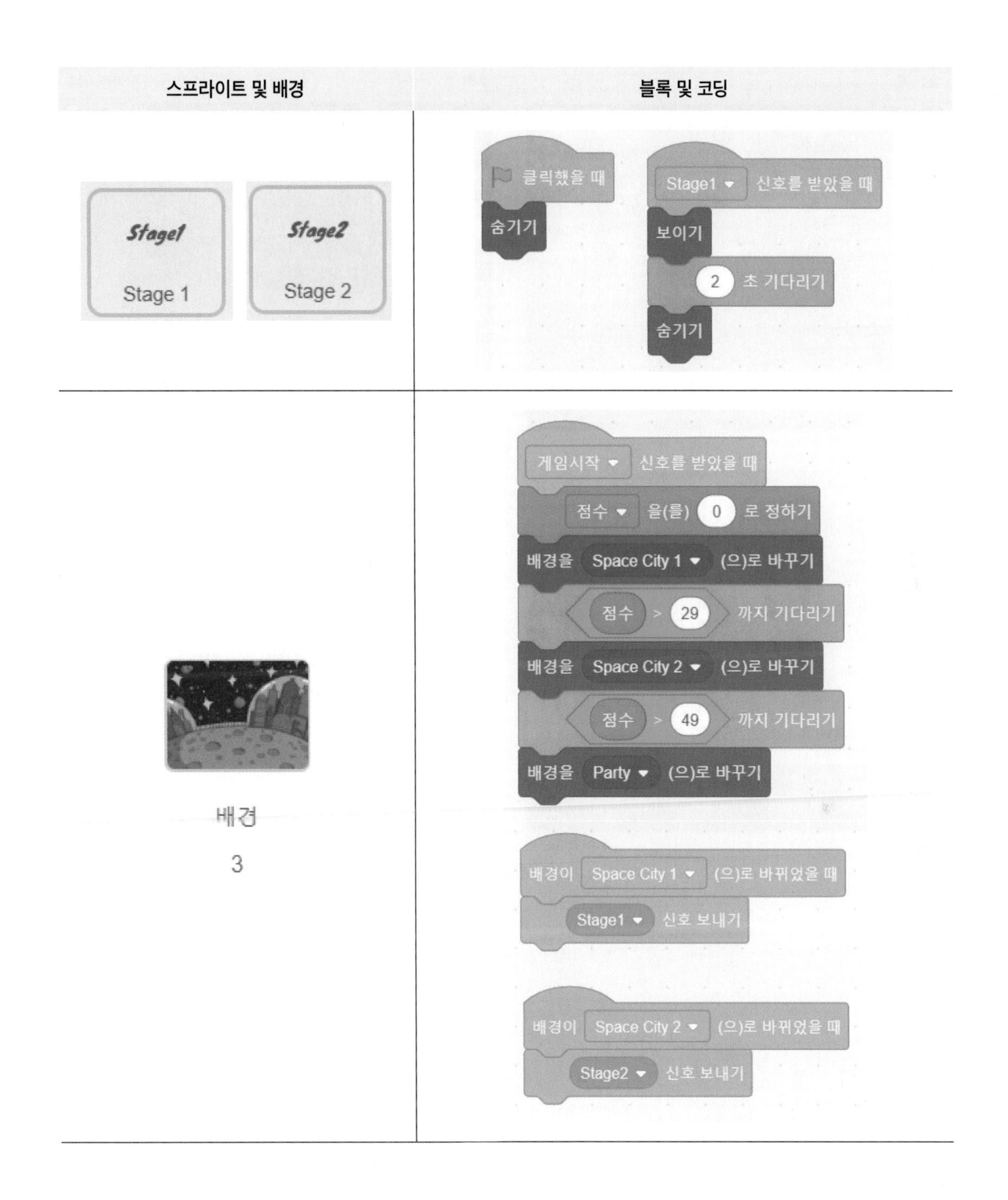

모든 스프라이트에 코딩을 완성하고 스크립트를 실행하여 각각의 상황에 맞게 게임이 진행되는지 확인해 봅니다.

최초 게임이 실행되면 Stage 1이라는 문구와 함께 게임이 시작됩니다. 그리고 30점이 도달하면 Stage 2 문구와 배경이 바뀌면서 적의 이동속도가 증가하게 됩니다. 게임 중 적에게 닿거나 적이 벽까지 이동하면 Game Over 스프라이트가 나타납니다. 그리고 점수가 50점에 도달하면 Clear 메시지와 Party 배경이 나타납니다.

점수 0
Stage1
점수 30
Stage2
점수 50
Clear
점수 30
GAME OVER

1. 4개의 스프라이트(Fish, Jellyfish, Octopus, Shark 2)와 배경(Underwater 1)을 이용하여 게임을 만들어 봅니다.
   - 게임 규칙은 Underwater 1 배경에서 Fish가 마우스를 따라다니고 나머지 Jellyfish, Octopus, Shark 2는 Fish를 잡으려고 계속해서 따라다닙니다. 이때 Fish가 다른 스프라이트(Jellyfish, Octopus, Shark 2)에 잡히면 Game Over 스프라이트를 표시하도록 합니다.

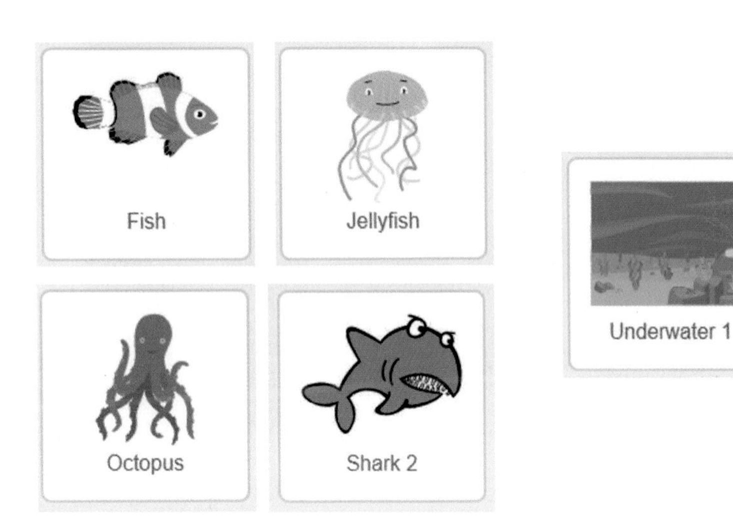

게임 시작

게임 종료

연습문제 

2. 8-4에서 만들었던 게임에서 2개 스프라이트(Apple, Crystal)를 추가하여 해당 스프라이트에 닿으면 점수를 100점, 200점, 획득하도록 만들어 봅니다.

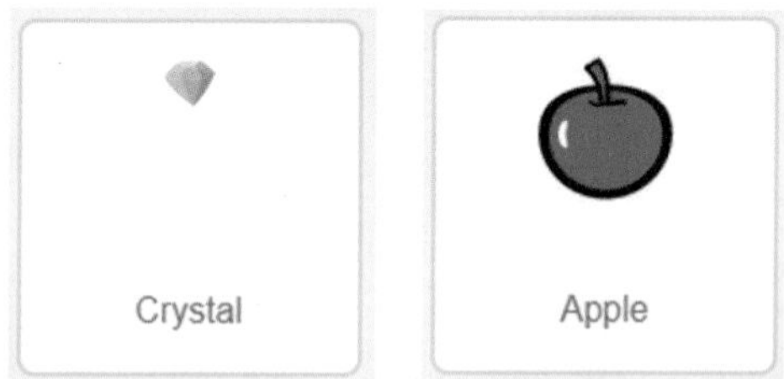

3. 8-5 슈팅 게임에서 적으로 나오는 스프라이트에 애니메이션 효과를 적용해 봅니다.

8-5에서 만든 게임은 현재 적 스프라이트(Beetle, Griffin, Parrot, Starfish)는 이동 방향에 따른 모양과 움직임이 자연스럽지 못하고 있습니다. 스프라이트의 방향을 진행 방향으로 수정하고 스프라이트마다 포함된 다른 모양을 활용하여 움직임을 조금 더 자연스럽게 수정하여 아래 그림과 같은 결과로 바꿔봅시다.

INDEX

Scratch3.0

Scratch3.0